Aravind Adiga

ZWISCHEN DEN ATTENTATEN

FÜR RAMIN BAHRANI

Aravind Adiga

ZWISCHEN DEN ATTENTATEN

Geschichten aus einer Stadt

Aus dem Englischen von
Klaus Modick

C. H. Beck

2. Auflage, 2009

Titel der Originalausgabe: «Between the Assassinations»
erschienen bei Free Press, New York 2009

Gesetzt aus der Apollo MT im Verlag C. H. Beck
Druck und Bindung: GGP Media GmbH, Pößneck
Gedruckt auf säurefreiem, alterungsbeständigem Papier
(hergestellt aus chlorfrei gebleichtem Zellstoff)
Printed in Germany
ISBN 978 3 406 59270 6

www.beck.de

INHALTSVERZEICHNIS

ANKUNFT IN KITTUR

Kittur liegt an Indiens Südwestküste zwischen Goa und Calicut, etwa gleich weit von beiden Städten entfernt. Die Stadt grenzt im Westen ans Arabische Meer und im Süden und Osten an den Fluss Kaliamma. Die Stadt erstreckt sich über mehrere Hügel, die Erde ist schwarz, die Böden sind leicht sauer. Im Juni kommt der Monsun und hält die Stadt bis Ende September im Griff. Die folgenden drei Monate sind trocken und kühl und die beste Jahreszeit für einen Besuch in Kittur. Angesichts der Fülle historischer Sehenswürdigkeiten und landschaftlicher Schönheiten und der Vielfalt der Religionen, Völker und Sprachen empfehlen wir einen Aufenthalt von mindestens einer Woche.

ERSTER TAG: DER BAHNHOF

Die Bögen der Bahnhofshalle bestimmen Ihren ersten Blick auf Kittur, wenn Sie mit dem Madras Mail (Ankunft frühmorgens) oder dem West Coast Express (Ankunft nachmittags) in Kittur anreisen. Der Bahnhof ist düster und dreckig und mit weggeworfenen Essenstüten übersät, in denen streunende Hunde herumschnüffeln. Abends kommen die Ratten aus ihren Löchern.

Die Wände sind mit dem Bild eines fröhlichen, plumpen, schmerbäuchigen, splitternackten Mannes beklebt, dessen Geschlechtsteil durch seine übereinandergeschlagenen Beine geschickt verdeckt wird. Er schwebt über einer Inschrift in Kannada, die lautet: EIN EINZIGES WORT DIESES MANNES KANN DEIN LEBEN ÄNDERN. Es handelt sich um das religiöse Oberhaupt einer ortsansässigen Jain-Sekte, die in der Stadt ein Armenhospital und eine Armenküche betreibt.

Der berühmte Kittamma-Devi-Tempel, ein modernes Gebäude in tamilischem Stil, erhebt sich an der Stelle, wo sich angeblich ein antiker, der Göttin geweihter Schrein befunden haben soll. Er ist vom Bahnhof aus zu Fuß zu erreichen und wird von Besuchern der Stadt häufig als Erstes aufgesucht.

*

Kein anderer Ladenbesitzer in Bahnhofsnähe hätte je einen Moslem angestellt, aber Ramanna Shetty, Inhaber des *Ideal Store*, einer Tee-und-Samosa-Stube, hatte zu Ziauddin gesagt, er dürfe bleiben.

Er müsste allerdings versprechen, hart zu arbeiten. Und sich keine krummen Sachen zu erlauben.

Das kleine, staubbedeckte Geschöpf ließ seine Tasche auf den Boden fallen, eine Hand wanderte zum Herzen.

«Ich bin Moslem, Sir. Unsereiner macht keine krummen Sachen.»

Ziauddin war klein und schwarz, hatte Babyspeck auf den Wangen und ein elfenhaftes Grinsen, das seine großen, weißen Hasenzähne entblößte. Für die Kundschaft kochte er Tee in einem löchrigen Stahlkessel und beobachtete mit wild entschlossener Konzentration, wie das Wasser aufkochte, überlief und in die Gasflamme zischte. In regelmäßigen Abständen tauchte er seine Hand in eine der neben ihm stehenden zerbeulten Teedosen, um schwarzes Teepulver oder eine Handvoll weißen Zucker oder ein Stück Ingwer in das Gebräu zu werfen. Er sog die Lippen ein, hielt den Atem an und neigte den Kessel mit dem linken Unterarm über ein Sieb: Heißer Tee tropfte durch die verstopften Löcher in kleine, kegelförmige Gläser, die in den Ausbuchtungen eines Pappkartons steckten, der eigentlich für Eier gedacht war.

Wenn er die Gläser nacheinander an die Tische brachte, amüsierte er die rauen Männer, die das Teehaus besuchten, indem er ihre Gespräche unterbrach, «Und-eins! Und-zwei! Und-drei-!» brüllte und ihnen die Gläser hinknallte. Später sahen die Männer ihn dann neben dem Lokal hocken, wo er das Geschirr in einem riesigen Bottich mit trübem Lackwasser spülte; oder fetttriefende Samosas in Seiten wickelte, die aus einem Lehrbuch für Trigonometrie herausgerissen waren, um die Teigrollen außer Haus zu liefern; oder die Teeblätterschmiere aus dem Filter kratzte; oder mit einem verrosteten Schraubenzieher eine lockere Schraube an einer Stuhllehne festdrehte. Immer wenn ein englisches Wort fiel, ruhte die Arbeit: Ziauddin drehte sich um, wiederholte mit lauter Stimme das Wort («*Sunday, Monday, Goodbye, Sexy!*»), und alle im Teehaus schüttelten sich vor Lachen.

Spätabends, wenn Ramanna Shetty schließen wollte, grölte Thimma, ein einheimischer Säufer, der jeden Abend drei Zigaretten kaufte, vor Entzücken, weil er sah, wie Ziauddin Hintern und Schenkel gegen die riesige Kühltruhe stemmte und sie so Zentimeter für Zentimeter zurück in den Laden bugsierte.

«Seht euch diesen Jungspund an!» Thimma klatschte Beifall. «Die Kühltruhe ist größer als er selbst, aber er ist ein echter Kämpfer!»

Er rief den Jungspund zu sich und drückte ihm eine Fünfundzwanzig-Paisa-Münze in die Hand. Der kleine Junge sah dem Ladenbesitzer um Einverständnis heischend in die Augen. Als Ramanna Shetty nickte, schloss er die Faust und kreischte auf Englisch: *«Thanks you, Sir!»*

Eines Abends legte Ramanna Shetty dem Jungen die Hand auf den Kopf, schob ihn zu dem Säufer hinüber und fragte diesen: «Was meinst du wohl, wie alt er ist? Rate mal.»

Thimma erfuhr, dass der Jungspund fast zwölf war. Er war das sechste von elf Kindern einer Landarbeiterfamilie aus dem Norden des Bundesstaats; sobald die Regenfälle aufgehört hatten, hatte sein Vater ihn in einen Bus gesetzt und ihn angewiesen, in Kittur auszusteigen und so lange auf dem Markt herumzulaufen, bis ihn jemand aufnehmen würde. «Sie haben ihn ohne einen einzigen Paisa in der Tasche abgeschoben», sagte Ramanna. «Der kleine Kerl musste sich ganz allein auf seinen Verstand verlassen.»

Er legte Ziauddin wieder die Hand auf den Kopf.

«Und damit ist es nicht so weit her, nicht einmal für einen Moslem, das kann ich dir sagen!»

Ziauddin hatte sich mit den sechs anderen Jungen, die Geschirr spülten und Ramannas Laden schmissen, angefreundet und schlief mit ihnen in einem Zelt, das sie hinter dem Laden aufgeschlagen hatten. An Sonntagen schloss Ramanna um Punkt zwölf die Fensterläden und fuhr mit seinem blauen und cremefarbenen Bajaj-Motorroller langsam zum Kittamma-Devi-Tempel; die Jungen folgten ihm zu Fuß. Wenn er hineinging, um der Göttin eine Kokosnuss zu opfern, saßen sie auf dem grünen Sitzpolster des Bajaj-Rollers und diskutierten über die dicken, roten Worte auf Kannada am Tempelsims.

«EHRE DEINEN NACHBARN, DEINEN GOTT.»

«Das bedeutet, dass die Person im Haus nebenan dein Gott ist», gab einer von ihnen zu bedenken.

«Nein, es bedeutet, dass Gott dir nahe ist, wenn man wirklich an ihn glaubt», erwiderte ein anderer.

«Nein, es bedeutet, es bedeutet –», stotterte Ziauddin.

Aber die anderen ließen ihn nicht ausreden: «Du kannst ja gar nicht lesen und schreiben, du Landei!»

Als Ramanna sie in den Tempel rief, schoss Ziauddin mit ihnen los, zögerte jedoch nach ein paar Metern und lief zum Roller zurück. «Ich bin *Moslem,* ich kann da nicht rein.»

Er hatte das Wort auf Englisch und mit solchem Ernst gesagt, dass die anderen Jungen einen Augenblick lang schwiegen und dann zu grinsen begannen.

Eine Woche vor Beginn der Regenzeit packte der Junge sein Bündel und sagte: «Ich gehe nach Hause.»

Er wollte seiner Familienpflicht gehorchen und zusammen mit seinem Vater, seiner Mutter und seinen Brüdern arbeiten, für ein paar Rupien am Tag auf den Feldern irgendeines reichen Mannes jäten oder säen oder ernten. Ramanna zahlte ihm fünf Rupien «extra» (abzüglich je zehn Paise für zwei Flaschen *Thums Up*, die er zerbrochen hatte), um sicherzugehen, dass er aus seinem Dorf zurückkehren würde.

Als Ziauddin vier Monate später zurückkehrte, hatte er sich die Weißfleckenkrankheit zugezogen; rosa Haut sprenkelte seine Lippen, Finger und Ohrläppchen. Der Babyspeck war während des Sommers aus seinem Gesicht verschwunden. Er war mager, sonnenverbrannt und mit Wildheit in seinen Blicken zurückgekommen.

«Was ist denn mit dir passiert?», erkundigte sich Ramanna, nachdem er ihn herzlich umarmt hatte. «Du solltest doch schon vor anderthalb Monaten wieder hier sein.»

«Nichts ist passiert», sagte der Junge und rieb sich mit einem Finger die entfärbten Lippen.

Ramanna ließ sofort einen Teller mit Essen kommen. Ziauddin griff danach und stopfte sich den Mund voll wie ein kleines Tier, sodass der Ladenbesitzer sagen musste: «Hat man dir zu Hause denn gar nichts zu essen gegeben?»

Der Jungspund wurde sämtlichen Gästen vorgeführt. Viele hatten sich schon seit Monaten nach ihm erkundigt; manche, die zu den neueren und saubereren Teehäusern, die rund um den Bahnhof eröffnet wurden, abgewandert waren, kehrten nur deshalb in Ramannas Lokal zurück, um den kleinen Strolch zu sehen. Am Abend umarmte Thimma ihn mehrere Male und steckte ihm zwei Fünfundzwanzig-Paise-Münzen zu, die Ziauddin schweigend annahm und in die Hosentasche schob.

Als Ramanna das sah, schrie er den Säufer an: «Gib ihm kein Trinkgeld! Er ist ein Dieb geworden!»

Der Junge sei dabei erwischt worden, wie er Samosas gestohlen habe, die für einen Kunden bestimmt waren, sagte Ramanna. Thimma fragte den Ladenbesitzer, ob das ein Witz sein solle.

«Ich hätte es selbst nicht für möglich gehalten», murmelte Ramanna. «Aber ich hab's mit eigenen Augen gesehen. Er hat eine Samosa aus der Küche geholt und –» Ramanna biss in eine imaginäre Samosa.

Zähneknirschend hatte Ziauddin damit begonnen, die Kühltruhe mit den Hinterseiten seiner Schenkel ins Lokal zu schieben.

«Aber … er war doch so ein ehrlicher kleiner Kerl…», erinnerte sich der Säufer.

«Vielleicht hat er immer schon geklaut, ohne dass wir es gemerkt haben. Heutzutage kann man niemandem mehr trauen.»

In der Kühltruhe klirrten die Flaschen. Ziauddin hatte die Arbeit eingestellt.

«Ich bin ein Paschtune!», rief er. Er schlug sich gegen die Brust. «Aus dem Land der Paschtunen hoch im Norden, wo es schneebedeckte Berge gibt! Ich bin kein Hindu! Ich mache keine krummen Sachen!»

Dann verkrümelte er sich in den hinteren Teil des Ladens.

«Was zum Teufel soll das?», fragte der Säufer.

Der Ladenbesitzer erklärte, dass Ziauddin jetzt schon die ganze Zeit solchen Paschtun-Waschtun-Quatsch verbreitete. Er nahm an, dass der Junge das bei einem Mullah im Norden des Bundesstaats aufgeschnappt haben musste.

Thimma grölte. Er stemmte die Hände in die Hüften und brüllte zum hinteren Teil des Ladens: «Ziauddin! Paschtunen sind weißhäutig wie Imran Khan! Du bist so schwarz wie ein Afrikaner!»

Am nächsten Morgen herrschte Aufruhr in der Tee-und-Samosa-Stube. Diesmal war Ziauddin auf frischer Tat ertappt worden.

Ramanna Shetty schnappte ihn am Hemdkragen, zog ihn vor der versammelten Kundschaft nach vorn und sagte: «Sag mir die Wahrheit – du Sohn einer Kahlköpfigen! Hast du geklaut? Wenn du mir diesmal die Wahrheit sagst, geb ich dir vielleicht noch eine Chance.»

«Ich sage die Wahrheit», sagte Ziauddin und berührte mit einem gekrümmten Finger seine rosafarbenen, von der Weißfleckenkrankheit entfärbten Lippen. «Ich habe keine einzige Samosa angefasst.»

Ramanna packte ihn an den Schultern, stieß ihn zu Boden, trat ihn und warf ihn aus der Teestube, während die anderen Jungen sich zusammendrängten und teilnahmslos zusahen – wie Schafe, die zusehen, wenn eines aus ihrer Herde geschoren wird. Dann heulte Ramanna auf. Er reckte einen blutenden Finger in die Höhe.

«Er hat mich gebissen – das Tier!»

«Ich bin ein Paschtune!», schrie Ziauddin zurück, während er sich mühsam aufrappelte. «Wir sind hierhergekommen und haben das Taj Mahal und das Rote Fort in Delhi gebaut! Also untersteh dich, mich so zu behandeln, du Sohn einer Kahlköpfigen, du –»

Ramanna wandte sich an die Gäste, die sich im Kreis um ihn und Ziauddin versammelt hatten, die beiden anstarrten und zu verstehen versuchten, wer recht und wer unrecht hatte: «Für einen Moslem gibt's hier keine Arbeit, und er muss sich ausgerechnet mit dem einzigen Mann anlegen, der ihm einen Job gibt.»

Ein paar Tage später kreuzte Ziauddin wieder vor dem Teehaus auf. Er fuhr ein Fahrrad mit angehängtem Karren; große Milchkannen klapperten auf dem Anhänger.

«Sieh mal», ärgerte er seinen ehemaligen Arbeitgeber. «Die Milchleute vertrauen mir!»

Aber auch dieser Job dauerte nicht lange. Wiederum wurde er des Diebstahls bezichtigt. Er schwor vor aller Öffentlichkeit, nie wieder für einen Hindu zu arbeiten.

Neue moslemische Restaurants wurden auf der Rückseite des Bahnhofs errichtet, wo sich die moslemischen Einwanderer auch ihre Häuser bauten, und Ziauddin fand Arbeit in einem dieser Restaurants. Er machte Omelettes und Toast auf einem Straßengrill und brüllte auf Urdu und Malayalam: «Moslemische Männer, woher in der Welt auch immer ihr stammt, Jemen oder Kerala oder Arabien oder Bengalen, kommt und esst in einem original moslemischen Lokal!»

Aber selbst dieser Job dauerte nicht lange – wieder wurde er von seinem Arbeitgeber des Diebstahls bezichtigt, und als er Widerworte gab, ohrfeigte ihn sein Chef. Als Nächstes sah man ihn in einer roten Uniform im Bahnhof. Er balancierte Berge von Gepäck auf dem Kopf und stritt sich mit den Passagieren heftig um seinen Lohn.

«Ich bin der Sohn eines Paschtunen. In mir fließt das Blut eines Paschtunen. Haben Sie verstanden? Ich bescheiße nicht!»

Wenn er sie dabei anstarrte, traten seine Augen aus den Höhlen, und die Adern an seinem Hals schwollen gewaltig an. Er war zu einem jener mageren, einsamen Männer mit wachsamen Augen geworden, die jeden indischen Bahnhof bevölkern, in einer einsamen Ecke ihre Bidis rauchen und so aussehen, als könnten sie jeden Moment zuschlagen oder jemanden umbringen. Wenn ihn jedoch alte Kunden aus Ramannas Teestube mit seinem Namen ansprachen, grinste er, und dann kam wieder etwas von dem Jungen mit dem breiten Lächeln zum Vorschein, der ihnen den Tee auf den Tisch geknallt und ihr Englisch verballhornt hatte. Sie fragten sich, was um alles in der Welt aus ihm geworden war.

Schließlich lieferte sich Ziauddin Schlägereien mit den anderen Gepäckträgern, wurde aus dem Bahnhof geworfen, irrte ein paar Tage ziellos umher und verfluchte Hindus wie Moslems gleichermaßen. Dann tauchte er erneut im Bahnhof auf und trug wieder Gepäck auf dem Kopf. Er arbeitete immerhin gut; das musste jedermann zugeben. Und jetzt gab es für jeden viel

Arbeit. Mehrere mit Soldaten besetzte Züge waren in Kittur angekommen – auf dem Markt war die Rede davon, dass eine neue Kaserne an der Straße nach Cochin gebaut werden sollte –, und nachdem die Soldaten abgezogen waren, rollten in ihrem Gefolge noch tagelang Güterzüge mit großen Kisten an, die abgeladen werden mussten. Ziauddin hielt den Mund und schleppte die Kisten von den Zügen aus dem Bahnhof, wo Armeelastwagen darauf warteten, damit beladen zu werden.

*

An einem Sonntagmorgen lag er um zehn Uhr noch auf dem Bahnsteig, wo er, todmüde von der harten Arbeit einer Woche, eingeschlafen war. Er erwachte mit einem Jucken in der Nase; in der Luft hing Seifengeruch. Neben ihm blubberten Bäche aus Schaum. Am Ende des Bahnsteigs nahm eine Gruppe dünner, schwarzer Gestalten ein Bad.

Vom Geruch des Seifenschaums musste Ziauddin niesen.

«Hey, badet woanders! Lasst mich in Frieden!»

Die Männer lachten und brüllten und zeigten mit ihren schaumbedeckten schneeweißen Fingern auf Ziauddin. «Es gibt hier welche, die keine dreckigen Tiere sind, Zia! Ein paar von uns sind Hindus!»

«Ich bin ein Paschtune!», schrie er den Badenden zu. «So redet man nicht mit mir!»

Er begann, sie anzubrüllen, als plötzlich etwas Merkwürdiges geschah – die Badenden stoben davon und schrien: «Ein Kuli, Sir? Brauchen Sie einen Kuli?»

Ein Fremder war auf dem Bahnsteig erschienen, obwohl kein Zug eingefahren war. Ein großer, hellhäutiger Mann mit einer kleinen schwarzen Tasche in der Hand. Er trug ein sauberes weißes Bürohemd und eine graue Baumwollhose, und alles an ihm roch nach Geld. Das versetzte sämtliche Gepäckträger in helle Aufregung. Immer noch schaumbedeckt, drängten sie sich um ihn, wie Männer mit einer schrecklichen Krankheit sich um einen Arzt drängen, der sie vielleicht heilen könnte. Aber er ließ sie alle stehen und ging direkt auf den einzigen Träger zu, der nicht mit Schaum bedeckt war.

«Welches Hotel?», fragte Ziauddin und rappelte sich auf.

Der Fremde zuckte mit den Schultern, als wollte er sagen: «Deine Entscheidung.» Er schaute die anderen Träger missbilligend an, die immer noch so gut wie nackt und voller Seifenschaum um ihn herumschwirrten. Ziauddin streckte ihnen die Zunge heraus und brach mit dem Fremden auf.

Die beiden gingen zu den billigen Hotels, die an den Straßen in Bahnhofsnähe liegen. Sie blieben vor einem Gebäude stehen, das voller Schilder hing – Elektroläden, Drogerien, Apotheken, Klempner –, und Ziauddin zeigte auf ein rotes Schild im zweiten Stock.

HOTEL DECENT
BOARDING AND LODGING
ALL FOODS AND SERVICES HERE
NORTH INDIAN SOUTH INDIAN CHINESE WESTERN
TIBETAN DISHES
TAXI PASSPORT VISA XEROX TRUNK CALL FOR ALL
COUNTRIES

»Wie wär's mit diesem, Sir? Es ist das beste Hotel der Stadt.» Er legte die Hand aufs Herz. «Ich schwöre.»

Das Hotel Decent war mit allen Gepäckträgern des Bahnhofs gut im Geschäft: eine Provision von zweieinhalb Rupien für jeden Gast, den sie anschleppten.

Der Fremde sagte mit leiser Stimme: «Mein lieber Freund,

aber ist das denn auch ein *gutes* Hotel?» Er betonte das entscheidende Wort, indem er es auf Englisch sagte.

«Sehr gut», sagte Zia mit einem Zwinkern. «Sehr, sehr gut.»

Der Fremde krümmte den Zeigefinger und winkte Zia dichter zu sich heran. Er flüsterte ihm ins Ohr: «Mein lieber Freund: Ich bin Moslem.»

«Ich weiß, Sir. Ich auch.»

«Nicht irgendein Moslem. Ich bin *Paschtune.*»

Ziauddin kam es so vor, als hätte er einen Zauberspruch vernommen. Er glotzte den Fremden mit offenem Mund an.

«Entschuldigen Sie, Sir ... ich wusste ja nicht ... ich ... Allah hat Sie genau zum richtigen Gepäckträger gesandt, Sir! Und das ist überhaupt nicht das passende Hotel für Sie. Es ist sogar ein sehr *schlechtes* Hotel. Und dies ist nicht die richtige ...»

Indem er die fremde Tasche abwechselnd in der linken und der rechten Hand trug, führte er den Fremden um den Bahnhof herum auf die andere Seite – wo die Hotels Moslems gehörten und wo die Gepäckträger keine Provisionen bekamen. Er blieb vor einem Haus stehen und sagte: «Wäre dies vielleicht recht?»

HOTEL DARUL-ISLAM
BOARDING AND LODGING

Der Fremde inspizierte das Schild, den grünen Torbogen des Hotels, das Bild der Großen Moschee von Mekka am Eingang. Dann steckte er eine Hand in die Tasche seiner grauen Hose und holte einen Fünf-Rupien-Schein heraus.

Ziauddin zog die Finger zurück. «Das ist zu viel für eine einzige Tasche, Sir. Geben Sie mir zwei Rupien.»

Er biss sich auf die Lippen.

«Nein, das ist auch noch zu viel.»

Der Fremde lächelte. «Ein ehrlicher Mann.» Er klopfte mit zwei Fingern seiner linken Hand auf seine rechte Schulter.

«Ich habe einen verletzten Arm, mein Freund. Ich hätte die Tasche nur unter größten Schmerzen hierherschleppen können.» Er drückte Zia das Geld in die Hand. «Du hast noch mehr verdient.»

Ziauddin nahm das Geld und sah dem Fremden ins Gesicht.

«Sind Sie wirklich ein *Paschtune*, Sir?»

Der Körper des Jungen zitterte, als er die Antwort des Fremden hörte.

«Ich auch!», rief er, lief dann wie von Sinnen davon und schrie unentwegt: «Ich auch! Ich auch!»

In dieser Nacht träumte Ziauddin von schneebedeckten Bergen und einer Rasse hellhäutiger, zuvorkommender Männer, die Trinkgelder wie die Götter gaben. Am Morgen ging er wieder zu dem Gasthaus und traf den Fremden draußen auf einer der Bänke an. Er nippte an einer gelben Teetasse.

«Willst du vielleicht mit mir Tee trinken, kleiner Paschtune?»

Ziauddin schüttelte verwirrt den Kopf, aber der Fremde hatte bereits mit den Fingern geschnippt. Der Besitzer, ein fetter Mann mit rasierter Oberlippe und einem vollen, flauschigen, weißen Bart, der wie ein Halbmond aussah, musterte den schmutzigen Gepäckträger missvergnügt, bis er mit einem Grunzen andeutete, dass er sich heute ausnahmsweise an einen der Tische setzen dürfe.

Der Fremde fragte: «Und du bist also auch ein Paschtune, mein kleiner Freund?»

Ziauddin nickte. Er nannte dem Fremden den Namen des Mannes, der ihm gesagt hatte, dass er Paschtune sei. «Das war ein gebildeter Mann, Sir. Er war ein Jahr lang in Saudi-Arabien.»

«Ach so», sagte der Fremde kopfschüttelnd. «Ach so, ich verstehe. Jetzt verstehe ich.»

Einige Minuten vergingen schweigsam. Dann sagte Ziauddin: «Ich hoffe, dass Sie hier nicht lange bleiben, Sir. Es ist eine schlechte Stadt.»

Der Paschtune hob die Augenbrauen.

«Für Moslems wie uns ist sie schlecht. Die Hindus geben uns keine Jobs. Sie respektieren uns nicht. Ich spreche aus Erfahrung, Sir.»

Der Fremde zog ein Notizbuch heraus und begann zu schreiben. Zia sah zu, sagte aber nichts. Wieder beobachtete er das schöne Gesicht des Fremden und seine teure Kleidung. Er sog den Duft ein, der von seinen Fingern und seinem Gesicht aufstieg. Dieser Mann ist dein Landsmann, Zia, sagte er sich. Dein Landsmann!

Der Paschtune trank seinen Tee aus. Er gähnte. Als hätte er Zia einfach vergessen, ging er zurück in sein Gasthaus und schloss die Tür hinter sich.

Sobald sein ausländischer Gast im Haus verschwunden war, starrte der Besitzer Ziauddin an und machte eine ruckartige Kopfbewegung, und da wusste der dreckige Kuli, dass er keinen Tee bekommen würde. Er ging zurück zum Bahnhof, wo er in seiner üblichen Ecke auf Passagiere wartete, die sich ihm mit Metallkoffern oder Ledertaschen näherten, um sie zum Zug tragen zu lassen. Aber seine Seele strahlte vor Stolz, und an diesem Tag stritt er sich mit niemandem.

Am nächsten Morgen weckte ihn der Geruch frischer Wäsche. «Ein Paschtune steht immer im Morgengrauen auf, mein Freund.»

Gähnend und sich reckend, öffnete Ziauddin die Augen. Er blickte in wunderschöne blaue Augen, die auf ihn herabschauten: Augen, die man bekommt, wenn man lange Zeit auf Schnee blickt. Ziauddin rappelte sich auf und entschuldigte sich bei dem Fremden, schüttelte ihm dann die Hand und hätte beinahe sein Gesicht geküsst.

«Hast du schon etwas gegessen?», fragte der Paschtune.

Zia schüttelte den Kopf. Er aß nie etwas vor der Mittagszeit.

Der Paschtune ging mit ihm zu einer der Tee-und-Samosa-Stuben in Bahnhofsnähe. Es war ein Laden, in dem Zia einmal gearbeitet hatte, und die Jungen sahen verblüfft zu, wie er am Tisch Platz nahm und rief: «Ein Teller vom *Besten*! Heute Morgen müssen zwei Paschtunen verpflegt werden!»

Der Paschtune beugte sich vor und sagte hastig: «Sag das nicht so laut. *Das* braucht man von uns gar nicht zu wissen. Es ist unser *Geheimnis*.»

Zia merkte, dass der Fremde ihm einen Geldschein in die Hand schob. Als er den Schein aufrollte, sah der Junge das Bild eines Traktors und einer aufgehenden Sonne. Fünf Rupien!

«Sie wollen wohl, dass ich Ihr Gepäck bis nach Bombay trage. So weit kommt man in Kittur mit so einem Geldschein.»

Er lehnte sich in seinem Stuhl zurück, während ein Servierjunge zwei Teetassen und einen Teller mit einer großen Samosa, die in zwei Teile geschnitten und mit wässrigem Ketchup übergossen war, auf dem Tisch abstellte. Der Paschtune und Zia kauten an ihren Samosahälften. Der Paschtune pulte sich ein Stück Samosa zwischen den Zähnen heraus, und dann erklärte er Ziauddin, was er von ihm für die fünf Rupien erwartete.

Eine halbe Stunde später saß Zia in einer Ecke des Bahnhofs vor dem Wartesaal. Wenn Reisende ihn baten, ihre Koffer zu tragen, schüttelte er den Kopf und sagte: «Heute habe ich einen anderen Job.» Als die Züge in den Bahnhof einfuhren, fing er an, sie zu zählen. Er fand es schwierig, sich die Zahlen zu merken. Also ging er nach draußen und setzte sich unter einem Baum in den Schatten. Immer wenn eine Lokomotive vorbeipfiff, kratzte er mit seinem großen Zeh einen Strich in den Sand und für jeden fünften einen Querstrich. Manche der Züge waren voll besetzt; manche hatten Waggons, in denen nur Soldaten mit Gewehren saßen; und manche waren fast leer. Er fragte sich, wo sie wohl hinfuhren, all diese Züge, all diese Menschen ... er schloss die Augen und döste ein. Das Geräusch einer Lokomotive schreckte ihn wieder hoch, und er kratzte mit dem großen Zeh noch einen Strich. Als er aufstand, um sich etwas zum Mittagessen zu besorgen, stellte er fest, dass er auf einem Teil der Markierungen gesessen und sie mit seinem Gewicht verwischt hatte. Und dann versuchte er verzweifelt zu entziffern, was er eigentlich notiert hatte.

Am Abend entdeckte er den Paschtunen, der auf einer der Bänke vor dem Gästehaus Tee trank. Der große Mann lächelte, als er Ziauddin sah, und klopfte dreimal auf den Platz neben sich auf der Bank.

«Gestern Abend hab ich keinen Tee bekommen», beklagte sich Ziauddin und erzählte, was passiert war.

Das Gesicht des Paschtunen verdüsterte sich. Ziauddin begriff, dass der Fremde ein rechtschaffener Mann war. Und er war mächtig: Ohne ein Wort zu sagen, wandte er sich dem Besitzer zu und blickte ihn finster an. Sofort kam ein Junge mit einer gelben Tasse aus dem Hotel gerannt und stellte sie vor Zia auf den Tisch.

Er sog das Aroma von Kardamom und süßer, dampfender Milch ein und sagte: «Siebzehn Züge sind in Kittur angekommen. Sechzehn sind aus Kittur abgefahren. Ich habe sie alle gezählt, wie Sie mir gesagt haben.»

«Gut», sagte der Paschtune. «Und jetzt sag mir mal: In wie vielen dieser Züge waren indische Soldaten?»

Ziauddin glotzte ihn an.

«In-wie-vielen-waren-indische-Soldaten?»

«Soldaten waren in allen ... ich weiß nicht ...»

«Indische Soldaten waren in sechs Zügen», sagte der Paschtune. «Vier fuhren nach Cochin, zwei kamen von dort.»

Am nächsten Tag saß Ziauddin schon eine halbe Stunde vor Ankunft des ersten Zugs am Bahnhof. Er kratzte die Anzahl mit seinem großen Zeh auf den Boden. In der Zeit zwischen den Zugankünften ging er zur Snackbude im Bahnhof.

«Du kommst hier nicht rein!», schrie der Ladenbesitzer. «Wir wollen keinen Ärger mehr!»

«Mit mir kriegst du keinen Ärger mehr», sagte Zia. «Ich habe heute Geld dabei.» Er legte einen Rupienschein auf die Theke und sagte zu dem Besitzer: «Steck den Schein in deine Kasse, und dann gib mir eine Hähnchensamosa.»

Abends berichtete Zia dem Paschtunen, dass elf Züge mit Soldaten angekommen waren.

«Gut gemacht», sagte der Mann.

Der Paschtune streckte seinen verletzten Arm aus und tätschelte Ziauddin beide Wangen. Er zog noch einen Fünf-Rupien-Schein heraus, den der Junge ohne Zögern annahm.

«Ich will, dass du morgen darauf achtest, wie viele der Züge auf ihren Abteiltüren mit einem roten Kreuz markiert sind.»

Ziauddin schloss die Augen und wiederholte: «Mit einem roten Kreuz markiert.» Er sprang auf, salutierte militärisch und sagte: «*Thanks you, Sir!*»

Der Paschtune lachte ein warmes, herzliches, fremdländisches Lachen.

Am nächsten Tag saß Ziauddin wieder unter dem Baum und kratzte mit seinem Zeh Striche in drei Reihen. Die erste für die Anzahl der Züge. Die zweite für die Anzahl der Züge mit Soldaten. Die dritte für Züge mit roten Kreuzen.

Sechzehn, elf, acht.

Noch ein Zug fuhr vorbei. Zia blickte auf, blinzelte und bewegte dann den Zeh in eine Position über der ersten der drei Reihen.

Er hielt den Zeh für einen Moment angehoben, ließ ihn dann zur Erde sinken und achtete darauf, dass er keine Striche in den Zahlenreihen verwischte. Der Zug fuhr ab, und gleich nach ihm fuhr ein anderer in den Bahnhof ein, voll besetzt mit Soldaten, aber Ziauddin fügte ihn seiner Liste nicht hinzu. Er schaute lediglich auf die Striche, die er schon auf den Boden gekratzt hatte, als hätte er in ihnen eine ganz neue Bedeutung gesehen.

Der Paschtune war im Gästehaus, als Ziauddin um vier Uhr dort eintraf. Der große Mann hielt die Hände hinterm Rücken verschränkt und war zwischen den Bänken auf und ab gegangen. Mit schnellen Schritten ging er auf den Jungen zu.

«Hast du die Zahl?»

Ziauddin nickte.

Aber als die beiden sich gesetzt hatten, fragte er: «Warum soll ich das eigentlich für Sie machen?»

Der Paschtune streckte seinen verletzten rechten Arm über den ganzen Tisch aus und versuchte, Ziauddins Haare zu streicheln.

«Endlich fragst du. Endlich.» Er lächelte.

Der Gasthausbesitzer mit dem mondförmigen Bart erschien unverzüglich. Er stellte zwei Teetassen auf den Tisch, trat einen Schritt zurück, rieb sich die Hände und lächelte. Der Paschtune schickte ihn mit einer Kopfbewegung weg. Er nippte am Tee. Ziauddin rührte seinen nicht an.

«Weißt du, wo diese Züge mit den Soldaten und den roten Kreuzen hinfahren?»

Ziauddin schüttelte den Kopf.

«Nach Calicut.»

Der Fremde beugte sich vor. Auf seinem Gesicht sah der Junge Dinge, die er zuvor nicht bemerkt hatte: Narben auf Nase und Wangen des Paschtunen und einen kleinen Einriss in seinem linken Ohr.

«Die indische Armee baut irgendwo zwischen Kittur und Calicut eine Basis auf. Und zwar aus einem einzigen Grund.» Er reckte einen seiner dicken Finger in die Höhe. «Um den Moslems im Süden Indiens dasselbe anzutun, was sie den Moslems in Kaschmir antun.»

Ziauddin starrte den Tee an. Geronnene Milch hatte eine sich kräuselnde Haut auf der Oberfläche gebildet.

«Ich bin Moslem», sagte er. «Und der Sohn eines Moslems.»

«Genau. Genau.» Die dicken Finger des Paschtunen bedeckten die Teetasse. «Und jetzt hör mal zu. Jedes Mal, wenn du die Züge beobachtest, bekommst du eine kleine Belohnung. Natürlich sind das nicht immer gleich fünf Rupien, aber immer ein bisschen. Ein Paschtune kümmert sich um andere Paschtunen. Das ist einfache Arbeit. Ich bin hier, um die schwere Arbeit zu machen. Du wirst –»

Ziauddin sagte: «Ich fühle mich nicht gut. Morgen kann ich es nicht machen.»

Der Ausländer dachte darüber nach und sagte dann: «Du lügst mich an. Darf ich fragen, warum?»

Ein Finger fuhr über die von der Weißfleckenkrankheit entfärbten Lippen. «Ich bin Moslem. Und der Sohn eines Moslems.»

«In dieser Stadt gib es fünfzigtausend Moslems.» Die Stimme des Ausländers knirschte vor Verärgerung. «In allen brodelt es. Alle sind bereit zu kämpfen. Ich habe dir diesen Job nur aus Mitleid angeboten. Weil ich sehe, was dir diese Hindus angetan haben. Sonst hätte ich einem anderen der fünfzigtausend Burschen den Job angeboten.»

Ziauddin stieß seinen Stuhl zurück und stand auf.

«Holen Sie sich doch einen der fünfzigtausend Burschen.»

Außerhalb des Hotelgrundstücks drehte er sich noch einmal um.

Der Paschtune sah ihn an und sagte mit sanfter Stimme : «Ist das eine feine Art, mich zu entlohnen, kleiner Paschtune?»

Ziauddin sagte nichts. Er starrte auf den Boden. Sein großer Zeh kratzte langsam ein Zeichen in die Erde: einen großen Kreis. Er sog die frische Luft ein und stieß ein heiseres, wüstes, wortloses Zischen aus.

Dann rannte er davon. Er rannte aus dem Gästehaus, rannte um den Bahnhof herum zur Hinduseite, rannte direkt zu Ramanna Shettys Teehaus, zur Rückseite des Lokals und hinein ins blaue Zelt, in dem die Jungen wohnten. Dort setzte er sich, die gesprenkelten Lippen zusammengepresst und die Finger fest um die Knie verschränkt.

«Was ist denn mit dir los?», fragten die anderen Jungen. «Hier kannst du nicht bleiben, das weißt du doch. Shetty wird dich rauswerfen.» In Erinnerung an die alten Zeiten versteckten sie ihn aber für diese Nacht im Zelt. Als sie aufwachten, war er verschwunden.

Noch am gleichen Tag sah man ihn wieder im Bahnhof, wo er sich mit seinen Kunden stritt und sie anschrie: «– mach keine krummen Sachen!»

WIE DIE STADT ANGELEGT IST

Im geografischen Zentrum von Kittur erhebt sich die abblätternde Stuckfassade des Angel Talkies, eines Pornokinos; wenn Einheimische Wegbeschreibungen geben, benutzen sie das Angel Talkies bedauerlicherweise gern als Bezugspunkt. Das Kino liegt mitten in der Umbrella Street, dem Herzen des Geschäftsviertels. Ein wesentlicher Anteil von Kitturs Wirtschaft besteht aus der Herstellung handgerollter Bidis, und so ist es kein Wunder, dass das höchste Gebäude der Stadt das Engineer Beedi Building ist, ebenfalls in der Umbrella Street gelegen und im Besitz von Mabroor Engineer, angeblich dem reichsten Mann der Stadt. Nicht weit davon entfernt befindet sich Kitturs berühmteste Eisdiele, The Ideal Traders' Ice Cream and Fresh Fruit Juice Parlour. Eine weitere Attraktion in der Nähe ist The White Stallion Talkies, das einzige Kino der Stadt, in dem ausschließlich Filme in englischer Sprache laufen. Ming Palace, das erste Chinarestaurant in Kittur, wurde 1986 an der Umbrella Street eröffnet. Der Ganapati-Tempel in der gleichen Straße ist einem berühmten Tempel in Goa nachempfunden und Schauplatz einer jährlichen Zeremonie zu Ehren der elefantenköpfigen Gottheit. Gehen Sie vom Angel Talkies in der Umbrella Street in nördlicher Richtung. Hinter dem Nehru Maidan und dem Bahnhof gelangen Sie zum römisch-katholischen Vorort Valencia, dessen markantestes Wahrzeichen die Kathedrale Our Lady of Valencia ist. The Double Gate, ein Torbogen aus der Kolonialzeit am Ortsausgang Valencias, führt nach Bajpe, früher ein Wald, heute jedoch ein rasch wachsender Vorort. Südlich vom

Angel Talkies führt die Straße bergauf zum Lighthouse Hill und bergab zum Cool-Water Well.

In der Nähe des Brunnens beginnt an einer verkehrsreichen Kreuzung die Straße zum Bunder, zur Hafengegend. Noch weiter südlich kann man vom Bunder aus Sultan's Battery sehen, eine schwarze Festung, von der aus man die Straße überblicken kann, die über den Fluss Kaliamma nach Salt Market Village führt, dem südlichsten Zipfel Kitturs.

ERSTER TAG (NACHMITTAG): DER BUNDER

Sie sind an der Masjid Road vorbei über die Cool-Water Well Road gegangen, beginnen, die salzige Luft zu riechen und registrieren die Verkaufsstände voller Garnelen, Muscheln, Krabben, Austern und Fische. Jetzt sind Sie nicht mehr weit vom Arabischen Meer entfernt.

Der Bunder, wie das Hafengebiet auch genannt wird, ist heutzutage weitgehend moslemisch. Die bedeutendste Sehenswürdigkeit ist der Dargah, der Schrein Yusuf Alis, ein weißer Kuppelbau, zu dem jedes Jahr Tausende Moslems aus ganz Südindien pilgern. Hinter dem Grab des Heiligen steht ein uralter Banyanbaum, der stets mit grünen und goldenen Girlanden geschmückt ist; man glaubt, dass er die Macht hat, Krüppel zu heilen. Dutzende Leprakranke, Amputierte, Querschnittsgelähmte und Greise hocken vor dem Schrein und betteln bei Besuchern um Almosen.

Geht man zur anderen Seite des Bunder, stößt man auf das Industriegebiet, wo in schäbigen alten Gebäuden Dutzende von Ausbeuterbetrieben Textilien produzieren. Der Bunder hat die höchste Kriminalitätsrate in Kittur und ist Schauplatz zahlreicher Messerstechereien, Polizeirazzien und Verhaftungen. 1987 kam es in der Nähe des Dargah zu Unruhen zwischen Hindus und Moslems, und der Bunder wurde sechs Tage lang gesperrt. Seitdem sind die Hindus nach Bajpe und Salt Market Village ausgewichen.

*

Abbasi entkorkte die Flasche – Johnnie Walker Red Label Blended, der zweitbeste Whisky, den Gott und die Welt kennen – und goss je einen kleinen Schluck in zwei Gläser, auf denen das Maharadscha-Logo von Air India eingraviert war. Er öffnete einen alten Kühlschrank, holte einen Eiskübel heraus und warf mit der Hand drei Eiswürfel in die Gläser. Er goss kaltes Wasser in die Gläser. Er fand einen Löffel und rührte um. Er senkte den Kopf und wollte in eines der Gläser spucken.

Ach, zu einfach, Abbasi. Zu einfach.

Er schluckte den Speichel wieder, öffnete den Reißverschluss seiner Baumwollhose und ließ sie zu Boden sacken. Dann presste er Mittel- und Zeigefinger seiner rechten Hand zusammen und schob sie sich tief in den Arsch. Er zog die Finger wieder heraus, tunkte sie in eines der Whiskygläser und rührte kräftig um.

Er zog die Hose wieder hoch und schloss den Reißverschluss. Angesichts des versauten Glases runzelte er die Stirn, jetzt wurde es knifflig: Wie ließe sich das Tablett so arrangieren, dass der richtige Mann auch das richtige Glas bekäme?

Er ging mit dem Tablett aus der Küche.

Der Beamte der staatlichen Energieversorgung, der an Abbasis Tisch saß, grinste. Er war ein fetter, schwarzer Mann in einem blauen Safarianzug, aus dessen Jacketttasche ein Kugelschreiber aus Edelstahl ragte. Abbasi stellte das Tablett sorgfältig vor diesem Herrn ab.

«Bitte sehr», sagte Abbasi mit überflüssiger Höflichkeit: Der Beamte hatte das Glas bereits näher zu sich herangezogen. Er nippte und leckte sich die Lippen. Er trank den Whisky in langsamen Schlucken und setzte das Glas geräuschvoll wieder ab.

«Ein wahres Männergetränk.»

Abbasi lächelte ironisch.

Der Beamte legte sich eine Hand auf den Bauch.

«Fünfhundert», sagte er. «Fünfhundert Rupien.»

Abbasi war ein kleiner Mann mit grauen Strähnen im Bart, die er, anders als die meisten Männer mittleren Alters in Kittur, nicht färbte. Er meinte, die weißen Strähnen gäben ihm ein genialisches Aussehen, das er nötig zu haben glaubte, weil er wusste, dass sein Ruf unter Freunden der eines einfältigen Geschöpfs war, das regelmäßig von idealistischen Anwandlungen heimgesucht wurde.

Seine Vorfahren, die in den königlichen Regimentern von Hyderabad gedient hatten, hatten ihm einen ausgeprägten Sinn für Höflichkeit und gute Manieren vererbt, den er den Realitäten des zwanzigsten Jahrhunderts anpasste, indem er einige Prisen Sarkasmus und Selbstironie hinzufügte.

Er legte die Hände zu einem hinduistischen *Namaste* zusammen und verbeugte sich tief vor dem Beamten. «Sahib, Sie wissen ja, dass wir die Fabrik eben erst wieder aufgemacht haben ... die Neueröffnung hat hohe Kosten verursacht. Falls Sie bitte ein wenig ...»

«Fünfhundert. Fünfhundert Rupien.»

Der Beamte drehte das Glas in der Hand und fixierte dann das Air-India-Logo mit einem Auge, als ob dieser kleine Teil von ihm sich für das schämte, was er tat. Er zeigte mit den Fingern auf seinen Mund. «Heutzutage muss ein Mann etwas zu essen haben, Mr Abbasi. Und die Preise steigen so rapide. Seit dem Tod von Frau Gandhi beginnt dieses Land auseinanderzufallen.»

Abbasi schloss die Augen. Er öffnete eine Schreibtischschublade, zog ein Bündel Geldscheine heraus, zählte sie ab und legte dem Beamten die Summe hin. Der dicke Mann zählte die Scheine umständlich nach, wobei er sich bei jedem einzelnen den Finger anleckte. Aus einer Westentasche zog er ein blaues Gummiband und wickelte es zweimal um die Geldscheine.

Aber Abbasi wusste, dass sein Leidensweg noch nicht zu

Ende war. «Sahib, in unserer Fabrik pflegen wir den schönen Brauch, einen Gast niemals ohne Geschenk zu verabschieden.»

Er klingelte nach Ummar, seinem Manager, der fast augenblicklich mit einem Hemd in der Hand erschien. Er hatte die ganze Zeit draußen gewartet.

Der Beamte nahm das weiße Hemd aus dem Pappkarton. Er besah sich das Design: ein goldener Drache, dessen Schwanz bis auf die Rückseite des Hemds reichte.

«Das ist ja großartig!»

«Wir exportieren es in die Vereinigten Staaten. Es wird gern von professionellen Tänzern getragen. Man nennt das dort *Ballroom Dancing*. Sie ziehen sich solche Hemden an und wirbeln dann unter rotem Discolicht umher.» Abbasi hielt sich die Hände über den Kopf, drehte sich im Kreis und wackelte demonstrativ mit Hüften und Hintern. Der Beamte sah ihm mit lasziven Blicken zu.

Er klatschte Beifall und sagte: «Tanzen Sie noch einmal für mich, Abbasi.»

Dann hielt er sich das Hemd unter die Nase und schnüffelte dreimal daran.

«Dieses Muster –» Er zeichnete mit seinem dicken Finger die Umrisse des Drachens nach. «Es ist wundervoll.»

«Wegen dieses Drachens musste ich schließen», sagte Abbasi. «Es ist extrem mühselig, den Drachen zu sticken. Die Frauen, die das machen, ruinieren sich dabei die Augen. Als mir das eines Tages klar wurde, dachte ich: Ich möchte vor Allah nicht für den Schaden verantwortlich sein, den die Augen meiner Arbeiterinnen erleiden. Also sagte ich: Geht nach Hause, und dann schloss ich die Fabrik.»

Der Beamte lächelte ironisch. Noch so ein Moslem, der Whisky säuft und in jedem zweiten Satz Allah erwähnt.

Er legte das Hemd wieder in den Karton und klemmte ihn

sich unter den Arm. «Was hat Sie denn dann dazu bewogen, die Fabrik wieder zu eröffnen?»

Abbasi legte die Finger aneinander und schob sie sich in den Mund. «Ein Mann muss etwas zu essen haben, Sahib.»

Gemeinsam gingen sie die Treppe hinunter, Ummar folgte drei Stufen hinter ihnen. Als sie unten ankamen, sah der Beamte zu seiner Rechten eine dunkle Tür, ein Portal der Schwärze. Er machte einen Schritt auf die Dunkelheit zu. Im Dämmerlicht des Raums sah er Frauen mit weißen Hemden auf dem Schoß, die Fäden durch halb fertige Drachen zogen. Er wollte mehr sehen, aber Abbasi sagte: «Bitte, gehen Sie doch nur rein, Sahib. Ich warte hier draußen.»

Er wandte sich ab und starrte gegen die Wand, während Ummar den Beamten durch die Fabriketage führte, ihm einige der Arbeiterinnen vorstellte und wieder nach draußen brachte. Der Beamte streckte Abbasi die Hand entgegen, bevor er abzog.

«Ich hätte ihn nicht berühren dürfen», dachte Abbasi, als er die Tür zuzog.

*

Um achtzehn Uhr, eine halbe Stunde nachdem die Frauen den Stickraum für diesen Tag verlassen hatten, schloss Abbasi die Fabrik ab, stieg in seinen Ambassador und fuhr vom Hafen nach Kittur hinein. Seine Gedanken kreisten um eine einzige Sache.

Bestechung. In diesem Land hört sie niemals auf. In den vergangenen vier Monaten, seitdem er beschlossen hatte, seine Hemdenfabrik wieder zu eröffnen, hatte er schmieren müssen: den Mann vom Elektrizitätswerk, den Mann vom Wasserwerk, die halbe Einkommensteuerabteilung des Finanzamts von Kittur, die halbe Abteilung für Verbrauchssteuer von Kittur, sechs verschiedene Angestellte der Telefongesellschaft, einen Grundsteuerbeamten der Stadtverwaltung von Kittur, einen Hygieneinspektor des staatlichen Gesundheitsamts von Karnataka, einen Gesundheitsaufseher des staatlichen Hygieneamts von Karnataka, eine Abordnung der Indischen Gewerkschaft für Fabrikarbeiter, Abgeordnete der Kongresspartei in Kittur, der BJP in Kittur, der Kommunistischen Partei Kitturs und der Moslemischen Liga in Kittur.

Der weiße Ambassador bog in die Zufahrt vor einer großen, weiß getünchten Villa ein. Mindestens vier Abende pro Woche besuchte Abbasi den Canara Club mit seinem kleinen, klimatisierten Salon und dem grünen Billardtisch im Obergeschoss, um Billard zu spielen und mit seinen Freunden ein paar Drinks zu nehmen. Er war ein guter Spieler, und weil seine Zielgenauigkeit nach dem zweiten Whisky abnahm, spielten seine Freunde gern lange Partien mit ihm.

«Was ist los, Abbasi?», fragte Sunil Shetty, der im Bunder ebenfalls eine Hemdenfabrik betrieb. «Heute Abend spielst du viel zu hektisch.»

«Ich habe noch einen Besuch von der Energieversorgung gekriegt. Diesmal ein richtiges Arschloch. Dunkelhäutiger Typ. Irgendeine niedrige Kaste.»

Sunil Shetty schnurrte vor Mitgefühl; Abbasi missglückte der Stoß.

Mitten in der Partie traten alle Spieler vom Tisch zurück, weil eine Maus über den Fußboden flitzte und an den Wänden entlanglief, bis sie ein Loch fand, in dem sie verschwand.

Abbasi schlug mit der Faust auf die Tischkante.

«Was wird eigentlich mit unseren ganzen Mitgliedsbeiträgen gemacht? Kann man hier denn nicht mal den Fußboden sauber halten? Begreift ihr gar nicht, wie korrupt die Geschäftsführung dieses Clubs ist?»

Dann saß er ganz ruhig da, er hatte dem Schild mit der Aufschrift DIE SPIELREGELN SIND JEDERZEIT ZU BEFOLGEN den

Rücken zugedreht und sah den anderen beim Spielen zu, das Kinn auf die Spitze seines Queues gestützt.

«Du bist verspannt, Abbasi», sagte Ramanna Padiwal, dem ein Seiden- und Kunstseidengeschäft auf der Umbrella Street gehörte und der der beste Billard-Hai der ganzen Stadt war.

Um diesen Mythos zu zerstören, bestellte Abbasi eine Runde Whisky für alle. Sie unterbrachen die Partie, griffen zu den mit Papierservietten umwickelten Gläsern und tranken. Wie üblich kamen sie erst einmal auf den Whisky als solchen zu sprechen.

«Kennt ihr diesen Typen, der von Haus zu Haus zieht und einem zwanzig Rupien anbietet, wenn man ihm seine alten Johnnie-Walker-Red-Label-Kartons verkauft?», sagte Abbasi. «An wen verkauft der die Kartons eigentlich weiter?»

Die anderen lachten.

«Für einen Moslem bist du aber ziemlich ahnungslos, Abbasi.» Pandit, der Gebrauchtwagenhändler, brach in Gelächter aus. «Natürlich verkauft er sie an die Schwarzbrenner. Deshalb ist der Johnnie Walker Red Label, den man im Laden kauft, trotz seiner Originalflaschen und Originalkartons ja auch schwarz gebrannt.»

Abbasi redete und zog dabei mit dem Finger Kreise in die Luft, als ob er versuchte, den Knoten des Problems zu lösen. «Also habe ich den Karton ... an den Mann verkauft, der ihn an den Mann verkauft, der das Zeug schwarz brennt und dann wieder an mich verkauft? Soll das heißen, dass ich mich selbst bescheiße?»

Padiwal warf Sunil Shetty einen verwunderten Blick zu und sagte: «Für einen Moslem ist dieser Bursche wirklich ...»

Unter den Industriellen war dieses Gefühl weit verbreitet – seit dem Tag, an dem Abbasi seine Fabrik geschlossen hatte, weil die Arbeit die Augen der Arbeiterinnen ruinierte. Die meisten der Billardspieler besaßen Fabriken oder waren an solchen beteiligt, die Frauen in der gleichen Weise beschäftigten. Keiner hätte auch nur im Traum daran gedacht, die Fabriken zu schließen, bloß weil die eine oder andere Frau erblindete.

Sunil Shetty sagte: «Neulich hab ich in der *Times of India* gelesen, dass der Chef von Johnnie Walker gesagt hat, in einer durchschnittlichen indischen Kleinstadt wird mehr Red Label konsumiert, als in ganz Schottland produziert wird. In drei Disziplinen», er zählte sie auf, «Schwarzmarkt, Produktfälschungen und Korruption, sind wir Weltmeister. Wenn die zu den Olympischen Spielen zugelassen wären, würde Indien in allen drei Gold, Silber und Bronze gewinnen.»

Nach Mitternacht stolperte Abbasi aus dem Club und gab dem Portier, der von seinem Stuhl aufstand, um ihn zu grüßen und ihm ins Auto zu helfen, eine Münze.

Betrunken raste er aus der Stadt zum Bunder und fuhr erst langsamer, als er den Geruch der Meeresbrise wahrnahm.

Als sein Haus in Sicht kam, hielt er am Straßenrand und kam zu dem Entschluss, dass er noch einen Absacker brauchte. Zu diesem Zweck bewahrte er unter dem Sitz, wo seine Frau sie nicht finden würde, immer eine kleine Flasche Whisky auf. Er beugte sich vor und tastete mit der Hand auf dem Wagenboden herum. Sein Kopf stieß gegen das Armaturenbrett. Er fand die Flasche und ein Glas.

Nach seinem Drink dämmerte Abbasi, dass er noch nicht nach Hause kommen konnte. Seine Frau würde den Schnaps riechen, sobald er die Schwelle überquerte. Dann gäbe es wieder eine Szene. Sie konnte einfach nicht verstehen, warum er so viel trank.

Er fuhr zum Hafen. Er parkte den Wagen neben einer Müllkippe und ging zu Fuß zum Teehaus auf der anderen Straßenseite. Hinter dem schmalen Strand war das Meer zu sehen. Der Duft von Bratfisch wehte durch die Luft.

Vor der Teestube verkündeten weiße Kreidelettern auf einer Tafel: WIR WECHSELN PAKISTANISCHES GELD. Die Wände des Ladens waren mit einem Foto der Großen Moschee in Mekka geschmückt und mit einem Poster von einem Jungen und einem Mädchen, die sich vor dem Taj Mahal verneigten. Vier Bänke standen auf einer Außenveranda. Eine weißbraun gefleckte Ziege war an einem der Verandapfosten festgebunden und kaute trockenes Gras.

Auf einer der Bänke saßen Männer. Abbasi klopfte einem der Männer auf die Schulter, und er drehte sich um.

«Abbasi.»

«Mehmood, mein Bruder. Mach mir mal ein bisschen Platz.»

Mehmood, ein fetter Mann mit dünnem weißen Bart, aber ohne Schnurrbart, rückte beiseite, und Abbasi quetschte sich neben ihn. Abbasi hatte gehört, dass Mehmood Autos stahl. Er hatte auch gehört, dass Mehmoods vier Söhne sie dann in ein Dorf an der Grenze zu Tamil Nadu fuhren, ein Dorf, dessen einzige Erwerbsquelle im An- und Verkauf gestohlener Autos bestand.

Neben Mehmood kannte Abbasi auch noch Kalam, der angeblich Haschisch aus Bombay importierte und nach Sri Lanka weiterverkaufte. Saif, der einen Mann in Trivandrum erstochen hatte, und einen kleinen, weißhaarigen Mann, der nur Professor genannt wurde – und als der Zwielichtigste der ganzen Bande galt.

Diese Männer waren Schmuggler, Autodiebe, Schläger und Schlimmeres. Doch solange sie gemeinsam ihren Tee schlürften, würde Abbasi nichts geschehen. Das war das Gesetz des Hafens. Am Tage konnte ein Mann erstochen werden, aber nicht in der Nacht und niemals beim Teetrinken. Und außerdem hatte sich seit den Unruhen das Solidaritätsgefühl unter den Moslems des Bunder noch vertieft.

Der Professor erzählte gerade den Schluss einer Geschichte über Kittur im zwölften Jahrhundert. Sie handelte von einem arabischen Seefahrer namens Bin Saad, der die Stadt sichtete, als er schon die Hoffnung aufgegeben hatte, jemals auf Land zu stoßen. Er erhob die Hände zu Allah und gelobte, dass er nie wieder Schnaps trinken oder Glücksspiele spielen würde, wenn er nur sicher das Land erreiche.

«Hat er sein Wort gehalten?»

Der Professor zwinkerte. «Ratet mal.»

Bei nächtlichen Plaudereien im Teehaus war der Professor stets willkommen, weil er viele faszinierende Sachen über den Hafen wusste: zum Beispiel dass seine Geschichte bis zum Mittelalter reichte oder dass Tippu Sultan hier mal eine Batterie französischer Kanonen in Stellung gebracht hatte, um die Briten abzuschrecken. Er zeigte mit dem Finger auf Abbasi: «Sie sind nicht wie sonst. Was beschäftigt Sie?»

«Korruption», sagte Abbasi. «Korruption. Sie sitzt wie ein Dämon in meinem Gehirn und frisst es mit Messer und Gabel auf.»

Die anderen rückten dichter zusammen, um zuzuhören. Abbasi war ein reicher Mann. Er musste Erfahrungen mit Korruption haben, die über ihre eigenen hinausgingen. Er erzählte ihnen, was ihm am Morgen widerfahren war.

Kalam, der Drogendealer, lächelte und sagte: «Das ist doch noch gar nichts, Abbasi.» Er deutete mit dem Arm aufs Meer. «Ich habe da ein Schiff, das halb mit Zement und halb mit anderem Zeug beladen ist und seit einem Monat zweihundert Meter vom Land entfernt wartet. Warum? Weil dieser Hafeninspektor mich ausquetscht. Ich zahle, aber er will noch mehr aus mir herausquetschen, sehr viel mehr. Also dümpelt das Schiff da draußen herum, halb voll mit Zement und halb voll mit was anderem.»

«Ich hatte gehofft, dass alles besser werden würde, als dieser junge Rajiv Gandhi ans Ruder kam», sagte Abbasi. «Aber er lässt uns alle im Stich. Genauso schlimm wie jeder andere Politiker.»

«Wir brauchen einen Mann, der gegen diese Leute vorgeht», sagte der Professor. «Einen ehrlichen, mutigen Mann. So ein Bursche hätte dann mehr fürs Land getan als Gandhi oder Nehru.»

Die Bemerkung wurde einstimmig mit «ganz genau» quittiert.

«Ja», pflichtete Abbasi bei und strich sich den Bart. «Und am nächsten Morgen würde er dann im Kaliamma treiben. Und zwar so.» Er spielte eine Leiche.

Auch diese Bemerkung stieß auf allgemeine Zustimmung. Aber kaum hatte er es ausgesprochen, dachte Abbasi schon: «Stimmt das wirklich? Können wir uns tatsächlich nicht wehren?»

In der Hose des Professors sah er ein Messer aufblitzen. Die Wirkung des Whiskys ließ nach, aber er hatte ihn an einen seltsamen Ort versetzt, und sein Kopf schwirrte von seltsamen Gedanken.

Der Autodieb bestellte noch eine Runde Tee, aber Abbasi gähnte, wehrte mit den Händen ab und schüttelte den Kopf.

*

Als er am nächsten Morgen um zwanzig vor elf zur Arbeit erschien, hatte er immer noch pochende Kopfschmerzen.

Ummar öffnete ihm die Tür. Abbasi nickte ihm zu und nahm die Post in Empfang. Mit gesenktem Blick ging er die Treppe zu seinem Büro hinauf. Er blieb stehen. Auf der Schwelle der schwarzen Tür, die zur Fabriketage führte, stand eine der Stickerinnen und starrte ihn an.

«Ich bezahle Sie nicht fürs Rumlungern», sagte er barsch.

Sie drehte sich um und floh. Er eilte weiter treppauf.

Er setzte seine Brille auf, las die Post, las die Zeitung, gähnte, trank Tee und schlug ein Hauptbuch mit dem Logo der Karnataka-Bank auf. Er überprüfte eine Kundenliste. Wer hatte gezahlt? Und wer noch nicht? Er dachte an die Billardpartie vom gestrigen Abend.

Die Tür öffnete sich einen Spalt. Ummars Gesicht erschien.

«Was ist?»

«Sie sind da.»

«Wer?»

«Die Regierung.»

Zwei Männer in Polyesterhemden und gebügelten blauen Hosen mit weitem Schlag stießen Ummar beiseite und betraten den Raum. Einer der beiden, ein stämmiger Mann mit dickem Schmerbauch und einem Schnauzbart, wie dem eines Ringers auf einer Dorfkirmes, sagte: «Einkommensteuerbehörde.»

Abbasi stand auf. «Ummar!», schrie er. «Steh hier nicht so rum! Schick eine der Frauen los, damit sie Tee aus dem Teehaus am Strand holt. Und auch ein paar von diesen runden Bombay-Biskuits.»

Der dicke Finanzbeamte nahm unaufgefordert am Tisch Platz. Sein Kollege, ein schlanker, dunkler Bursche, zögerte noch und zappelte herum, bis ihn der andere aufforderte, sich ebenfalls zu setzen.

Abbasi lächelte. Der Finanzbeamte mit dem Schnauzbart redete.

«Wir haben eben einen Rundgang durch Ihre Fabriketage gemacht. Wir haben die Frauen gesehen, die für Sie arbeiten, und die Qualität der Hemden, die sie besticken.»

Abbasi lächelte und wartete auf das, was kommen musste.

Diesmal kam es schnell.

«Wir glauben, dass Sie viel mehr Geld verdienen, als Sie uns gegenüber erklärt haben.»

Abbasis Herz schlug heftig. Ruhe bewahren, sagte er zu sich selbst. Es gibt immer einen Ausweg.

«Sehr, sehr viel mehr.»

«Sahib, Sahib», sagte Abbasi und wedelte beschwichtigend mit den Händen. «In diesem Betrieb pflegen wir einen Brauch. Jeder Besucher erhält ein Geschenk, bevor er uns verlässt.» Ummar, der schon wusste, was er zu tun hatte, wartete auf der Schwelle zum Büro mit zwei Hemden. Mit einem devoten Lächeln überreichte er sie den beiden Beamten. Sie nahmen die Bestechung wortlos an; der schlanke Kollege holte sich per Blickkontakt die Zustimmung des dicken, bevor er sein Geschenk an sich riss.

Abbasi fragte: «Kann ich sonst noch etwas für Sie tun, Sahibs?»

Der Schnauzbärtige lächelte. Auch sein Kollege lächelte. Der Schnauzbärtige reckte schließlich drei Finger in die Höhe.

«Für jeden.»

Dreihundert pro Kopf war zu wenig. Die echten Profis von der Einkommensteuer hätten sich nicht unter fünfhundert abspeisen lassen. Abbasi vermutete, dass die beiden Männer so etwas zum ersten Mal machten. Am Ende würden sie sich mit hundert pro Kopf und den Hemden zufriedengeben.

«Darf ich Ihnen erst einmal eine kleine Stärkung anbieten? Wäre den Sahibs Red Label genehm?»

Der zappelige Typ fiel vor Aufregung fast vom Stuhl, aber der Dicke blitzte ihn wütend an.

«Red Label wäre annehmbar.»

Denen ist wahrscheinlich sonst immer nur Fusel angeboten worden, dachte Abbasi.

Er ging in die Küche und holte die Flasche heraus. Er goss

Whisky in drei Gläser mit dem Maharadscha-Logo von Air India. Er öffnete den Kühlschrank. Er warf sechs Eiswürfel in jedes Glas und goss einen Schuss Eiswasser aus der Flasche dazu. Er spuckte in zwei Gläser und stellte sie an den Rand des Tabletts.

Der Gedanke kam ihm so plötzlich wie ein Meteor aus heiterem Himmel. *Nein.* Langsam breitete er sich in seinem Bewusstsein aus. Nein, er konnte diesen Männern den Whisky nicht vorsetzen. Es mochte gepanschtes Zeug sein, das in Kartons verkauft wurde, die unter falschen Voraussetzungen eingekauft worden waren, aber es war immer noch tausendmal zu rein, um von ihren Lippen berührt zu werden.

Er trank einen Whisky, dann den zweiten und dann auch noch den dritten.

Zehn Minuten später betrat er mit schweren Schritten wieder das Büro. Er verriegelte hinter sich die Tür und ließ sich schwer dagegenfallen.

Der dicke Steuerbeamte drehte sich abrupt um. «Warum schließen Sie die Tür ab?»

«Sahibs, das hier ist die Hafenstadt des Bunder, in der seit Jahrhunderten bestimmte Traditionen und Bräuche herrschen. Jedermann darf frei und ungehindert hierherkommen, aber gehen darf er nur, wenn die Einheimischen es erlauben.»

Abbasi ging pfeifend zum Schreibtisch und nahm den Telefonhörer ab. Er hielt ihn dem dicken Steuerbeamten wie eine Waffe direkt vor die Nase.

«Soll ich die Einkommensteuerbehörde sofort anrufen? Soll ich herausfinden, was hier vor sich geht? Ob Sie beauftragt worden sind, mich aufzusuchen? Soll ich?»

Sie schauten betreten drein. Der Schlanke schwitzte. Abbasi dachte: Meine Vermutung war richtig. Sie machen das *tatsächlich* zum ersten Mal.

«Schauen Sie doch mal auf Ihre Hände. Sie haben Hemden

von mir angenommen. Das ist Bestechung. Sie halten den Beweis in Händen.»

«Hören Sie –»

«Nein! Jetzt hören Sie!», schrie Abbasi. «Sie werden dieses Gebäude nicht lebend verlassen, wenn Sie kein Geständnis dessen unterschreiben, was Sie hier versucht haben. Überlegen wir doch mal, wie Sie hier rauskommen könnten. Wir sind hier im Hafenviertel. Ich habe Freunde an jeder Ecke. Sobald ich mit den Fingern schnippe, sind Sie beide tot und treiben im Kaliamma. Zweifeln Sie an meinen Worten?»

Der Dicke sah zu Boden, während der andere Mann erstaunliche Mengen von Schweiß verströmte.

Abbasi entriegelte die Tür und hielt sie auf. «Raus hier.» Dann verbeugte er sich mit einem breiten Lächeln: «Sahibs.»

Wortlos eilten die beiden Männer hinaus. Er hörte das Poltern ihrer Schritte auf der Treppe und dann einen Ausruf der Überraschung von Ummar, der mit einem Teetablett und Keksen die Treppe heraufkam.

Er bettete den Kopf aufs kühle Holz der Tischplatte und fragte sich, was er da gerade getan hatte. Er rechnete jeden Augenblick damit, dass der Strom abgeschaltet und die Steuerbeamten zurückkommen würden, mit mehr Männern und einem Haftbefehl.

Er ging im Raum auf und ab und dachte: Was geschieht nur mit mir? Ummar starrte ihn schweigend an.

Zu Abbasis Überraschung hatte die Einkommensteuerbehörde auch nach einer Stunde noch nicht angerufen. Auch die Ventilatoren funktionierten weiter. Und das Licht brannte immer noch.

Abbasi schöpfte Hoffnung. Diese Typen waren blutige Anfänger. Vielleicht waren sie einfach ins Büro zurückgekehrt und hatten sich wieder an die Arbeit gemacht. Selbst wenn sie sich beschwert hätten, würden sich die Regierungsbeamten wegen der früheren Unruhen im Hafen einstweilen zurückhalten. Es war möglich, dass sie die hier ansässigen moslemischen Geschäftsleute derzeit nicht gegen sich aufbringen wollten. Er sah aus dem Fenster auf den Bunder. Dieser verrottete, vermüllte Hafen voller Gewalt, der von Taschendieben und messerstechenden Schlägern wimmelte, schien der einzige Ort zu sein, an dem man vor der Korruption, die Kittur fest im Griff hatte, sicher war.

«Ummar!», rief er. «Ich gehe heute schon früher in den Club – ruf Sunil Shetty an und sag ihm, dass er heute auch hinkommen soll. Ich habe gute Nachrichten für ihn! Ich habe die Einkommensteuerbehörde besiegt!»

Er lief die Treppe hinunter und blieb auf der letzten Stufe stehen. Zu seiner Rechten öffnete sich die Tür zur Fabriketage. In den sechs Wochen, seit seine Fabrik den Betrieb wieder aufgenommen hatte, war er kein einziges Mal durch diese Tür gegangen. Was in der Fabriketage zu erledigen war, hatte Ummar erledigt. Aber jetzt konnte er dem schwarz gähnenden Eingang zu seiner Rechten nicht mehr ausweichen.

Er hatte das Gefühl, keine Wahl zu haben und hineingehen zu müssen. Ihm wurde jetzt klar, dass all die Ereignisse des Vormittags irgendwie eine Falle gewesen waren, um ihn hierherzulocken, damit er das tat, was er seit der Wiedereröffnung der Fabrik vermieden hatte.

Die Frauen hockten auf dem Boden des dämmrigen Raums, an dessen Decke fahle, fluoreszierende Lichter über dem Arbeitsplatz flackerten, die man mit Ziffern, die in roter Farbe an die Wände gemalt waren, durchnummeriert hatte. Sie hielten sich die weißen Hemden dicht vor die Augen und stickten Goldfäden hinein. Als er hereinkam, hörten sie auf. Er machte eine Handbewegung, um anzudeuten, dass sie weiterarbeiten sollten. Er wollte nicht ihre Blicke auf sich spüren, mit diesen Augen, die Schaden nahmen, während ihre Finger goldene Hemden schufen, die er an amerikanische Gesellschaftstänzer verkaufte.

Schaden? Nein, das war das falsche Wort. Das war nicht der Grund, warum er sie in einen Nebenraum abgeschoben hatte.

In diesem Raum wurden alle langsam blind.

Er setzte sich mitten im Raum auf einen Stuhl.

Der Augenarzt war sehr deutlich geworden. Die feine Stickerei, die für die Hemden erforderlich war, verursachte Narben auf der Netzhaut der Frauen. Mit den Fingern hatte er Abbasi gezeigt, wie dick diese Narben waren. Verbesserte Lichtverhältnisse würden die Auswirkungen auf die Netzhaut in keinem Fall verhindern. Das menschliche Auge ist einfach nicht dafür gemacht, stundenlang auf derart aufwendige Muster zu starren. Zwei Frauen waren bereits erblindet. Deshalb hatte er die Fabrik geschlossen. Als er sie wieder eröffnete, waren alle Arbeiterinnen sofort zurückgekehrt. Sie kannten ihr Schicksal, aber es gab für sie keine andere Arbeit.

Abbasi schloss die Augen. Er wünschte nichts sehnlicher, als dass Ummar rufen möge, er werde oben dringend benötigt.

Aber niemand kam, ihn zu erlösen, und er saß auf dem Stuhl, während die Frauen um ihn herum stickten und ihre stickenden Finger zu ihm sprachen: Wir erblinden. Sieh uns doch an!

«Haben Sie Kopfschmerzen, Sahib?», fragte eine Frauenstimme. «Soll ich Ihnen Aspirin und Wasser holen?»

Abbasi wagte nicht, die Frau anzusehen, und sagte: «Bitte geht jetzt alle nach Hause. Kommt morgen wieder. Aber geht für heute bitte nach Hause. Ihr werdet alle bezahlt.»

«Ist Sahib aus irgendeinem Grund mit uns unzufrieden?»

«Nein, bitte. Geht jetzt nach Hause. Ihr werdet alle für den ganzen Tag bezahlt. Kommt morgen wieder.»

Er hörte das Schlurfen ihrer Füße und wusste, dass sie nun wohl gegangen waren.

Sie hatten die Hemden an ihren Arbeitsplätzen liegen lassen, und er nahm eines davon in die Hand. Der Drache war zur Hälfte eingestickt. Er rieb den Stoff zwischen den Fingern. Er konnte zwischen seinen Fingern das fein gesponnene Netz der Korruption spüren.

«Die Fabrik ist geschlossen», wollte er dem Drachen zurufen. «So! Bist du jetzt mit mir zufrieden? Die Fabrik ist geschlossen!»

Aber was dann? Wer würde seinen Sohn zur Schule schicken? Würde er mit einem Messer am Hafen sitzen und wie Mehmood Autos verschieben? Die Frauen würden woanders hingehen und dort die gleiche Arbeit verrichten.

Er schlug sich mit der Hand auf den Oberschenkel.

Tausende saßen jeden Tag und jede Nacht in Teehäusern, Universitäten und an Arbeitsplätzen und verfluchten die Korruption. Dennoch hatte niemand je einen Weg gefunden, den Dämon zu erschlagen, und auf seinen eigenen Anteil an den korrupten Geschäften zu verzichten. Warum musste ausgerechnet er – ein durchschnittlicher Geschäftsmann, der dem Whisky und dem Billard verfallen war und sich Geschwätz von Ganoven anhörte – eine Antwort finden?

Doch einen Augenblick später erkannte er, dass er bereits eine Antwort wusste.

Er schlug Allah einen Kompromiss vor. Man würde ihn ins Gefängnis stecken, aber seine Fabrik würde weiterlaufen. Er schloss die Augen und betete zu seinem Gott, dass er sich auf diesen Handel einlassen möge.

Eine Stunde verstrich, aber niemand kam, um ihn zu verhaften.

Abbasi öffnete ein Fenster in seinem Büro. Er sah nichts als

Häuser, eine verstopfte Straße und alte Mauern. Er öffnete alle Fenster, sah aber dennoch nichts als Mauern. Er kletterte aufs Dach seines Gebäudes, duckte sich unter einer Wäscheleine hindurch und ging auf die Dachterrasse hinaus. Als er ans Ende kam, setzte er einen Fuß auf das Ziegeldach, das über dem Fabrikeingang vorsprang.

Von hier aus konnte man die Ausläufer Kitturs sehen. Am äußersten Ende der Stadt erhoben sich in unmittelbarer Nachbarschaft ein Minarett, ein Kirchturm und ein Tempelturm – wie Wegweiser, die Seereisenden schon von fern her die drei Religionen der Stadt anzeigten.

Abbasi sah das Arabische Meer, das sich vor Kittur erstreckte. Es war von der Sonne beschienen. Ein Schiff verließ langsam den Hafen und näherte sich dem Punkt, wo die blauen Wasser des Meeres ihre Farbe veränderten und sich zu dunkleren Schatten wandelten. Gleich würde es einen großen Flecken strahlenden Sonnenscheins erreichen, eine Oase aus reinstem Licht.

ZWEITER TAG: LIGHTHOUSE HILL

Nach einem Mittagessen mit Garnelencurry und Reis im Bunder sollten Sie vielleicht Lighthouse Hill und Umgebung besichtigen. Der berühmte Leuchtturm, von den Portugiesen erbaut und von den Briten renoviert, ist nicht mehr in Betrieb. Am Fuß des Leuchtturms sitzt ein alter Wärter in einer blauen Uniform. Wenn Besucher ärmlich gekleidet sind oder ihn auf Tulu oder Kannada ansprechen, pflegt er zu sagen: «Sehen Sie nicht, dass geschlossen ist?» Wenn Besucher gut gekleidet sind oder Englisch sprechen, sagt er: «Willkommen.» Dann führt er sie in den Leuchtturm und über die Wendeltreppe bis zur Spitze, von wo aus man einen atemberaubenden Blick übers Arabische Meer hat. Vor einigen Jahren hat die Betreibergesellschaft im Leuchtturm einen Lesesaal eingerichtet, in dessen Sammlung sich auch ein Buch von Pater Basil D'Essa SJ über die Geschichte Kitturs befindet. Der Park, der den Leuchtturm umgibt, trägt seinen Namen zu Ehren des Freiheitskämpfers Deshpremi Hemachandra, der während der britischen Herrschaft die indische Trikolore auf dem Leuchtturm hisste.

*

Es geschieht mindestens zweimal im Jahr. Mit angelegten Handschellen, hoch erhobenen Hauptes und einem unverschämt gelangweilten Gesichtsausdruck, eilt der Gefangene der Polizeiwache von Lighthouse Hill entgegen. Um mit ihm Schritt halten zu können, laufen ihm zwei Polizisten hinterher. Sie halten eine Kette, die an den Handschellen baumelt. Das Merkwürdige an der Sache ist, dass der Mann in Handschellen die Polizisten hinter sich herzuziehen scheint, als würde jemand zwei Affen spazieren führen.

In den vergangenen neun Jahren ist dieser Mann, der als «Xerox» Ramakrishna bekannt ist, einundzwanzig Mal verhaftet worden, weil er auf dem Granitpflaster vor dem Deshpremi Hemachandra Rao Park an Studenten des St. Alfonso College zu ermäßigten Preisen illegal fotokopierte oder gedruckte Bücher verkauft hat. Morgens, wenn er mit seinen Büchern auf einem ausgebreiteten blauen Bettlaken sitzt, erscheint ein Polizist, tippt mit seinem Rohrstock, dem *lathi*, auf die Bücher und sagt: «Also los, Xerox.»

Der Buchhändler wendet sich an seine elfjährige Tochter Ritu, die ihm beim Verkauf hilft, und sagt: «Geh nach Hause und sei brav, mein Schatz.» Dann streckt er die Hände aus, um sich die Handschellen anlegen zu lassen.

Im Gefängnis werden Xerox die Handschellen abgenommen, und er wird in eine Zelle gesteckt. Er packt die Gitterstäbe und ergötzt die Polizisten mit charmanten Anekdoten. Vielleicht erzählt er ihnen eine schmutzige Geschichte über ein Collegemädchen in amerikanischen Bluejeans, das er am Morgen gesehen hat, oder berichtet von einem neuen Schimpfwort auf Tulu, das er auf dem Weg nach Salt Market Village im Bus aufgeschnappt hat, oder, wenn sie Lust auf eine etwas längere Ablenkung haben, erzählt er ihnen – wie schon so oft –, womit sich sein Vater sein ganzes Leben lang den Lebensunterhalt verdient hat – indem er die Scheiße aus den Häusern der reichen Grundbesitzer schleppte, die traditionelle Arbeit der Menschen seiner Kaste. Den ganzen Tag hielt sich sein Vater an der Rückseite des Hauses auf und wartete auf den Gestank menschlicher Fäkalien. Sobald er den Gestank roch, näherte er sich und wartete mit gebeugten Knien, wie ein Wicketkeeper beim Kricket auf den

Ball. (Xerox bückte sich und machte es vor.) Sobald sein Vater dann hörte, dass der Deckel auf das Klo geknallt wurde, musste er zur Hauswand laufen, den Topf durch ein Loch in der Wand herausziehen, unter den Rosensträuchern leeren, mit seinem Lendenschurz auswischen und zurückschieben, bevor die nächste Person die Toilette benutzte. Das hat er sein *ganzes* Leben lang getan. Könnt ihr euch das vorstellen?

Dann lachen die Gefängniswärter.

Sie bringen Xerox in Papier gewickelte Samosas, sie bieten ihm *chai* an, sie finden, dass er ein netter Kerl ist. Mittags lassen sie ihn wieder laufen. Er verbeugt sich tief vor ihnen und sagt: «Danke sehr.» Dann ruft Miguel D'Souza, der Rechtsanwalt der Buchhändler und Verleger aus der Umbrella Street, bei der Polizeiwache an und keift: «Habt ihr ihn etwa schon wieder laufen lassen? Bedeutet das Gesetz dieses Landes denn gar nichts mehr?» Ramesh, der Inspektor, hält den Hörer weit von seinem Ohr weg und liest Zeitung. Er studiert die Börsenkurse der Bombayer Börse. Mehr verlangt Ramesh eigentlich nicht vom Leben: Er will nur die Börsenkurse studieren.

Am Spätnachmittag ist Xerox wieder vor Ort. Fotokopierte oder billig gedruckte Exemplare von Karl Marx, *Mein Kampf* und dergleichen mehr liegen auf einem blauen Tuch, das auf dem Pflaster von Lighthouse Hill ausgebreitet ist, und die kleine Ritu mit ihrer langen, ungebrochenen Nase und einem feinen Damenbärtchen sitzt kerzengerade daneben und beobachtet, wie die Kunden die Bücher in die Hand nehmen und darin herumblättern.

«Legen Sie es wieder zurück», sagt sie, wenn ein Kunde ein Buch nicht möchte. «Legen Sie es genau dahin zurück, wo Sie es hergenommen haben.»

«*Buchhaltung für Zulassungsprüfungen*?», ruft ein Kunde Xerox zu.

«*Angewandte Geburtshilfe*?», ruft ein anderer.

«*The Joy of Sex*?»

«*Mein Kampf*?»

«Lee Iacocca?»

«Was ist Ihr letztes Angebot?», fragt der junge Mann, der in einem Buch blättert.

«Fünfundsiebzig Rupien.»

«Ach, Sie *ruinieren* mich! Das ist viel zu viel.»

Der junge Mann geht weg, kommt zurück und sagt: «Was ist Ihr allerletztes Angebot? Ich will keine Zeit verschwenden.»

«Zweiundsiebzig Rupien. Nehmen Sie's, oder lassen Sie's bleiben. Ich habe auch noch andere Kunden.»

Die Bücher werden in einer stillgelegten Druckerei in Salt Market Village fotokopiert oder manchmal auch gedruckt. Xerox hält sich gern zwischen Maschinen auf. Er tätschelt den Fotokopierer; er liebt die Maschine, wenn sie bei der Arbeit Lichtblitze absondert und summt und brummt. Er kann kein Englisch lesen, doch er weiß, dass englische Worte mächtig sind und englische Bücher eine Aura haben. Er sieht sich das Bild Adolf Hitlers auf dem Umschlag von *Mein Kampf* an und spürt dessen Macht. Er sieht sich das poetische und geheimnisvolle Gesicht Khalil Gibrans an und spürt dabei das Geheimnis und die Poesie. Er sieht sich das Gesicht Lee Iacoccas an, der ganz entspannt die Hände im Nacken verschränkt hat, und fühlt sich dabei ganz entspannt. Deshalb hat er auch einmal zu Inspektor Ramesh gesagt: «Ich möchte weder Ihnen noch den Verlagen irgendwelche Probleme machen, Sir. Aber ich liebe Bücher. Ich liebe es, sie herzustellen, in Händen zu halten und zu verkaufen. Mein Vater hat Scheiße eingesammelt, um seinen Lebensunterhalt zu verdienen, Sir. Er konnte nicht einmal lesen und schreiben. Er wäre sehr stolz, wenn er sehen könnte, dass ich meinen Lebensunterhalt mit Büchern verdiene.»

Mit der Polizei hat Xerox nur ein einziges Mal ein echtes Problem gehabt. Das war, als jemand auf der Polizeiwache angerufen und gesagt hat, Xerox verkaufe Exemplare von Salman Rushdies *Die satanischen Verse* und verstoße damit gegen die Gesetze der Republik Indien. Als er damals mit Handschellen auf die Wache gebracht wurde, gab es keine Höflichkeiten und auch keinen *chai*.

Ramesh gab ihm eine Ohrfeige.

«Weißt du denn nicht, dass das Buch auf dem Index steht, du Sohn einer Kahlköpfigen? Willst du etwa einen Aufstand unter den Moslems anzetteln? Damit ich und alle anderen Polizisten von hier nach Salt Market Village versetzt werden?»

«Ich bitte um Verzeihung», flehte Xerox. «Ich hatte wirklich keine Ahnung, dass dies ein verbotenes Buch ist, ehrlich. Ich bin nur der Sohn eines Mannes, der Scheiße gesammelt hat, Sir. Er hat den ganzen Tag darauf gewartet, dass der Klodeckel knallt. Ich weiß, wo ich hingehöre. Ich würde nicht mal im Traum daran denken, Sie zu provozieren. Es war nur ein Versehen, Sir. Bitte vergeben Sie mir.»

D'Souza, der Anwalt der Buchhändler, ein kleiner Mann mit schwarzem öligen Haar und einem gepflegten Schurrbart, hörte, was passiert war, und erschien auf der Wache. Er warf einen Blick auf das verbotene Buch – ein dickes Taschenbuch mit dem Bild eines Engels auf dem Umschlag – und schüttelte ungläubig den Kopf.

«Dieser beschissene Sohn eines Unberührbaren will also *Die satanischen Verse* fotokopieren, was? Ganz schön verwegen.»

Er setzte sich an den Schreibtisch des Inspektors und schrie: «Ich hab Ihnen doch gesagt, dass so etwas passiert, wenn Sie ihn nicht bestrafen! Sie sind für alles verantwortlich!»

Ramesh warf Xerox einen wütenden Blick zu, der, wie ihm befohlen worden war, bußfertig auf einer Pritsche lag.

«Ich glaube nicht, dass jemand tatsächlich gesehen hat, wie er es verkauft hat. Es wird keine Probleme geben.»

Um den Anwalt zu besänftigen, ließ Ramesh von einem Wachtmeister eine Flasche Old Monk Rum holen. Die beiden setzten sich an den Schreibtisch und unterhielten sich eine Weile.

Ramesh las Abschnitte aus dem Buch vor und sagte: «Ich verstehe diese ganze Aufregung gar nicht, also ehrlich.»

«Moslems», sagte D'Souza kopfschüttelnd. «Gewalttätige Leute. Gewalttätig.»

Die Flasche Old Monk wurde gebracht. Sie leerten sie in einer halben Stunde, und der Wachtmeister holte noch eine. Xerox lag in seiner Zelle ganz still auf der Pritsche und starrte an die Decke. Der Polizist und der Anwalt tranken weiter. D'Souza erzählte Ramesh von seinen Enttäuschungen, und der Inspektor erzählte dem Anwalt von seinen eigenen. Der eine wäre gern Pilot geworden, wäre gern über den Wolken geflogen und hätte gern Stewardessen herumkommandiert, und der andere – der hatte nie etwas anderes gewollt, als sich an der Börse zu versuchen. Das war alles.

«Soll ich Ihnen mal ein Geheimnis verraten?», fragte Ramesh um Mitternacht. Er lief heimlich zur Zelle und offenbarte dem Anwalt das Geheimnis. Ein Gitterstab war herausnehmbar. Der Polizist lockerte ihn, schwang ihn hin und her und setzte ihn dann wieder ein. «So versteckt man Beweisstücke», sagte er. «Nicht, dass derlei in unserer Wache öfter vorkommt, keineswegs – aber so wird's eben gemacht, wenn es gemacht wird.»

Der Anwalt kicherte. Er nahm den Stab heraus, schwang ihn über die Schulter und sagte: «Seh ich jetzt nicht wie Hanuman, der Affengott, aus?»

«Genau wie im Fernsehen», sagte der Polizist.

Der Anwalt bat darum, die Zellentür zu öffnen, und so geschah es. Die beiden sahen den schlafenden Häftling auf seiner Pritsche. Um sich vor dem grellen Licht der nackten Glühbirne zu schützen, hatte er den Arm über sein Gesicht gelegt. Unter seinem billigen Polyesterhemd war ein Streifen nackter Haut entblößt; seine dichte, schwarze Körperbehaarung – wie eine Kletterpflanze –, die den beiden Beobachtern wie eine Wucherung seines Schamhaars vorkam, war vage zu erkennen.

«Dieser beschissene Sohn eines Unberührbaren. Da schnarcht er nun vor sich hin.»

«Sein Vater hat Scheiße gesammelt – und dieser Bursche glaubt, uns bescheißen zu können.»

«Verkauft *Die satanischen Verse*. Am liebsten noch direkt vor meiner Nase, was?»

«Heutzutage glauben diese Leute, dass ihnen Indien gehört. Stimmt's? Alle Jobs wollen sie haben und alle Universitätsabschlüsse und alle ...»

Ramesh zog dem schnarchenden Mann, der nicht sofort aufwachte, die Hose herunter. Er hob den Eisenstab hoch, und der Anwalt sagte: «Machen Sie's so wie Hanuman, wie im Fernsehen!»

Xerox erwachte mit einem Schrei. Ramesh gab D'Souza den Eisenstab. Der Anwalt übernahm. Er schlug Xerox mit dem Eisenstab auf die Beine, direkt auf das Kniegelenk, wie es der Affengott im Fernsehen getan hatte, und dann schlug er ihn mit dem Stab direkt unterhalb des Kniegelenks auf die Beine, wie es der Affengott im Fernsehen getan hatte, und dann schlug er ihm direkt oberhalb des Kniegelenks auf die Beine, und dann schwankten die beiden hinaus, lachten und küssten sich und brüllten, dass jemand hinter ihnen die Zelle abschließen solle.

Wenn Xerox während der Nacht gelegentlich erwachte, fing er gleich wieder an zu schreien.

Als Ramesh morgens zurückkam und von einem Wachtmeister über Xerox informiert wurde, sagte er: «Scheiße, dann war das ja gar kein Traum.» Er befahl den Wachtmeistern, den Mann aus der Zelle ins Havelock Henry District Hospital zu bringen, und verlangte nach einer Ausgabe der Morgenzeitung, um die Börsenkurse studieren zu können.

In der nächsten Woche kam Xerox polternd, weil er an Krücken ging, mit seiner Tochter im Gefolge auf die Polizeiwache.

«Ihr könnt mir die Beine brechen, aber ich kann nicht aufhören, Bücher zu verkaufen. Das ist meine Bestimmung, Sir», sagte er. Und grinste.

Ramesh grinste auch, vermied es aber, dem Mann in die Augen zu sehen.

«Ich gehe auf den Hügel, Sir», sagte Xerox und hob eine seiner Krücken. «Ich werde das Buch verkaufen.»

Ramesh und die anderen Bullen drängten sich um Xerox und seine Tochter und redeten auf sie ein. Xerox wollte, dass sie D'Souza anriefen, was sie umgehend taten. Er kam mit seiner Perücke auf dem Kopf, begleitet von zwei Assistenten, ebenfalls in schwarzen Roben und Perücken. Als er erfuhr, warum ihn der Polizist gerufen hatte, brach er in schallendes Gelächter aus.

«Dieser Bursche will euch doch nur ärgern», erklärte der Anwalt Ramesh. «Mit seinen Beinen kommt er doch gar nicht den Hügel hoch.»

D'Souza zeigte mit dem Finger auf Xerox' Körpermitte.

«Und denk daran, wenn du es trotzdem zu verkaufen versuchst, dann brechen wir dir beim nächsten Mal nicht nur die Beine.»

Ein Wachtmeister lachte.

Xerox sah Ramesh mit seinem üblichen liebenswürdigen Lächeln an. Er verbeugte sich tief mit gefalteten Händen und sagte: «So sei es.»

D'Souza setzte sich mit den Polizisten auf einen Schluck Old Monk Rum zusammen, und sie begannen, Karten zu spielen. Ramesh sagte, er habe letzte Woche an der Börse Geld verloren. Der Anwalt saugte an seinen Zähnen, schüttelte den Kopf und sagte, dass in einer so großen Stadt wie Bombay jedermann ein Betrüger oder Lügner oder Gauner sei.

Xerox drehte sich auf seinen Krücken um und verließ die Wache. Seine Tochter folgte ihm. Sie gingen Richtung Lighthouse Hill. Der Anstieg dauerte zweieinhalb Stunden, und sie blieben sechsmal stehen, damit er Tee oder ein Glas Zuckerrohrsaft trinken konnte. Dann breitete seine Tochter vor dem Deshpremi Hemachandra Rao Park das blaue Laken aus, und Xerox ließ sich nieder. Er setzte sich auf das Laken, streckte vorsichtig die Beine aus und legte ein dickes Taschenbuch neben sich. Auch seine Tochter setzte sich und bewachte in kerzengerader Haltung das Buch. In der ganzen Republik Indien war das Buch verboten, und es war das einzige, das Xerox an diesem Tag verkaufen wollte: *Die satanischen Verse* von Salman Rushdie.

ZWEITER TAG (NACHMITTAG): ST. ALFONSO BOYS' HIGH SCHOOL AND JUNIOR COLLEGE

Wenige Schritte vom Parkausgang entfernt erhebt sich ein riesiger, grauer gotischer Turm, der mit einem Wappen und dem Motto LUCET ET ARDET bemalt ist. Es handelt sich um das St. Alfonso Boys' High School and Junior College, gegründet 1858, eine der ältesten Bildungsanstalten im Bundesstaat Karnataka. Die von Jesuiten geleitete Anstalt ist die berühmteste Schule Kitturs, und viele ehemalige Schüler haben es anschließend auf das Indian Institute for Technology, das Karnataka State Regional Engineering College oder eine andere ruhmreiche Universität in Indien oder im Ausland geschafft.

*

Mehrere Sekunden, vielleicht sogar eine geschlagene Minute, waren seit der Explosion vergangen, aber Lasrado, der Chemielehrer, hatte sich noch immer nicht bewegt. Er saß mit ausgebreiteten Armen und offenem Mund an seinem Pult. Rauch stieg über der letzten Bank auf, ein gelber, pollenartiger Staub füllte den Raum, und der Geruch von Feuerwerk hing in der Luft. Die Schüler hatten den Raum inzwischen alle verlassen und sahen aus sicherer Entfernung von der Tür aus zu.

Gomati Das, der Mathematiklehrer, kam mit einem Großteil seiner Schüler von nebenan angelaufen. Auch Professor Noronha, der Mann für Englisch und alte Geschichte, brachte seine Herde Neugieriger mit. Pater Almeida, der Direktor, bahnte sich den Weg durch die Menge, hielt sich die Hand vor Mund und Nase und betrat den vernebelten, beißend riechenden Klassenraum. Er ließ die Hand sinken und schrie: «Was hat dieser Blödsinn zu bedeuten?»

Lasrado war allein im Klassenraum zurückgeblieben. Er stand an seinem Pult wie der heldenhafte Knabe, der sich weigert, vom brennenden Deck zu springen. Er antwortete monoton wie ein Roboter.

«Eine Bombe in der Klasse, Pater. In der letzten Reihe. Sie ging während des *Unterrickts hock*. Ungefähr eine Minute *nackdem ick* zu *sprecken* angefangen habe.»

Pater Almeida blinzelte durch den dichten Rauch und drehte sich dann zu den Jungen um. «Die Jugend dieses Landes ist dem Teufel verfallen und wird die Namen ihrer Väter und Vorväter entehren!»

Mit äußerster Vorsicht, das Gesicht mit dem Arm geschützt, näherte er sich der letzten Bank, die bei der Explosion umgekippt war.

«Die Bombe raucht noch!», schrie er. «Schließt die Türen und ruft die Polizei.»

Er berührte Lasrado an der Schulter. «Haben Sie mich verstanden? Wir schließen jetzt die Türen und –»

Schamrot im Gesicht und bebend vor Wut, drehte Lasrado sich plötzlich dem Direktor, den Lehrern und Schülern zu und brüllte: «Ihr *Arschlöcker*! *Arschlöcker*!»

In Windeseile leerte sich das gesamte Junior College. Die Jungen standen im Garten oder im Flur des Naturwissenschafts- und Naturgeschichtstraktes, wo ein Haifischskelett, das vor etlichen Jahrzehnten an den Strand gespült worden war, als wissenschaftliche Kuriosität von der Decke baumelte. Im Schatten eines großen Banyanbaums hielten sich fünf Schüler von allen anderen entfernt. Sie unterschieden sich von den anderen durch ihre Bundfaltenhosen mit Markennamen auf den Gesäßtaschen oder an den Seiten und ganz allgemein durch ihre Großspurigkeit. Es waren Shabbir Ali, dessen Vater die einzige Videothek in der Stadt besaß, die Zwillingssöhne Irfan und Rizvan des Schwarzmarkthändlers Bakht, Shankara P. Kinni, dessen Vater als Schönheitschirurg in der Golfregion tätig war, und Pinto, der Sprössling einer Kaffee- und Grundbesitzerdynastie.

Einer von ihnen hatte die Bombe gezündet. Jeder aus dieser Gruppe war bereits mehrfach für unterschiedliche Dauer wegen schlechten Betragens vom Unterricht suspendiert worden, wegen schlechter Noten ein- oder zweimal sitzen geblieben und verwarnt worden, wegen Ungehorsams endgültig von der Schule verwiesen zu werden. Wenn jemand eine Bombe zünden würde, dann garantiert einer aus dieser Bande.

Das schienen sie auch selbst zu glauben.

«Warst du's?», fragte Shabbir Ali Pinto, der den Kopf schüttelte.

Ali sah die anderen an und wiederholte wortlos die Frage. «Ich war es auch nicht», konstatierte er schließlich.

«Vielleicht war's Gott», sagte Pinto, und alle kicherten. Doch waren sich alle fünf darüber im Klaren, dass die ganze Schule sie im Verdacht hatte. Die Bakht-Zwillinge sagten, sie würden zum Hafen gehen, Hammel-Biryani essen und den Wellen zuschauen. Shabbir Ali wollte entweder in die Videothek oder sich zu Hause einen Pornofilm ansehen. Pinto würde sich ihm vermutlich anschließen.

Nur einer von ihnen blieb in der Schule.

*

Er konnte jetzt noch nicht gehen. Er fand es großartig, den Rauch und das Durcheinander. Er ballte die Fäuste.

Er mischte sich unter die Menge, lauschte dem Tumult, sog

ihn wie Honig auf. Einige Schüler waren ins Gebäude zurückgekehrt. Sie standen in den drei Etagen des Colleges auf den Balkonen und riefen den Untenstehenden etwas zu. Das verstärkte den summenden Lärm, als wäre das College ein Bienenstock, den jemand mit einem Stock eingeschlagen hatte. Er wusste, dass es *sein* Tumult war – die Schüler redeten über ihn, die Lehrer fluchten auf ihn. Er war der Gott dieses Morgens.

Seit vielen Jahren hatte diese Lehranstalt zu ihm gesprochen – hart gesprochen: Lehrer hatten ihn mit Stöcken verprügelt, Direktoren hatten ihn suspendiert und damit gedroht, ihn von der Schule zu werfen. (Und er hegte auch den Verdacht, dass sie sich hinter seinem Rücken über ihn lustig gemacht hatten, weil er als Hoyka zu einer niederen Kaste gehörte.)

Jetzt hatte *er* gesprochen. Er hielt die Fäuste geballt.

«Glaubst du, dass es Terroristen waren ...», hörte er einen Jungen sagen. «Die Kaschmiris oder die Punjabis ...»

Nein, ihr Trottel! – wollte er rufen. *Ich* bin es! Shankara! Der aus der niedrigen Kaste! Da! Er sah Professor Lasrado, immer noch mit wirrem Haar, mitten in der Gruppe seiner Lieblingsschüler, der «guten Jungen», bei denen er Unterstützung und Beistand suchte.

Merkwürdigerweise spürte er das Bedürfnis, zu Lasrado zu gehen und ihm auf die Schulter zu tippen, als wollte er damit sagen: «Mann, ich spüre deinen Kummer, ich verstehe deine Demütigung, ich kann deine Wut nachempfinden», und damit den langen Kampf zwischen ihm und dem Chemielehrer zu beenden. Komischerweise spürte er auch den Wunsch, einer der Schüler zu sein, denen Lasrado in Momenten wie diesen vertraute, einer seiner «guten Jungen». Aber dieser Wunsch war nicht so stark ausgeprägt.

Das Wichtigste war jetzt der Triumph, das Jubeln. Er sah, wie Lasrado litt, und lächelte.

Er schaute nach links. Einer aus der Menge hatte gerufen: «Die Polizei kommt.»

Er eilte auf den Hinterhof des Colleges, öffnete ein Tor und ging die vielen Steinstufen hinunter, die zum Junior College führten. Nachdem der neue Zugang über den Spielplatz eröffnet worden war, benutzte kaum noch jemand diesen Weg. Die Straße hieß *Old Court Road*. Das Gericht befand sich längst anderswo, die Anwälte waren verzogen, und die Straße war seit Jahren gesperrt – seit dem Selbstmord, den ein Geschäftsmann hier begangen hatte. Shankara war durch diese Straße gegangen, seit er ein Kind gewesen war. Sie war sein liebster Ort in der Stadt. Obwohl er seinen Chauffeur auch nach oben zum College bestellen konnte, hatte der Mann Anweisung, am Fuß der Steintreppe auf ihn zu warten.

Die Straße war von Banyanbäumen gesäumt, doch obwohl Shankara im Schatten dahinschlenderte, kam er gewaltig ins Schwitzen. (Er kam immer leicht ins Schwitzen, als ob sich in seinem Inneren eine unbändige Hitze bildete.) Den meisten Jungen hatten ihre Mütter Taschentücher in die Hosentaschen gesteckt, aber Shankara hatte nie eines dabei, sondern eine archaische Methode entwickelt, sich zu trocknen: Von einem Baum riss er große Blätter ab und rieb damit wieder und wieder über Arme und Beine, bis seine Haut rot und aufgescheuert war.

Jetzt fühlte er sich trocken.

Etwa auf halber Strecke hügelabwärts schlüpfte er durchs Unterholz und betrat eine Lichtung, die völlig versteckt lag, wenn man sie nicht kannte. Auf dieser Lichtung stand eine Jesus-Statue aus dunkler Bronze. Shankara wusste schon seit Jahren von dieser Statue, seitdem er einmal beim Versteckspielen mit seinen Freunden auf die Lichtung geraten war. Mit der Statue stimmte etwas nicht. Mit ihrer dunklen Haut, den schiefen Lippen und hellen Augen schien sie eher ein Abbild des Teufels als das Abbild des Erlösers zu sein. Selbst die Worte auf dem Sockel – ICH BIN DIE AUFERSTEHUNG UND DAS LEBEN – schienen eine Gotteslästerung zu sein.

Er sah, dass am Fuß der Statue immer noch Kunstdünger lag, Reste des Pulvers, das er benutzt hatte, um die Bombe hochgehen zu lassen. Hastig bedeckte er das Pulver mit trockenem Laub. Dann lehnte er sich gegen den Sockel der Jesus-Statue. «*Arschlöcker*», sagte er – und kicherte.

Aber als er das tat, hatte er das Gefühl, dass sein großer Triumph zu diesem einzigen kleinen Kichern geschrumpft war.

Er setzte sich vor den schwarzen Jesus, und langsam ließen seine Anspannung und Erregung nach. Mit Jesus-Bildern konnte er sich gut entspannen. Es hatte eine Zeit gegeben, als er daran gedacht hatte, zum Christentum zu konvertieren. Unter Christen gab es nämlich keine Kasten. Jeder Mensch wurde danach beurteilt, was er mit seinem Leben angefangen hatte. Aber nachdem ihn die Jesuitenpriester so übel behandelt hatten – an einem Montagmorgen war er in der Aula vor der versammelten Schule wegen Ungehorsams mit einem Stock geschlagen worden –, hatte er sich geschworen, niemals Christ zu werden. Es gibt keine bessere Institution, Hindus daran zu hindern, zum Christentum überzutreten, als die katholische Jungenschule.

Er winkte Jesus zum Abschied, vergewisserte sich noch einmal, dass kein Kunstdünger mehr am Fuß der Statue zu sehen war, und ging weiter hügelabwärts.

Sein Fahrer, ein kleiner schwarzer Mann in schäbiger Kakiuniform, erwartete ihn schon auf halber Strecke.

«Was machst du denn hier?», brüllte er ihn an. «Ich habe dir doch gesagt, dass du am Fuß des Hügels auf mich warten und nie die Straße raufkommen sollst!»

Der Fahrer verbeugte sich mit gefalteten Händen.

«Sir ... seien Sie mir nicht böse ... ich habe ... von einer Bombe gehört ... Ihre Mutter bat mich, Sie ...»

Wie schnell sich die Nachricht von der Bombe verbreitet hatte! Sie war größer als er. Sie bekam ein Eigenleben.

«Ach, diese *Bombe*, keine große Sache», sagte er zum Fahrer, während sie nach unten gingen. Er fragte sich, ob das ein Fehler war – hätte er den Vorfall nicht besser übertreiben sollen?

Diese Ironie gefiel ihm nicht. Seine Mutter hatte den Fahrer losgeschickt, um nach ihm zu sehen, als ob er noch ein Kleinkind wäre – er, der die Bombe hatte hochgehen lassen! Er knirschte mit den Zähnen. Der Fahrer öffnete ihm die Tür des weißen Ambassadors, aber statt einzusteigen, begann Shankara zu schreien.

«Blödmann! Sohn einer Kahlköpfigen!» Er rang nach Atem und sagte dann: «Du *Arschlock*! Du *Arschlock*!»

Er begann hysterisch zu lachen, als er ins Auto stieg. Der Fahrer starrte ihn verständnislos an.

Auf dem Heimweg dachte er, dass jeder Herr von seinem Chauffeur Loyalität erwarten kann. Aber Shankara erwartete gar nichts. Er fürchtete, dass der Fahrer ein Brahmane war.

Als sie vor einer roten Ampel anhielten, hörte er, wie sich im neben ihnen haltenden Ambassador zwei Damen über die Bombenexplosion unterhielten. «... die Polizei hat jetzt die ganze Schule und das College abgeriegelt. Niemand darf mehr hinaus, bis sie den Terroristen haben.»

Es kam ihm in den Sinn, dass ihm eine glückliche Flucht gelungen war. Einen Augenblick später, und er wäre der Polizei in die Falle gegangen.

Als er an der elterlichen Villa ankam, rannte er durch den Hintereingang und sprang die Treppe zu seinem Zimmer hinauf. An einem bestimmten Punkt hatte er mal daran gedacht, ein Bekennerschreiben an *The Dawn Herald* zu schicken: *Der Lehrer*

Lasrado ist ein Dummkopf, und die Bombe wurde in seiner Klasse gezündet, um es der ganzen Welt zu beweisen.

Er konnte nicht glauben, dass er es auf seinem Schreibtisch liegen gelassen hatte, und zerriss es sofort. Weil er unsicher war, ob sich die Stücke nicht wieder zusammensetzen ließen und die Botschaft nicht rekonstruiert werden könnte, dachte er daran, sie zu verschlucken. Dann entschloss er sich dazu, nur diejenigen Stücke zu schlucken, auf denen Schlüsselsilben standen: «rado», «Bo», «m», «Klasse». Den Rest zündete er mit seinem Feuerzeug an.

Außerdem, dachte er mit einer leichten Übelkeit, die das Papier in seinem Magen auslöste, wäre es nicht richtig gewesen, diese Botschaft an die Presse zu schicken, weil seine Wut sich nicht ausschließlich auf Lasrado erstreckte, sondern viel tiefer ging. Wenn ihn die Polizei zu einer Aussage zwingen würde, würde er Folgendes erklären:

«Ich habe die Bombe gelegt, um das fünftausend Jahre alte Kastensystem, das immer noch unser Land beherrscht, zu beenden. Ich habe eine Bombe gelegt, um zu demonstrieren, dass ein Mensch nicht ausschließlich nach dem Zufall seiner Geburt beurteilt werden darf, wie mir das geschehen ist.»

Und die erhabenen Sätze erleichterten ihn. Er war sich sicher, dass man ihn im Gefängnis anders behandeln würde als die anderen, nämlich als eine Art Märtyrer. Die Komitees für die Emanzipation der Hoykas würden für ihn Demonstrationen organisieren, und die Polizei würde es nicht wagen, ihm ein Haar zu krümmen. Wenn er dann entlassen würde, würden ihm vielleicht große Volksmassen zujubeln – und ihm stünde eine politische Karriere offen.

Jetzt hatte er das Gefühl, dass er unter allen Umständen einen anonymen Brief an die Zeitung schicken musste. Er nahm ein leeres Stück Papier und einen Kugelschreiber zur Hand und begann zu schreiben, obwohl sich ihm der Magen wegen der Papierstücke, die er eben verschluckt hatte, umdrehte.

Na also! Er war fertig. Er las es noch einmal durch.

Das Bekennerschreiben eines benachteiligten Hoyka. Warum heute die Bombe gelegt wurde!

Doch dann überdachte er es noch einmal. Es war ja allgemein bekannt, dass er ein Hoyka war. Jeder wusste das. Sie klatschten und tratschen darüber, und ihr Tratsch war so wie das gesichtslose Summen, das heute aus den schwarzen Türen der Klassenzimmer gedrungen war. Jeder in der Schule, in der ganzen Stadt wusste genau, dass Shankara Prasad nur der Sohn einer Hoyka war – egal, wie reich er war! Wenn er den Brief abschickte, wüsste man, dass er die Bombe gelegt hatte.

Er zuckte zusammen. Es war aber nur das Geschrei des Gemüsehändlers, der seinen Karren direkt vor dem Haus aufgestellt hatte: «Tomaten, Tomaten, reife, rote Tomaten, kommt und holt euch Tomaten.»

Er wollte sich zum Hafen aufmachen, sich ein billiges Hotel nehmen und behaupten, dass er jemand anderes wäre. Niemand würde ihn dort finden.

Er lief im Zimmer auf und ab und schlug die Tür zu. Er verkroch sich im Bett und zog sich die Decke über den Kopf. In der Dunkelheit unter der Decke hörte er immer noch die Rufe des Verkäufers: «Tomaten, reife, rote Tomaten, beeilt euch, bevor sie verfaulen!»

*

Am nächsten Morgen sah sich seine Mutter einen alten, schwarzweißen Hindi-Film an, den sie aus der Videothek von Shabbir Alis Vater ausgeliehen hatte. So verbrachte sie in der letzten Zeit jeden Morgen, süchtig nach alten, melodramatischen Filmen.

«Shankara, ich habe gehört, dass es in der Schule Tumulte

gegeben hat», sagte sie und drehte sich um, als sie hörte, dass er die Treppe herunterkam. Er ignorierte sie und setzte sich an den Tisch. Er konnte sich nicht erinnern, wann er das letzte Mal einen vollständigen Satz zu seiner Mutter gesagt hatte.

«Shankara», sagte seine Mutter und stellte ihm Toast auf den Tisch. «Deine Tante Urmila kommt. Bleib also bitte heute zu Hause.»

Er biss in seinen Toast, sagte aber nichts zu seiner Mutter. Er fand sie besitzergreifend und nervtötend, sie mischte sich einfach ein. Er wusste jedoch auch, dass ihr halbbrahmanischer Sohn ihr Ehrfurcht einflößte; sie fühlte sich ihm sogar unterlegen, weil sie eine reinrassige Hoyka war.

«Shankara! Versprich mir bitte, dass du hierbleibst. Kannst du bitte einmal nett zu mir sein, nur heute?»

Er warf den Toast auf den Teller, stand auf und ging wieder nach oben.

«Shan-ka-ra! Komm zurück!»

Obwohl er über sie fluchte, verstand er ihre Ängste. Sie wollte der brahmanischen Frau nicht allein gegenübertreten. Ihr einziger Anspruch auf Anerkennung und Ansehen bestand darin, einen männlichen Nachfahren, einen Erben geboren zu haben – und wenn der nicht zu Hause war, hatte sie nichts zu melden. Dann war sie nur eine Hoyka, die in einen brahmanischen Haushalt eingedrungen war.

Es ist ihre eigene Schuld, dachte er, wenn sie sich in Urmilas Gegenwart elend fühlt. Wieder und wieder hatte er zu ihr gesagt: Mutter, ignoriere einfach unsere brahmanischen Verwandten. Erniedrige dich nicht ständig vor ihnen. Wenn sie uns nicht wollen, dann sollten wir sie auch nicht wollen.

Aber das konnte sie nicht. Sie wollte immer noch anerkannt werden. Und die Eintrittskarte zur Anerkennung war Shankara. Nicht, dass er von den Brahmanen vollständig anerkannt worden wäre. Sie sahen in ihm das Produkt einer Verfehlung seines Vaters. Er war sich sicher, dass sie gleich eine ganze Reihe von Verfehlungen mit ihm in Verbindung brachten. Man verrühre einen Teil vorehelichen Sex mit einem Teil Kastenschranken in einem schwarzen Topf – und was kommt dabei heraus? Dieser süße kleine Teufel – Shankara.

Einige brahmanische Verwandte wie Tante Urmila hatten ihn jahrelang besucht, obwohl es ihnen nie Spaß gemacht zu haben schien, ihm die Wangen zu tätscheln, ihm Luftküsse zuzuwerfen oder die anderen widerlichen Dinge zu tun, die Tanten ihren Neffen angedeihen lassen. In ihrer Nähe hatte er lediglich das Gefühl, geduldet zu werden.

Scheiß drauf! Er wollte nicht geduldet werden.

Er wies den Fahrer an, ihn zur Umbrella Street zu kutschieren, und starrte verständnislos aus dem Fenster, während der Wagen an den Möbelläden und Zuckerrohrsaftständen vorbeifuhr. Beim White Stallion Talkies stieg er aus. «Warte nicht auf mich. Ich rufe dich an, wenn der Film aus ist.»

Als er die Stufen hochstieg, sah er, dass ihm der Eigentümer eines nahe liegenden Ladens aufgeregt zuwinkte. Ein Verwandter mütterlicherseits. Der Mann lächelte breit. Dann fing er an, ihm Zeichen zu geben, dass er in seinen Laden kommen solle. Von seinen Hoyka-Verwandten wurde Shankara immer als etwas Besonderes behandelt, weil er Halbbrahmane war und deshalb einer viel höheren Kaste angehörte. Oder weil er so reich war und deshalb einer viel höheren Klasse angehörte. Er fluchte vor sich hin und ging weiter die Treppe hoch. Verstanden diese Hoykas das denn nicht? Nichts hasste er mehr als ihre Arschkriecherei wegen seines Halbbrahmanentums. Wenn sie ihn verachtet und gezwungen hätten, auf allen vieren in ihre Läden zu kriechen, um für die Sünde des Halbbrahmanentums zu büßen, dann hätte er sie wohl jeden Tag aufgesucht!

Es gab aber noch einen Grund, warum er diesen speziellen Verwandten nicht besuchen wollte. Er hatte von dem Gerücht gehört, dass der Schönheitschirurg Kinni sich in diesem Stadtteil eine Geliebte hielt – ebenfalls ein Hoyka-Mädchen. Er vermutete, dass der Verwandte von dieser Frau wusste und ständig dachte: Shankara, dieses Bürschlein, der arme, arme Shankara, hat nicht den leisesten Schimmer vom Verrat seines Vaters. Aber Shankara wusste alles vom Verrat seines Vaters – seines Vaters, den er seit sechs Jahren nicht mehr gesehen hatte, der nicht einmal mehr schrieb oder anrief, obwohl er immer noch Päckchen mit Süßigkeiten und ausländischer Schokolade schickte.

Dennoch hatte er irgendwie das Gefühl, dass sein Vater wusste, worum es im Leben ging. Eine Hoyka-Geliebte in der Nähe des Kinos und eine schöne Hoyka-Frau als Gattin. Jetzt lebte er ein Leben in Saus und Braus in der Golfregion und operierte die Nasen und Lippen reicher Araberinnen. Und hatte da garantiert noch eine Geliebte. Kerle wie sein Vater gehörten keiner Kaste oder Religion oder Rasse an – sie lebten auf eigene Faust. Das waren die einzigen echten Männer auf dieser Welt.

Die Kinokasse war geschlossen. NÄCHSTE VORSTELLUNG 20:30 UHR. Er lief schnell die Treppe hinab und vermied den Blickkontakt mit seinem Verwandten. Hastig durchstreifte er einige Straßen, setzte sich dann in den Ideal Traders' Ice Cream Shop und bestellte einen Sapodilla-Milchshake.

Er schlürfte ihn schnell weg, und als der Zucker ihm zu Kopf stieg, lehnte er sich schmunzelnd zurück und sagte: «*Arschlöcker*!»

Er hatte es also getan. Er hatte Lasrado gedemütigt, weil der ihn gedemütigt hatte.

«Noch einen Sapodilla-Shake!», rief er. «Mit doppelt so viel Eiscreme!»

In der Schule war Shankara immer einer der «bösen Buben»

gewesen. Seit seinem achten oder neunten Lebensjahr hatte er ständig Ärger gehabt. Aber den größten Ärger hatte es mit diesem Chemielehrer mit dem Sprachfehler gegeben. Eines Morgens hatte Lasrado ihn erwischt, wie er beim Zuckerrohrsaftstand vor dem Junior College eine Zigarette geraucht hatte.

«*Raucken* vor dem vollendeten zwanzigsten Lebensjahr verhindert deine Entwicklung als normales *menschlickes* Wesen», hatte Lasrado gemeckert. «Wenn dein Vater jetzt hier wäre und *nickt* im Golf, dann würde er genau das tun, was *ick* jetzt tue ...»

Den Rest des Tages musste Shankara kniend vor dem Chemiesaal verbringen. Er kniete, starrte den Fußboden an und dachte immer wieder nur: «Das tut er mir an, weil ich ein Hoyka bin. Wenn ich ein Christ oder Bunt wäre, hätte er mich niemals so gedemütigt.»

Als er an jenem Abend im Bett gelegen hatte, war ihm ein Gedanke gekommen. «Er hat mich verletzt, also werde ich ihn verletzen.» Und der Gedanke kam ihm so klar und entschieden wie ein Sonnenstrahl, wie ein Credo seines gesamten Lebens. Die anfängliche Euphorie verwandelte sich in Ruhelosigkeit, und er wälzte sich im Bett hin und her und sagte: Mustafa, Mustafa. Er musste sich unbedingt mit Mustafa treffen.

Der Bombenbastler.

Er hatte den Namen vor einigen Wochen in Shabbir Alis Haus aufgeschnappt.

Die fünf Jungen von der «Böse-Buben-Bande» hatten sich an jenem Abend in Shabbir Alis Haus wieder einmal einen Porno angeschaut. Die Frau war in den Arsch gefickt worden. Der große schwarze Mann hatte seinen Schwanz immer wieder in sie reingesteckt. Shankara hatte keine Ahnung, dass man es auch so machen konnte; Pinto, der vor Vergnügen quiekte, auch nicht. Shabbir Ali beobachtete den Spaß seiner Freunde mit einer Art amüsierter Distanz. Er hatte das Video schon oft gesehen, und es erregte ihn nicht mehr. Er lebte in derartiger Vertrautheit mit dem Bösen, dass ihn gar nichts mehr erregte – weder Sexszenen noch Vergewaltigungen, nicht einmal brutalste Quälereien. Er war fast schon wieder in einen Stand der Unschuld zurückgefallen, weil er dauernd allen Sünden und Perversionen ausgesetzt war.

Nach dem Video lagen die Jungen auf Shabbir Alis Bett und waren drauf und dran, auf der Stelle zu wichsen, aber ihr Gastgeber ermahnte sie, sich das aus dem Kopf zu schlagen.

Shabbir Ali zauberte ein Kondom hervor, um sie bei Laune zu halten, und sie steckten die Finger hinein.

«Wofür ist das, Shabbir?»

«Für meine Freundin.»

«Halt die Klappe, du Homo.»

«Selber Homo.»

Die anderen redeten über Sex. Shankara starrte zur Zimmerdecke, tat so, als wäre er mit sich selbst beschäftigt, und lauschte. Er hatte das Gefühl, von solchen Gesprächen immer ausgeschlossen zu sein, weil die anderen wussten, dass er noch Jungfrau war. Auf dem College gab es ein Mädchen, das mit Männern «redete». Shabbir Ali hatte schon mit ihr «geredet»; er ließ durchblicken, sehr viel mehr mit ihr gemacht zu haben. Shankara hatte versucht, den Eindruck zu erwecken, auch er habe schon mit Frauen «geredet» und vielleicht sogar schon einmal mit einer Hure in der Old Court Road gebumst. Aber er wusste, dass ihn die anderen durchschauten.

Ali führte allerlei Dinge aus seinem Zimmer vor. Nach dem Kondom holte er eine Hantel unter dem Bett hervor. Eine Nummer des *Hustler*. Der *Playboy*. Die offizielle Zeitschrift der NBA.

«Ratet mal, was das hier ist», sagte er. Es war klein und schwarz und mit einem Zeitzünder verbunden.

«Es ist ein Sprengzünder», sagte er, als niemand es erriet.

«Was macht der?», fragte Shankara, richtete sich auf dem Bett auf und hielt den Gegenstand ins Licht.

«Er zündet, du Idiot.» Im Zimmer erscholl Gelächter. «Man braucht den für eine Bombe.»

«Eine Bombe zu bauen, ist die leichteste Sache der Welt», sagte Shabbir. «Nimm 'nen Sack Kunstdünger, steck den Zünder rein und fertig.»

«Wo kriegt man denn den Zünder her?», fragte einer, aber nicht Shankara.

«Mustafa hat ihn mir gegeben», sagte Shabbir Ali fast beiläufig.

Mustafa, Mustafa. Der Name setzte sich in Shankaras Kopf fest.

«Wo wohnt er?», fragte einer der Zwillinge.

«Unten am Hafen. Beim Pfeffermarkt. Wieso?» Shabbir Ali gab dem Fragenden einen Schubs. «Willst du etwa eine Bombe basteln?»

«Warum nicht?»

Noch mehr Gekicher. Aber Shankara hatte an jenem Abend nichts mehr gesagt. Mustafa, Mustafa, wiederholte er im Stillen und hatte Angst, den Namen zu vergessen, wenn er an diesem Abend noch irgendetwas anderes sagen würde.

*

Während er seinen dritten Sapodilla-Shake umrührte, kamen zwei Männer herein und setzten sich neben ihn: zwei Polizisten. Einer bestellte Orangensaft, und der andere erkundigte sich, wie viele Teesorten es in dem Lokal gebe. Shankara stand auf. Dann setzte er sich wieder. Er wusste, dass sie über ihn reden würden. Sein Herz schlug schneller.

«Die Bombe an sich war gar nichts. Ein Blindgänger. Nur der

Sprengzünder ist hochgegangen und hat den Kunstdünger herumgewirbelt. Der Idiot, der sie gebaut hat, hat wohl gedacht, dass man für eine Bombe bloß einen Zünder in einen Sack Kunstdünger stecken muss. Und das ist auch gut so, sonst wären ein paar der Jungs ums Leben gekommen.»

«Was ist bloß aus der Jugend in diesem Land geworden?»

«Heutzutage dreht sich alles nur noch um Sex, um Sex und Gewalt. Bald werden im ganzen Land Zustände wie im Punjab herrschen.»

Einer der beiden Polizisten merkte, wie er ihn anstarrte, und starrte zurück. Er drehte sich weg. *Vielleicht hätte ich doch auf Tante Urmila warten sollen. Vielleicht hätte ich heute doch zu Hause bleiben sollen.*

Aber was gab ihm die Garantie – selbst wenn sie seine Tante war –, dass sie ihn nicht verriet? Bei Brahmanen konnte man nie sicher sein. Als kleiner Junge war er einmal zu einer Hochzeit in der brahmanischen Verwandtschaft mitgenommen worden. Seine Mutter kam zu solchen Ereignissen nie mit, aber sein Vater lud ihn ins Auto und sagte ihm dann, dass er mit seinen Cousins spielen solle. Die brahmanischen Jungen forderten ihn zu einem Wettkampf auf. Eine Schicht Salz auf einer Kugel Vanilleeis: Die Aufgabe bestand darin, das Eis zu essen. «Du Idiot», schrie einer der anderen Jungen, als Shankara, eine Kugel versalzenes Eis im Mund, den Löffel ablegte. «Das war doch nur ein Witz!»

Im Lauf der Jahre kam er dahinter, dass es immer das Gleiche war. Einmal hatte ihn ein brahmanischer Klassenkamerad zu sich nach Hause eingeladen. Er ließ es auf den Versuch ankommen, er mochte den Jungen, er sagte zu. Der Junge und seine Mutter baten Shankara ins Wohnzimmer. Es handelte sich um eine «moderne» Familie – eine, die im Ausland gelebt hatte. Im Wohnzimmer sah er kleine Eiffeltürme und Milchmädchen aus

Porzellan, und er hatte das beruhigende Gefühl, hier nicht schlecht behandelt zu werden.

Man gab ihm Tee und Kekse und sorgte dafür, dass er sich vollkommen heimisch fühlte. Aber als er wieder ging und sich noch einmal umdrehte, sah er, dass die Mutter seines Freundes einen Putzlappen in der linken Hand hielt. Sie hatte bereits angefangen, das Sofa an der Stelle zu säubern, an der er gesessen hatte.

Alle Leute schienen um seine Kaste zu wissen, auch solche, die das überhaupt nichts anging. Eines Tages spielte er Kricket im Nehru Maidan. Ein alter Mann stand vor der Mauer am Spielplatz und beobachtete ihn. Schließlich rief er Shankara zu sich und musterte minutenlang prüfend sein Gesicht, seinen Hals und seine Handgelenke. Währenddessen stand Shankara hilflos da und musterte nur die Falten in den Augenwinkeln des alten Mannes.

«Du bist doch der Sohn von Vasudev Kinni und der Hoyka-Frau, nicht wahr?»

Er bestand darauf, dass Shankara ihn ein Stück auf seinem Weg begleitete.

«Dein Vater war immer schon ein eigensinniger Mann. Er hätte sich nie auf eine arrangierte Ehe eingelassen. Eines Tages entdeckte er deine Mutter und sagte zu all den Brahmanen: Zum Teufel mit euch. Ich heirate dieses wunderschöne Wesen, ob euch das nun passt oder nicht. Ich wusste aber, was die Konsequenz sein würde: Du würdest ein Mischling sein. Weder ein Brahmane noch ein Hoyka. Das habe ich deinem Vater auch gesagt. Aber er hat nicht auf mich gehört.»

Der Mann klopfte ihm auf die Schulter. Die unbefangene Art, mit der er Shankara berührte, deutete darauf hin, dass er kein Fanatiker war, kein vom Kastendenken beherrschter Mann, sondern jemand, der nur die traurige Wahrheit des Lebens aussprach.

«Du gehörst auch zu einer Kaste», sagte der alte Herr. «Zu den Brahmo-Hoykas, zwischen den beiden anderen. Sie werden in den Schriften erwähnt, und wir wissen, dass es sie irgendwo gibt. Sie sind ein eigenes Volk, ganz anders als die anderen Menschen. Du solltest mit ihnen reden und eine von ihnen heiraten. Auf diese Weise kommt alles wieder ins Lot.»

«Ja, Sir», sagte Shankara und wusste nicht, warum er es sagte.

«Heutzutage gibt es eigentlich keine Kasten mehr», sagte der Mann mit Bedauern. «Brahmanen essen Fleisch. Kschatriyas sind gebildet und schreiben Bücher. Und niedere Kasten konvertieren zum Christentum oder zum Islam. Du hast doch bestimmt gehört, was in Meenakshipuram passiert ist, nicht wahr? Oberst Gadaffi versucht, den Hinduismus auszurotten, und die christlichen Priester arbeiten mit ihm Hand in Hand.»

Sie gingen eine Weile nebeneinander her, bis sie die Bushaltestelle erreichten.

«Du musst deine eigene Kaste finden», sagte der Mann. «Du musst dein Volk finden.» Er umarmte Shankara flüchtig und bestieg den Bus. Er begann, sich mit jungen Männern um einen Sitzplatz zu streiten. Shankara tat dieser alte Brahmane leid. Er selbst hatte noch nie in seinem Leben einen Bus nehmen müssen. Er hatte immer seinen Fahrer.

Er ist aus einer höheren Kaste als ich, dachte Shankara, aber er ist arm. Was bedeutet das also überhaupt – Kaste?

Ist es nur ein Hirngespinst solcher alten Männer? Wenn man einfach zu sich selbst sagen würde: Das Kastenwesen ist ein Hirngespinst, würde es sich dann in Luft auflösen? Wenn man zu sich selbst sagen würde: Ich bin frei, würde man dann merken, dass man immer schon frei gewesen war?

*

Nach dem vierten Sapodilla-Shake wurde ihm übel.

Er verließ die Eisdiele und wollte jetzt nur noch den schwarzen Jesus an der Old Court Road besuchen und vor seiner Statue sitzen.

Er sah sich um, er wollte feststellen, ob die Polizei ihm folgte. Natürlich konnte er sich an einem Tag wie diesem nicht einmal in der Nähe der Jesus-Statue blicken lassen. Das wäre glatter Selbstmord. Sie überwachten garantiert alle Wege zur Schule.

Er dachte an Daryl D'Souza. Zu dem musste er gehen! Während seiner zwölf Jahre im Schulbetrieb war Daryl D'Souza der Einzige, der Shankara stets anständig behandelt hatte.

Shankara hatte den Professor zum ersten Mal auf einer politischen Kundgebung gesehen. Es handelte sich um die «Kundgebung zum Tag des Stolzes und der Selbstverwirklichung der Hoykas», die im Nehru Maidan stattfand – die Zeitungen bezeichneten die Kundgebung am nächsten Tag als das größte politische Ereignis in der Geschichte Kitturs. Zehntausend Hoykas hatten sich auf dem Maidan eingefunden, um ihre Rechte als anerkannte Gemeinschaft einzufordern und Wiedergutmachung für das erlittene, fünftausendjährige Unrecht zu fordern.

Der erste Redner behandelte das Sprachenproblem. Zur Amtssprache der Stadt solle Tulu erklärt werden, die Sprache der einfachen Leute, und nicht Kannada, die Sprache der Brahmanen.

Dem folgte donnernder Applaus.

Obwohl der Professor kein Hoyka war, hatte man ihn als Sympathisanten eingeladen. Er saß neben dem Ehrengast, Kitturs Parlamentsabgeordnetem, einem Hoyka, der der Stolz seiner ganzen Gemeinschaft war. Er saß schon zum dritten Mal im Parlament und war neuerdings auch das jüngste Mitglied des indischen Kabinetts – ein Symbol für die ganze Gemeinschaft, wie weit man es bringen und wie hoch man seine Ziele stecken konnte.

Nach vielen weiteren Vorrednern erhob sich schließlich der Abgeordnete. Der Mann begann sofort zu schreien.

«Meine Brüder und Schwestern, früher war uns Hoykas nicht einmal der Zutritt zum Tempel gestattet, habt ihr das gewusst? Am Eingang stand der Brahmanenpriester und sagte: Du gehörst zu einer niederen Kaste, du Untermensch!»

Er legte eine Pause ein, um diese Beleidigung unter seinen Zuhörern nachwirken zu lassen.

«Niedere Kaste! Untermensch! Weg mit dir! Doch seitdem ich ins Parlament gewählt wurde – von euch, meinem Volk! –, haben die Brahmanen es seitdem gewagt, uns dergleichen anzutun? Wagen sie es noch, uns als ‹niedere Kaste› zu bezeichnen? Wir stellen 90 Prozent der Bevölkerung dieser Stadt! Wir sind *Kittur*! Wenn sie uns schlagen, werden wir zurückschlagen! Wenn sie uns beleidigen, werden wir –»

Nach der Rede erkannte irgendjemand Shankara. Man führte ihn in ein kleines Zelt, in dem sich der Abgeordnete nach seiner Rede entspannte, und stellte ihn als den Sohn des Schönheitschirurgen Kinni vor. Der bedeutende Mann, der auf einem Holzstuhl saß und Whisky trank, setzte sein Glas so heftig ab, dass der Whisky überschwappte. Er ergriff Shankaras Hand und gab ihm zu verstehen, dass er sich neben ihn auf den Boden hocken sollte.

«Wegen deiner Familiensituation, deines herausgehobenen Status in der Gesellschaft, bist du die Zukunft der Hoyka-Gemeinschaft», sagte der Parlamentarier. Er machte eine Pause, um zu rülpsen.

«Ja, Sir.»

«Verstehst du eigentlich, was ich sage?», fragte der bedeutende Mann.

«Ja, Sir.»

«Uns gehört die Zukunft. Wir stellen neunzig Prozent dieser

Stadt. Die ganze Brahmanenscheiße ist vorbei», sagte er und wedelte mit der Hand.

«Ja, Sir.»

«Wenn sie dich schlagen, schlägst du zurück. Wenn sie … wenn sie …» Der bedeutende Mann malte mit der Hand Kreise in die Luft, um seine gelallte Bemerkung zu vervollständigen.

Shankara hätte am liebsten vor Freude laut geschrien. «Brahmanenscheiße!» Ja, genau so würde er das auch ausdrücken. Und der hier war ein Abgeordneter, ein Minister des Kabinetts der Regierung Rajiv Gandhis, und redete so, wie auch er reden würde!

Dann führte ein Gehilfe Shankara aus dem Zelt. «Mr Kinni, Sir», der Helfer drückte Shankaras Arm. «Wenn Sie vielleicht eine kleine Spende für die Veranstaltung dieses Abends geben könnten. Nur einen kleinen Betrag …»

Shankara leerte seine Taschen. Fünfzig Rupien. Er gab sie dem Gehilfen, der sich tief verneigte und ihn noch einmal als Zukunft der Hoykas bezeichnete.

Shankara sah zu, wie sich Hunderte von Männern bereits in lange Schlangen einreihten, um sich Freibier und kleine Viertelliterflaschen Rum abzuholen – als ihre Belohnung dafür, dass sie zu der Kundgebung gekommen waren und den Rednern zugejubelt hatten. Er registrierte das missbilligend. Die Vorstellung, zu den neunzig Prozent dieser Stadt zu gehören, gefiel ihm nicht. Jetzt kam es ihm plötzlich so vor, als seien die Brahmanen schutzlos – eine arme ehemalige Elite Kitturs, die nun in ständiger Angst leben musste, von den Hoykas, den Bunts, den Konkanas und allen anderen in der Stadt ihrer Häuser und ihres Eigentums beraubt zu werden. Die schiere Durchschnittlichkeit der Hoykas – was auch immer sie taten, wurde sogleich *per definitionem* durchschnittlich – stieß ihn ab.

Am nächsten Morgen las er die Zeitung und dachte, dass seine

Kritik an den Hoykas zu heftig ausgefallen sei. Er erinnerte sich an den Professor, der auf der Bühne gestanden hatte, und erfuhr von seinem Chauffeur, wo er wohnte. Er ging ein paar Minuten vor dem Haus des Professors auf und ab und fragte sich, ob er es wagen dürfe hineinzugehen. Schließlich öffnete er das Tor, ging auf das Haus zu und drückte auf den Klingelknopf.

Der Professor öffnete die Tür. Shankara sagte: «Sir, ich bin ein Hoyka. Sie sind der einzige Mensch in dieser Stadt, dem ich vertraue. Ich möchte gern mit Ihnen reden.»

«Ich weiß, wer du bist», sagte Professor D'Souza. «Komm rein.»

Professor D'Souza und Shankara saßen in seinem Wohnzimmer und führten ein langes Gespräch.

«Wer ist dieser Abgeordnete? Zu welcher Kaste gehört er?», fragte der Professor.

Die Frage verwirrte Shankara.

«Er ist einer von uns, Sir. Ein Hoyka.»

«Nein, das ist er nicht», sagte der Professor. «Er ist ein Kollaba. Hast du das Wort schon einmal gehört? So etwas wie einen Hoyka gibt es eigentlich gar nicht, mein lieber Junge. Die Kaste ist in sieben Unterkasten unterteilt. Verstehst du dieses Wort? Unterkaste? Gut. Der Abgeordnete ist ein Kollaba, das ist die höchste der sieben Kasten. Britische Anthropologen in Kittur haben dies schon im 19. Jahrhundert mit Interesse festgestellt. Die Kollabas waren immer schon Millionäre. Sie haben die anderen sechs Hoyka-Kasten seit Jahren ausgebeutet. Und jetzt setzt dieser Mann schon wieder auf die Hoyka-Karte, damit er wiedergewählt wird, in einem Büro in Neu-Delhi sitzen und dicke Päckchen mit Bargeld von Geschäftsleuten einsacken kann, die im Hafen Textilfabriken aufmachen wollen.»

Sieben Unterkasten? Die Kollabas? Davon hatte Shankara noch nie etwas gehört. Er staunte.

«Das ist das große Problem mit euch Hindus», sagte der Professor. «Ihr seid euch selbst ein Rätsel.»

Shankara schämte sich, Hindu zu sein. Was für eine abstoßende Sache dieses Kastensystem doch war, das seine Vorfahren eingeführt hatten. Aber zugleich ärgerte er sich über Daryl D'Souza. Wer war dieser Mann, dass er ihm Vorträge über das Kastenwesen hielt? Wie konnten die Christen so etwas wagen? Waren sie nicht irgendwann auch einmal Hindus gewesen? Wären sie nicht besser Hindus geblieben, um die Brahmanen von innen zu bekämpfen, anstatt den einfachen Ausweg zu nehmen und zu konvertieren?

Er unterdrückte seinen Ärger durch ein Lächeln.

«Was sollen wir jetzt mit dem Kastensystem machen, Sir? Wie können wir es abschaffen?»

«Eine Lösung ist das, was die Naxaliten gemacht haben, nämlich die hohen Kasten vollständig in den Wind zu schießen», sagte der Professor. Er hatte die kuriose, etwas feminine Marotte, seinen großen runden Keks in Milch zu tunken und dann schnell zu verschlingen, bevor er zu weich wurde und sich in der Milch auflöste. «Sie haben das ganze System in die Luft gejagt. Auf diese Weise kann man bei null anfangen.»

«Bei null» – der Ausdruck imponierte Shankara. «Ich finde auch, dass wir bei null anfangen sollten, Sir. Ich finde, wir sollten das Kastensystem zerstören und bei null anfangen.»

«Du bist ein kleiner Nihilist, mein Junge», sagte der Professor mit einem anerkennenden Lächeln und biss in seinen weichen Keks.

Danach trafen sie sich nicht wieder. Der Professor ging auf Reisen, und Shankara war auch zu schüchtern, um noch einmal bei ihm hereinzuplatzen. Aber das Gespräch vergaß er nie.

Als er jetzt wie benebelt durch die Stadt lief und die viel zu süßen Milchshakes in seinem Magen rumorten, dachte er: «Er ist der einzige Mensch, der verstehen würde, was ich getan habe. Ich werde ihm alles beichten.»

*

Das Haus des Professors war voller Schüler. Ein Reporter des *Dawn Herald* war da und stellte dem großen Mann Fragen. Er hatte ein schwarzes Aufnahmegerät auf den Schreibtisch gestellt. Shankara, der mit einer Autorikscha zum Haus des Professors gefahren war, wartete mit den anderen Schülern und sah zu.

«Es handelt sich um eine absolut nihilistische Tat seitens eines Schülers», sagte der Professor. «Man sollte ihn festnehmen und ins Gefängnis stecken.»

«Sir, was sagt uns dieser Vorfall über das heutige Indien, Sir?»

«Er ist ein Beispiel für den Nihilismus unserer Jugend», sagte Professor D'Souza. «Sie ist verwahrlost und orientierungslos. Sie hat ...», eine Pause, « ... die moralischen Werte unserer Nation aufgegeben. Unsere Traditionen geraten in Vergessenheit.»

Shankara hatte das Gefühl, vor Wut zu ersticken.

Er stürmte nach draußen.

Er hielt eine Autorikscha an, ließ sich zu Shabbir Alis Haus fahren und klingelte. Ein bärtiger Mann in einer nordindischen Kurta, aus der die Brustbehaarung hervorquoll, öffnete die Tür. Shankara brauchte eine Weile, um in ihm Shabbir Alis Vater zu erkennen, den er noch nie zuvor gesehen hatte.

«Er darf mit keinem seiner Freunde reden», sagte er. «Ihr Kerle habt meinen Sohn verdorben.» Und dann knallte er Shankara die Tür vor der Nase zu.

So, so. Der große Shabbir Ali, der Mann, der mit Frauen «redete» und mit Kondomen spielte, stand unter Hausarrest! Eingesperrt von seinem Vater! Shankara hätte fast gelacht.

Er hatte nun keine Lust mehr, Autorikschas zu nehmen. Also

rief er von einer Telefonzelle aus zu Hause an und bestellte den Wagen zu Shabbir Ali, um sich abholen zu lassen.

Zu Hause schloss er sich in seinem Zimmer ein. Er legte sich ins Bett. Er hob den Telefonhörer ab und legte wieder auf, zählte bis fünf und hob ihn wieder ab. Schließlich klappte es. Mehr musste man in Kittur nicht tun, um in die Welt von Fremden einzudringen.

Er belauschte eine Fremdverbindung.

Die Telefonleitung knisterte und belebte sich. Ein Mann unterhielt sich mit einer Frau, vermutlich ein Ehepaar. Sie redeten in einer Sprache, die er nicht verstand. Er dachte, dass es vielleicht Malayalam war. Er fragte sich, worüber sie redeten – klagte der Mann über seine Gesundheit, verlangte sie mehr Haushaltsgeld? Warum, fragte er sich, telefonierten sie überhaupt miteinander? Wohnte der Mann außerhalb Kitturs? Was auch immer ihre Situation sein mochte, was auch immer sie in der fremden Sprache sagten, er spürte die Vertrautheit und Nähe ihres Gesprächs. Es wäre schön, eine Frau oder eine Freundin zu haben, dachte er. Um nicht immer so allein zu sein. Oder auch nur einen einzigen wahren Freund. Der hätte ihn davor bewahrt, die Bombe zu legen und diesen ganzen Ärger am Hals zu haben.

Plötzlich veränderte sich die Stimme des Mannes. Er begann zu flüstern.

«Ich glaube, da atmet jemand in der Leitung», sagte der Mann – beziehungsweise Shankara stellte es sich vor.

«Ja, du hast recht. Irgendein Perverser belauscht uns», antwortete die Frau – beziehungsweise stellte Shankara es sich vor.

Dann legte der Mann auf.

Ich habe das Schlechteste aus beiden Kasten im Blut, dachte Shankara im Bett. Ich habe die Furchtsamkeit und die Ängste der Brahmanen, und ich habe die Neigung der Hoykas, zu handeln, ohne nachzudenken. In mir hat sich das Schlechteste von beiden Kasten vermischt und dieses Monster geschaffen, meine Persönlichkeit.

Er wurde wahnsinnig. Ja, davon war er überzeugt. Er wollte das Haus wieder verlassen. Er fürchtete, dass dem Chauffeur seine Rastlosigkeit auffallen würde.

Er ging zur Hintertür und schlüpfte aus dem Haus, ohne vom Fahrer bemerkt zu werden.

«Aber wahrscheinlich verdächtigt er mich gar nicht», dachte er. «Er denkt wahrscheinlich nur, dass ich ein nutzloser, reicher Bengel wie Shabbir Ali bin.»

All diese reichen Burschen wie Shabbir Ali, sagte er erbittert zu sich selbst, lebten nach einem bestimmten Code. Sie redeten über Dinge, ohne sie zu tun. Sie hatten Kondome zu Hause, benutzten sie aber nicht. Sie hatten Sprengzünder, ließen sie aber nicht hochgehen. Gerede, Gerede, nichts als Gerede. Daraus bestand ihr Leben. Das war genauso wie das mit dem Salz auf dem Eis. Das Salz wurde auf das Vanilleeis geschmiert und lag dann nur so herum, aber dran lecken sollte keiner! Das war nur ein Witz! Es sollte nur Gerede sein, dieses ganze Bombenlegertrara. Wenn man den Code kannte, wusste man, dass es nur Gerede war. Nur hatte er sie ernst genommen, er hatte wirklich geglaubt, dass sie Frauen fickten und Bomben legten. Er kannte den Code nicht, weil er nicht dazugehörte – weder zu den Brahmanen noch zu den Hoykas und noch nicht einmal zur Bande der verwöhnten Bengel.

Er gehörte einer Geheimkaste an – einer Kaste der Brahmo-Hoykas, von der er bislang nur einen Vertreter gefunden hatte, nämlich sich selbst, und das unterschied ihn von allen anderen Kasten der Menschheit.

*

Er nahm eine Autorikscha zum Junior College, vergewisserte sich, von niemandem gesehen worden zu sein, und ging gesenkten Hauptes, die Hände in den Hosentaschen, die Old Court Road hinauf.

Er schlüpfte zwischen den Büschen hindurch, ging zur Jesus-Statue und setzte sich. Der Kunstdüngergeruch hing immer noch streng in der Luft. Er schloss die Augen und versuchte, zur Ruhe zu kommen. Doch musste er jetzt an den Selbstmord denken, der vor vielen Jahren an dieser Straße geschehen war. Shabbir Ali hatte ihm davon erzählt. Man hatte einen Mann entdeckt, der sich an einem Baum in dieser Straße erhängt hatte – vielleicht sogar genau hier an dieser Stelle. Zu seinen Füßen lag ein aufgeplatzter Koffer, in dem die Polizei drei Goldmünzen und einen Zettel fand: *In einer Welt ohne Liebe ist Selbstmord die einzig mögliche Veränderung.* Außerdem einen Abschiedsbrief an eine Frau in Bombay.

Shankara öffnete die Augen. Es war, als könnte er den Mann aus Bombay vor sich hängen sehen; die Füße baumelten vor dem schwarzen Jesus.

Er fragte sich, ob das auch sein Schicksal war. Würde er so enden? Verurteilt und gehenkt?

Er erinnerte sich wieder an die schicksalhaften Ereignisse. Nach dem Gespräch in Shabbir Alis Haus war er in den Hafen gefahren. Er erkundigte sich nach Mustafa und beschrieb ihn als einen Mann, der Kunstdünger verkaufte. Man schickte ihn auf einen Markt. Er sah eine Reihe Gemüsehändler und fragte wieder nach Mustafa. Man sagte ihm: «Geh nach oben.» Er stieg eine Treppe hinauf. Er fand sich in einem stockdunklen Raum wieder, in dem tausend Menschen gleichzeitig zu husten schienen. Er begann auch zu husten. Als sich seine Augen an die Dunkelheit gewöhnt hatten, stellte er fest, dass er in einem Pfefferlager war. Riesige Leinensäcke lagen hier aufgestapelt, und ständig hustende Kulis schleppten sie herum. Dann endete die Dunkelheit wieder, und er trat in einen Innenhof. Wieder fragte er: «Wo ist Mustafa?»

Ein Mann, der auf einem Karren mit altem Gemüse lag, wies ihn zu einer offenen Tür.

Er ging hinein und erblickte drei Männer, die an einem runden Tisch saßen und Karten spielten.

«Mustafa ist nicht da», sagte ein Mann mit schmalen Augen. «Was willst du?»

«Einen Sack Kunstdünger.»

«Wofür?»

«Ich baue Linsen an», sagte Shankara.

Der Mann lachte. «Welche Sorte?»

«Bohnen. Grüne Bohnen. Pferdebohnen.»

Er lachte wieder, legte die Karten hin, ging nach nebenan, wuchtete einen enormen Leinensack heraus und stellte ihn Shankara vor die Füße.

«Was brauchst du sonst noch für deine Bohnen?»

«Einen Sprengzünder», sagte Shankara.

Die Männer legten alle gleichzeitig die Karten auf den Tisch.

Im Innenraum des Hauses verkaufte man ihm einen Zünder. Man erklärte ihm, wie man ihn einstellte. Er kostete mehr, als Shankara bei sich hatte. Also kam er eine Woche später mit dem Geld wieder, transportierte den Sack und den Sprengzünder mit einer Autorikscha bis zum Fuß der Old Court Road. Er versteckte alles hinter der Jesus-Statue.

Eines Sonntags ging er um die Schule herum. Es war wie in *Papillon*, einem seiner Lieblingsfilme, in der Szene, in der der Held seine Flucht aus dem Gefängnis plant – genauso aufregend. Zum ersten Mal sah er seine Schule mit den scharfen Augen eines Ausbrechers. Am folgenden schicksalhaften Montag nahm er den Sack mit Kunstdünger mit zur Schule, steckte den Zünder hinein, stellte die Uhr auf eine Stunde und versteckte ihn in der letzten Reihe, denn er wusste, dass dort niemand sitzen würde.

Dann wartete er, indem er wie der Held in *Papillon* die Minuten abzählte.

*

Um Mitternacht klingelte das Telefon.

Es war Shabbir Ali.

«Lasrado will, dass wir alle in sein Büro kommen, Mann! Morgen, morgen früh als Allererstes!»

Alle fünf sollten sie in seinem Büro erscheinen. Die Polizei würde da sein.

«Der wird einen Lügendetektor dabeihaben.» Shabbir machte eine Pause. Dann schrie er: «Ich weiß, dass du es warst! Warum gibst du es nicht zu? Warum gibst du es nicht sofort zu?»

Shankaras Blut gefror. «Verdammte Scheiße!», schrie er zurück und knallte den Hörer auf die Gabel. Aber dann dachte er: Mein Gott, Shabbir hat es die ganze Zeit gewusst. Natürlich! Alle hatten es von Anfang an gewusst. Alle aus der Böse-Buben-Bande. Und inzwischen hatten sie es sicher der ganzen Stadt erzählt. Er dachte: Ja, ich muss gestehen. Es wäre das Beste. Vielleicht würde die Polizei ihm mildernde Umstände gewähren, wenn er freiwillig gestände. Er wählte die 100, weil er dachte, dass das die Nummer der Polizei sei.

«Ich möchte bitte sofort mit dem ermittelnden Oberinspektor sprechen.»

«Hä?» Der Stimme folgte ein Ausruf des Unverständnisses.

In der Annahme, dann besser verstanden zu werden, sprach er jetzt Englisch und sagte: «Ich möchte ein Geständnis ablegen. Ich habe die Bombe gelegt.»

«Hä?»

«Die Bombe. Ich war das.»

«Hä?»

Wieder eine Pause. Der Anruf wurde weitergeleitet.

Er wiederholte seine Botschaft gegenüber einer anderen Person auf dem anderen Apparat.

Noch eine Pause.

«TschuldigungTschuldigungTschuldigung?»

Wütend knallte er den Hörer auf. Scheiß indische Polizei! Kann nicht mal einen Anruf annehmen! Wie zum Teufel wollten sie ihn dann fassen?

Das Telefon klingelte. Irfan. Er rief im Namen der Zwillinge an.

«Shabbir hat uns eben angerufen. Er sagt, dass wir's waren, Mann. Ich war's aber nicht! Und Rizvan war's auch nicht! Shabbir lügt!»

Da begriff er: Shabbir hatte alle angerufen und alle der Tat bezichtigt – in der Hoffnung, damit ein Geständnis zu erzwingen! Erleichterung mischte sich mit Wut. Beinahe wäre er reingelegt worden! Nun bekam er Angst, die Polizei könnte den 100-Anruf zu seinem Telefon zurückverfolgen. Ich brauche einen Plan, dachte er verzweifelt. Ja, das war's! Wenn man ihn fragen würde, würde er sagen, dass er angerufen hätte, um Shabbir Ali als Täter zu melden. «Shabbir ist Moslem», würde er sagen. «Er wollte Indien für Kaschmir bestrafen.»

Am nächsten Morgen war Lasrado im Büro des Direktors. Er hatte neben Pater Almeida Platz genommen, der hinter seinem Schreibtisch saß. Die beiden Männer starrten die fünf Verdächtigen an.

«*Ick* habe *wissenschaftlicke* Beweise», sagte Lasrado. «Fingerabdrücke finden *sick* auf dem schwarzen Rest der Bombe, der *nickt* explodiert ist.» Weil er Ungläubigkeit unter den Angeklagten witterte, fügte er hinzu: «Fingerabdrücke finden *sick* sogar *nock* auf den Brotlaiben, die hinterm Grab des Pharao lagen. Sie sind unzerstörbar. Wir werden das *Arschlock* finden, das es getan hat. *Bombensicker*!»

Er zeigte auf Pinto.

«Und du, Pinto, ein *christlicker* Junge, solltest *dick* was schämen!»

«Ich war es nicht, Sir», sagte Pinto.

Shankara überlegte, ob auch er, um auf Nummer sicher zu gehen, seine Unschuld beteuern sollte.

Lasrado sah sie durchdringend an und wartete darauf, dass sich der Schuldige zu erkennen gebe. Minuten verstrichen. Shankara begriff: Er hat gar keine Fingerabdrücke. Er hat auch keinen Lügendetektor. Er ist verzweifelt. Er ist gedemütigt worden, veräppelt worden, zum Gespött der Schule geworden, und jetzt will er Rache.

«Ihr *Arschlöcker*!», schrie er. Und dann wieder, mit überschnappender Stimme: «*Mackt* ihr *euck* etwa über *mick* lustig? *Lackt* ihr über *mick*, weil *ick* das *‹kaa› nickt ausssprecken* kann?»

Jetzt konnten die Jungen sich kaum noch halten. Sie waren drauf und dran loszulachen. Shankara sah, dass sogar der Direktor auf den Boden sah und versuchte, ein Lachen zu unterdrücken. Lasrado wusste es auch. Man konnte es seinem Gesicht ansehen. Shankara dachte: Dieser Mann ist sein Leben lang wegen seines Sprachfehlers gehänselt worden. Deswegen ist er im Unterricht auch so ein Ekel. Und jetzt ist sein Lebenswerk durch diese Bombe zerstört worden. Er wird niemals wie andere Professoren mit Stolz, wenn auch mit falschem, auf sein Leben zurückblicken können. Wird bei seiner Pensionierungsfeier nicht sagen können: «Meine Schüler haben mich geliebt, obwohl ich streng war.» Stets würde jemand im Hintergrund tuscheln – ja, so sehr haben sie dich geliebt, dass sie in deiner Klasse eine Bombe gelegt haben!

In diesem Moment dachte Shankara: Ich wünschte, ich hätte diesen Mann in Ruhe gelassen, ich hätte ihn nicht gedemütigt, wie so viele mich und meine Mutter gedemütigt haben.

«Ich war es, Sir.»

Alle im Raum drehten sich zu Shankara um.

«Ich war es», sagte er. «Und jetzt lassen Sie die anderen Jungs in Ruhe, und bestrafen Sie mich.»

Lasrado schlug mit der Faust auf den Tisch. «*Arschlock*! Soll das ein Witz sein?»

«Nein, Sir.»

«*Natürlick* ist es ein Witz!», schrie Lasrado. «Du willst *mick* verspotten! Du willst *mick* vor aller *Öffentlickkeit* verspotten!»

«Nein, Sir.»

«Halt's Maul!», sagte Lasrado. «Halt dein Maul!» Er krümmte den Zeigefinger und drohte damit jedem Einzelnen im Raum.

«*Arschlöcker*! *Arschlöcker*! Verschwindet!»

Shankara ging mit den vier Unschuldigen hinaus. Er sah ihnen an, dass auch sie sein Geständnis nicht glaubten. Sie dachten, dass er dem Lehrer frech ins Gesicht gelogen hätte.

«Jetzt bist du zu weit gegangen», sagte Shabbir Ali. «Du hast ja wirklich vor nichts auf dieser Welt Respekt, Mann.»

Shankara wartete vor dem College und rauchte eine Zigarette. Er wartete auf Lasrado. Als sich die Tür des Lehrerzimmers öffnete und der Chemielehrer herauskam, warf Shankara die Zigarette auf den Boden und zertrat sie mit dem Schuh. Er sah seinen Lehrer eine Weile an. Er wünschte, dass es eine Möglichkeit gäbe, zu ihm zu gehen und zu sagen, dass es ihm leid tat.

ZWEITER TAG (ABEND): LIGHTHOUSE HILL (AM FUSS DES HÜGELS)

Folgen Sie der von alten Banyanbäumen gesäumten Straße. Neembaumduft liegt in der Luft, und am Himmel gleitet ein Adler dahin. Die Old Court Road – eine lange, verwahrloste Straße mit dem zweifelhaften Ruf, Tummelplatz von Prostituierten und Zuhältern zu sein – führt hügelabwärts zur St. Alfonso Junior and Middle School für Jungen.

Neben der Schule befindet sich eine weiß gekalkte Moschee aus der Zeit Tippu Sultans. Eine hiesige Legende besagt, dass Christen aus Valencia, die verdächtigt wurden, mit den Briten zu sympathisieren, hinter ihren Mauern gefoltert wurden. Die Moschee steht im Zentrum eines Rechtsstreits zwischen den Schulbehörden und einer örtlichen islamischen Organisation; beide Parteien erheben Besitzansprüche auf das Gelände, auf dem die Moschee erbaut ist. Moslemischen Schülern ist es gestattet, jeden Freitag dem Schulunterricht für eine Stunde fernzubleiben, um das Namaaz-Gebet in dieser Moschee zu verrichten – vorausgesetzt, sie legen einen von ihren Vätern unterschriebenen Brief vor oder, im Fall jener Kinder, deren Väter in der Golfregion arbeiten, unterschrieben von einem männlichen Vormund. Eine Bushaltestelle vor der Moschee wird von Expressbussen bedient, die nach Salt Market Village fahren.

Vor der Moschee bieten mindestens vier Verkaufsstände Zuckerrohrsaft, Bhelpuri und Charmuri feil, um die Busreisenden zu versorgen.

*

Um zehn vor neun erklang eine Kakophonie von Alarmglocken und verkündete, dass dies kein normaler Morgen war. Es war der Morgen der Märtyrer, die siebenunddreißigste Wiederkehr jenes Tages, an dem Mahatma Gandhi sein Leben geopfert hatte, auf dass Indien leben möge.

Tausende Kilometer entfernt, im Herzen der Nation, im kalten Neu-Delhi, neigte jetzt der Präsident vor einer geheiligten Fackel sein Haupt. Die Alarmglocken, die durch das riesige gotische Gebäude der St. Alfonso Junior Boys' School schrillten – durch sechsunddreißig Klassenzimmer mit gewölbten Decken, zwei Außentoiletten, ein Chemie- und Biologielabor und einen Speisesaal, in dem einige der Priester noch beim Frühstück saßen –, verkündeten, dass es an der Zeit war, in der Schule das Gleiche zu tun.

Im Lehrerzimmer schlug der Konrektor Mr D'Mello die Zeitung so geräuschvoll zu, als würde ein Pelikan seine Schwingen zusammenlegen. Mr D'Mello warf die Zeitung auf einen Sandelholztisch und kämpfte gegen seine Wampe an, um auf die Füße zu kommen. Er war der Letzte, der das Lehrerzimmer verließ.

Sechshundertdreiundzwanzig Jungen strömten aus den Klassenzimmern und stellten sich in einer langen Reihe auf und rückten auf den Schulhof hinaus. Innerhalb von zehn Minuten formierten sie sich zu einem geometrischen Muster, zu einem engmaschigen Gitter um den Fahnenmast in der Mitte des Hofs.

Neben dem Fahnenmast stand ein schäbiges altes Holzpodest, und neben dem Podest stand Mr D'Mello, sog die Morgenluft in die Lungen und schrie: «Aaach-tung!»

Die Schüler traten im Gleichschritt vor. *Bäng!* Der Lärm ihrer Füße vertrieb das Geschwätz vom Hof. Jetzt war der Morgen zur düsteren Zeremonie bereit.

Der Ehrengast war eingeschlafen. Die Nationaltrikolore hing, desinteressiert an den zu ihren Ehren stattfindenden Ereignissen, schlaff und zerknittert von der Spitze des Fahnenmastes. Alvarez, der alte Schuldiener, zog fest an einer Leine, um den widerspenstigen Lumpen zu angemessener Haltung zu bewegen.

Mr D'Mello seufzte und ließ die Flagge Flagge sein. Wieder füllten sich seine Lungen: «Saaa-lut!»

Das Holzpodest begann unüberhörbar zu knarzen: Pater Mendonza, der Direktor, stieg die Stufen hinauf. Auf Mr D'Mellos Zeichen räusperte er sich vor dem brummenden Mikrofon und begann eine Rede über die Ehre, in jungen Jahren für das Vaterland sterben zu dürfen.

Ein paar Lautsprecherboxen ließen seine nervöse Stimme über den gesamten Hof schallen. Die Jungen lauschten hingerissen ihrem Direktor. Der Jesuit erzählte ihnen, dass das Blut Bhagat Singhs und Indira Gandhis den Boden gedüngt habe, auf dem sie angetreten waren, und sie strotzten vor Stolz.

Mr D'Mello behielt die kleinen Patrioten heftig blinzelnd fest im Blick. Er wusste, dass der ganze Humbug jeden Moment vorbei sein würde. Nach dreiunddreißig Jahren an einer reinen Jungenschule war ihm kein Geheimnis der menschlichen Natur mehr fremd.

Der Direktor rumpelte dem wichtigsten Teil der Morgenansprache entgegen.

«Am Märtyrertag ist es Brauch, dass die Regierung jeder Schule des Bundesstaats Freikarten für den kostenlosen Kinotag am nächsten Sonntag bewilligt», sagte er. Ein Stromstoß elektrisierte den Hof. Die Jungen hielten vor Aufregung die Luft an.

«Aber in diesem Jahr –» Die Stimme des Direktors zitterte. «Ich bedauere, euch mitteilen zu müssen, dass es keinen kostenlosen Kinotag geben wird.»

Ein Augenblick Stille. Dann stieß der ganze Hof ein großes, schmerzliches, ungläubiges Seufzen aus.

«Die Regierung hat einen schrecklichen Fehler gemacht», versuchte der Direktor eine Erklärung. «Einen schrecklichen, schrecklichen Fehler ... Sie hat euch mit den Kinokarten aufgefordert, einen Sündenpfuhl aufzusuchen ...»

Mr D'Mello wunderte sich, was der Direktor da faselte. Es war höchste Zeit, die Rede zu beenden und die Bengel wieder in die Klassen zu schicken.

«Mir fehlen die Worte, um euch zu sagen ... es ist ein schreckliches Versehen. Es tut mir leid. Ich ... bin ...»

Mr D'Mello sah sich nach Girish um, als eine Bewegung am Ende des Hofs seine Aufmerksamkeit erregte. Es gab Ärger. Der Konrektor, durch seine gewaltige Wampe behindert, mühte sich vom Podium herunter. Dann steuerte er erstaunlich behände durch die Reihen der Jungen und enterte die Gefahrenzone. Schüler drehten sich auf Zehenspitzen nach ihm um, um zu sehen, wie er sich den Weg nach hinten bahnte. Seine rechte Hand zitterte.

Vom unteren Spielplatz war ein brauner Hund auf den Schulhof gelaufen und tummelte sich hinter den Jungen. Ein paar Unruhestifter lockten ihn mit leisem Pfeifen und Zungenschnalzen näher heran.

«Sofort aufhören!» D'Mello – er rang schon keuchend nach Luft – trat nach dem Hund. Das verweichlichte Tier missverstand die Geste des dicken Mannes als erneute Zuwendung. Der Lehrer ging auf den Hund los, und der zog sich zurück, aber als der Mann nicht mehr nach Luft schnappte, rannte der Hund wieder auf ihn zu.

Jetzt lachten die Jungen laut. Im Schulhof breitete sich ein Durcheinander aus. Mit spürbarer Verzweiflung waberte die Stimme des Direktors aus den Lautsprechern.

«... ihr habt keinen Grund, euch danebenzubenehmen, Jungen ... Die Kinokarten sind ein Privileg, kein Anrecht ...»

«*Steinigt ihn*! *Steinigt ihn*!», schrie einer in D'Mellos Richtung.

Der in Panik geratene Lehrer gehorchte. *Zack!* Der Stein traf den Hund am Bauch. Das Tier jaulte vor Schmerz – in seinen Augen sah D'Mello den Anflug der Einsicht aufschimmern, betrogen worden zu sein –, bevor es sich vom Schulhof verzog und die Stufen zum Spielplatz hinunterlief.

D'Mellos Magen krampfte sich vor Übelkeit zusammen. Das arme Tier war verletzt. Als er sich umdrehte, blickte er in ein Meer grinsender Jungen. Einer von ihnen hatte ihn dazu aufgestachelt, einen Stein nach dem Tier zu werfen. Er holte aus, nahm den nächstbesten Jungen ins Visier, hielt den Bruchteil einer Sekunde inne, um sicherzugehen, dass es nicht Girish war, und verpasste ihm zwei kräftige Ohrfeigen.

*

Als Mr D'Mello ins Lehrerzimmer kam, hatten sich die anderen Lehrer bereits um den Sandelholztisch versammelt. Die Männer waren alle gleich angezogen, helle, kurzärmelige, klein karierte Hemden und braune oder blaue Schlaghosen, während die wenigen Frauen pfirsichfarbene oder gelbe Saris aus Polyester-Baumwoll-Gewebe trugen.

Mr Rogers, der Biologie- und Erdkundelehrer, verlas das Programm des kostenlosen Kinotags aus der kannadasprachigen aufgeschlagenen Zeitung.

Erster Film: Rettet den Tiger
Zweiter Film: Die Wichtigkeit körperlicher Ertüchtigung
Bonusfilm: Die Vorteile heimischer Sportarten (unter besonderer Berücksichtigung von Kabbadi und Kho-Kho)

Nach dieser harmlosen Liste platzte die Bombe.

Wohin Sie Ihren Sohn oder Ihre Tochter am kostenlosen Kinotag (1985) schicken sollten:
1. St. Milagres Boys' High School: Nachnamen A bis N White Stallion Theatre, O bis Z Belmore Theatre
2. St. Alfonso Boys' High School: Nachnamen A bis N Belmore Theatre, O bis Z Angel Talkies.

«Unsere halbe Schule!» Mr Rogers Stimme pfiff vor Erregung. «Unsere halbe Schule ins Angel Talkies!»

Der junge Gopalkrishna Bhatt, der erst vor einem Jahr das Lehrerseminar in Belgaum absolviert hatte, liebte es, bei solchen Gelegenheiten den Refrain mitzusingen. Er hob mit fatalistischer Gebärde die Arme: «Welch ein Irrtum! Unsere Kinder in *dieses* Kino zu schicken!»

Mr Pundit, ein altgedienter Kannada-Lehrer, verspottete die Naivität seiner Kollegen. Er war ein kleiner Mann mit Silberhaar und empörenden Ansichten.

«Begreifen Sie denn gar nicht, was da los ist – das ist kein Irrtum, sondern Absicht! Das Angel Talkies hat all diese verdammten Politiker in Bangalore bestochen, damit sie unsere Jungen in einen Sündenpfuhl schicken!»

Nun spaltete sich die Lehrerschaft in diejenigen, die das alles für einen Irrtum hielten, und diejenigen, die an ein abgekartetes Spiel glaubten, das die Jugend verderben sollte.

«Was glauben Sie, Mr D'Mello?», rief der junge Mr Bhatt.

Statt zu antworten, zog D'Mello lautstark einen Korbstuhl vom Sandelholztisch zu einem offenen Fenster am äußersten Ende des Lehrerzimmers. Es war ein sonniger Morgen mit blauem Himmel, und von den lieblichen Hügeln hatte man eine exklusive Aussicht auf das Arabische Meer.

Der Himmel war wie zum Meditieren gemacht. Ein paar vollkommen geformte Wolken trieben wie erfüllte Wünsche durch das Blau. Zum Horizont hin wurde die Farbe des Himmelszelts dunkler und berührte einen Wellenkamm des Arabischen Meers. Mr D'Mello ließ die Schönheit des Morgens auf seine aufgewühlten Gedanken wirken.

«Welch ein Irrtum, was, Mr D'Mello?»

Gopalkrishna Bhatt setzte sich auf die Fensterbank und blockierte den Blick aufs Meer. Der junge Mann ließ lustig die Beine baumeln und schenkte seinem älteren Kollegen ein mit Zahnlücken verziertes Lächeln.

«Der einzige Irrtum, Mr Bhatt», sagte der Konrektor, «ist am 15. August 1947 gemacht worden, als wir geglaubt haben, dieses Land könnte durch eine Volksdemokratie regiert werden und nicht von einer Militärdiktatur.»

Der junge Lehrer nickte. «Ja, ja, wie wahr. Und was ist mit der Notstandssituation, Sir – war das keine gute Sache?»

«Wir haben die Chance vertan», sagte D'Mello. «Und jetzt haben sie Indira Gandhi erschossen – die einzige Politikerin, die wir je hatten, die wusste, wie man diesem Land die nötige Medizin verabreicht.» Er schloss wieder die Augen und konzentrierte sich auf die Vorstellung eines menschenleeren Strandes, um Mr Bhatts Gegenwart zu vergessen.

Bhatt sagte: «Der Name Ihres Lieblingsschülers steht heute in der Zeitung, Mr D'Mello. Seite 4, ziemlich weit oben. Sie müssen doch stolz sein.»

Bevor Mr D'Mello ihn daran hindern konnte, begann Mr Bhatt bereits vorzulesen:

Der städtische Rotary Club gibt die Gewinner seines vierten, alljährlich zwischen allen Schulen stattfindenden Wettbewerbs in Englischer Vortragskunst bekannt.

Thema: Wissenschaft – Segen oder Fluch der Menschheit?

Erster Preis: Harish Pai, St. Milagres High School (Wissenschaft als Segen). Zweiter Preis: Girish Rai, St. Alfonso High School (Wissenschaft als Fluch)

Der Konrektor riss seinem jungen Kollegen die Zeitung aus der Hand. «Mr Bhatt», stieß er wütend hervor, «ich habe schon mehrfach öffentlich erklärt, dass ich unter meinen Jungen keine ‹Lieblingsschüler› habe.»

Er schloss die Augen, aber um seinen Seelenfrieden war es nun geschehen.

«Zweiter Preis» – diese Worte schmerzten ihn erneut. Er hatte mit Girish den ganzen Abend an der Rede gearbeitet – am Inhalt, am Vortrag, an seiner Haltung vorm Mikrofon, an allem! Und jetzt nur der zweite Preis? Ihm traten Tränen in die Augen. Seit einiger Zeit war der Junge auf die Verliererstraße geraten.

Im Lehrerzimmer kam jetzt Unruhe auf, und trotz seiner geschlossenen Augen wusste D'Mello, dass der Direktor eingetreten war und sich alle Lehrer um ihn scharten, um sich bei ihm einzuschleimen. Obwohl er wusste, dass es mit seinem Frieden gleich vorbei sein würde, blieb er sitzen.

«Mr D'Mello», erklang die nervöse Stimme. «Das ist ein schrecklicher Irrtum ... die Hälfte der Jungen wird in diesem Jahr nicht zum Kinotag gehen können.»

Der Direktor starrte ihn vom Sandelholztisch her an. D'Mello knirschte mit den Zähnen. Er faltete die Zeitung heftig zusammen. Er ließ sich Zeit beim Aufstehen, und er ließ sich Zeit beim Umdrehen. Der Direktor tupfte sich die Stirn. Pater Mendonza war ein sehr großer, sehr glatzköpfiger Mann, der die letzten Strähnen stark geölter Haare über die kahle Platte gebügelt trug. Seine großen Augen glotzten durch dicke Brillengläser, und die gewaltige Stirn glänzte stets von Schweißperlen wie ein nach einem Regenschauer mit Tropfen gesprenkeltes Blatt.

«Dürfte ich einen Vorschlag machen, Pater?»

Die Hand des Direktors mit dem Taschentuch hielt über den Augenbrauen inne.

«Wenn wir die Jungen nicht ins Angel Talkies lassen, interpretieren sie das als Zeichen der Schwäche. Wir werden nur noch mehr Ärger mit ihnen haben.»

Der Direktor biss sich auf die Lippen.

«Aber ... die Gefahren ... man hört von entsetzlichen Plakaten ... von Übeln, die sich nicht in Worte fassen lassen ...»

«Ich kümmere mich um die Einzelheiten», sagte Mr D'Mello ernst. «Ich werde für Disziplin sorgen. Das verspreche ich Ihnen.»

Der Jesuit nickte hoffnungsfroh. Als er das Lehrerzimmer verließ, wandte er sich an Gopalkrishna Bhatt Junior, und die tiefe Dankbarkeit in seiner Stimme war unüberhörbar:

«Sie sollten sich dem Konrektor anschließen, wenn er mit den Jungen ins Angel Talkies geht ...»

*

Pater Mendonzas Worte geisterten durch seinen Kopf, als er um elf Uhr zu seiner ersten Schulstunde an diesem Morgen ging. *Konrektor*. Er wusste, dass er nicht die erste Wahl des Jesuiten gewesen war. Diese Kränkung schmerzte nach all den Jahren immer noch. Den Posten hatte er nur wegen seiner langen Dienstzeit bekommen. Seit dreißig Jahren hatte er den Jungen von St. Alfonso Hindi und Arithmetik beigebracht und für Ordnung in der Schule gesorgt. Aber Pater Mendonza, der erst kürzlich mit seinen drei öligen Strähnen und sechs Wagenladungen voller «moderner» Ideen aus Bangalore gekommen war, ließ seine Präferenz für jemanden mit einem gepflegten Erscheinungsbild durchblicken. Mr D'Mello hatte Augen im Kopf und einen Spiegel zu Hause. Er wusste, was das bedeuten sollte.

Er war ein übergewichtiger Mann in der Endphase mittleren Alters; er atmete durch den Mund, und aus seiner Nase sprossen Haarbüschel. Das Kernstück seines Körpers war eine gewaltige Wampe, ein harter Fleischklops, der ein Dutzend Herzattacken ausbrütete. Er ging mit gebeugtem Rücken und gesenktem Kopf und verzog Augenbrauen und Nase zu einem fies aussehenden Blinzeln. «Das Scheusal», riefen die Jungen, wenn er vorbeikam. «Scheusal, Scheusal, Scheusal!»

Mittags aß er vor seinem Lieblingsfenster im Lehrerzimmer eine Portion rotes Fischcurry aus der Schüssel eines Henkelmanns aus Stahl. Weil der Currygeruch seine Kollegen nicht gerade entzückte, aß er allein. Wenn er fertig war, trug er seine Schüssel langsam auf den Hof zum öffentlichen Wasserhahn. Die Jungen hörten auf zu spielen. Weil es für ihn unmöglich war, sich zu bücken (wegen der Wampe natürlich), musste er das Wasser in seine Schüssel füllen und an den Mund führen. Er gurgelte geräuschvoll und stieß rülpsend wahre Safransturzbäche aus. Die Jungen quietschten jedes Mal vor Vergnügen. Wenn er wieder im Lehrerzimmer war, drängten sie sich um den Wasserhahn: Im Ausguss hatten sich dann Fischgräten wie Ablagerungen eines wachsenden Korallenriffs gesammelt. In den Rufen der Jungen vermischten sich Staunen und Ekel, und sie schrien mit stetig wachsender Lautstärke: «Scheusalscheusalscheusal!»

«Das größte Problem, Mr D'Mello zu meinem Konrektor zu ernennen, besteht darin, dass er einen ausgeprägten Hang zu altmodischer Gewaltanwendung zeigt», schrieb der junge Direktor dem Vorstand der Jesuiten. D'Mello griff zu oft zum Rohrstock und züchtigte zu hart. Sogar wenn er etwas an die Tafel schrieb, langte seine linke Hand manchmal zum Tafellappen. Er drehte sich um und feuerte ihn in die letzte Reihe, und dann gab es Geschrei, und die Bank kippte unter dem Gewicht der sich duckenden Jungen um.

Er hatte sich auch schon Schlimmeres geleistet. Über eine schockierende Geschichte, die ihm zu Ohren gekommen war, erstattete Pater Mendonza ausführlich Bericht. Vor vielen Jahren hatte einmal ein kleiner Junge in der ersten Reihe direkt unter D'Mellos Augen geschwätzt. Der Lehrer sagte nichts. Er saß nur ganz ruhig da und ließ seinen Ärger hochkochen. Plötzlich, so wurde behauptet, habe er einen totalen Aussetzer gehabt. Er schnappte sich den Jungen, hob ihn hoch, schleppte ihn in eine Ecke des Klassenraums und schloss ihn in einem Schrank ein. Während des Rests der Unterrichtsstunde hämmerte der Junge mit den Fäusten von innen gegen die Schrankwände. «Ich kriege keine Luft hier drinnen!», schrie er. Das Gehämmer im Schrank wurde erst lauter und lauter, dann schwächer und schwächer. Als der Schrank volle zehn Minuten später endlich geöffnet wurde, stank es nach Urin, und der Junge fiel heraus, ein bewusstloses Bündel.

Und dann gab es da noch jene kleine Episode aus seiner Vergangenheit. Mr D'Mello hatte sechs Jahre lang das Priesterseminar in Valencia besucht, bis er sich von heute auf morgen mit seinen Vorgesetzten überwarf und das Seminar verließ. Gerüchte besagten, er habe das heilige Dogma in Zweifel gezogen und behauptet, die vom Vatikan vertretene Lehrmeinung zur Familienplanung sei in einem Land wie Indien unpassend – und sei dann einfach gegangen und habe sechs Jahre seines Lebens hinter sich gelassen. Andere Gerüchte lauteten, er sei ein Freidenker und sowieso nicht regelmäßig zur Messe gegangen.

Wochen vergingen. Der Vorstand der Jesuiten fragte postalisch an, ob Pater Mendonza bereits zu einer Entscheidung gelangt sei. Der junge Direktor gestand ein, dafür noch keine Zeit gefunden zu haben. Der Pater empfand es jeden Morgen aufs Neue als seine wichtigste Pflicht, eine ganze Reihe aufmüpfiger Schüler zu disziplinieren. Morgen für Morgen erschienen die gleichen Gesichter. Im Unterricht geschwätzt. Schuleigentum demoliert. Fleißige Jungen gekniffen.

Eines Tages stattete eine Ausländerin, eine Christin aus England, die in Indien großzügige Spenden an würdige Empfänger verteilte, der Schule einen Besuch ab. An jenem Morgen ölte Pater Mendonza seine Reststrähnen mit besonderer Sorgfalt ein. Er bat Mr Pundit, ihm bei der Schulführung mit der britischen Dame zu assistieren. Mit erlesener Höflichkeit erläuterte der Kannada-Lehrer der Ausländerin die stolze Geschichte von St. Alfonso, den Erfolg berühmt gewordener ehemaliger Schüler, ihre Rolle bei der Bändigung der wilden Natur in diesem Teil Indiens, der einst eine von Elefanten durchzogene, öde Wildnis gewesen war. Pater Mendonza fand, dass Mr Pundit ein so gewandter Kollege war, wie man ihn in dieser Weltregion überhaupt nur finden konnte. Dann aber begann die Ausländerin plötzlich zu kreischen. Ihre Finger spreizten sich vor Entsetzen. Julian D'Essa, der Sprössling des Kaffeeplantagenbesitzers, stand, während die ganze Klasse kicherte, auf der letzten Bank und entblößte vor aller Welt sein Geschlechtsteil. Mr Pundit stürzte auf den verrückten Jungen zu, aber es war zu spät. Der Jesuit musste mitansehen, wie die ausländische Förderin mit schreckstarren Augen vor ihm zurückwich – als wäre *er* der Exhibitionist.

Ein altes Vorstandsmitglied rief Pater Mendonza noch am gleichen Abend aus Bangalore an, um ihn zu trösten. Hatte «der Reformer» endlich begriffen? In Bangalore mochten moderne Erziehungsmethoden schön und gut sein. Aber in einem Kaff wie Kittur, meilenweit entfernt von der Zivilisation?

«Um eine Schule mit sechshundert kleinen Tieren zu führen», sagte der alte Jesuit zu dem schluchzenden jungen Direktor, «braucht man hin und wieder mal ein richtiges Scheusal.»

Zwei Monate nach seiner Ankunft im St. Alfonso bat der Pater eines Morgens Mr D'Mello in sein Büro. Er erklärte ihm, dass er keine andere Möglichkeit sehe, als ihn darum zu bitten, die Stelle des Konrektors zu übernehmen. Um eine Schule wie diese zu führen, sagte der Jesuit, brauche er einen Mann wie D'Mello.

*

Warte kurz, sagte sich D'Mello. *Komm erst mal zu Atem.* Er wollte soeben die Klasse betreten, den Krieg beginnen. Bislang hatte der Plan gut funktioniert; er war durch den Hintereingang gekommen. Ein Überraschungsangriff. Er nahm an, dass sich die Nachricht von Mendonzas Sinneswandel in Sachen Angel Talkies inzwischen herumgesprochen hatte. Die Jungen verstanden den Schwenk natürlich als Feigheit seitens der Schulleitung. Die Gelegenheit war günstig, ihnen eine nachhaltige Lektion zu erteilen, aber zugleich war die Gefahr groß.

Die Klasse war ruhig – zu ruhig.

D'Mello schlich auf Zehenspitzen herein. Die letzte Reihe, in der die großen, frühreifen Jungen saßen, hatte sich um eine Zeitschrift geballt, ein lautloser Haufen verknoteter Körper. D'Mello beugte sich drohend über die Jungen. Es handelte sich um eine einschlägige Zeitschrift. «Julian», sagte er sanft.

Die Jungen fuhren herum, die Zeitschrift fiel auf den Boden. Julian stand grinsend auf. Er war der Größte der Größten, der Frühreifste der Frühreifen. Aus seinem offenen Hemdkragen wucherte das Brusthaar, und wenn er den Ärmel hochkrempelte und die Muskeln anspannte, sah D'Mello, wie sein Bizeps zu blassen, dicken Knollen anschwoll. Als Sohn einer Kaffeeplantagendynastie konnte Julian D'Essa nie von der Schule verwiesen werden. Aber er konnte bestraft werden. Als er D'Mello ansah, huschte ein lüsternes Grinsen über das Gesicht des kleinen Teufels. In seinem Kopf hörte Mr D'Mello D'Essas Stimme; sie reizte ihn bis aufs Blut: *Scheusal! Scheusal! Scheusal!*

Er zog den Jungen am Kragen aus der Bank. Ratsch! Der Kragen riss vom Hemd ab. D'Mellos zitternder Ellbogen straffte sich und traf seitlich das Gesicht des Jungen.

«Raus aus der Klasse, du elendes Tier ... auf die Knie mit dir, sofort ...»

Nachdem er Julian aus der Klasse geschoben hatte, legte er sich die Hände auf die Knie und rang nach Luft. Er hob die Zeitschrift auf und blätterte sie so durch, dass alle die Seiten sehen konnten.

«Das sind also die Sachen, die ihr Jungs lesen wollt, was? Und jetzt wollt ihr auch noch ins Angel Talkies? Ihr glaubt wohl, ihr bekommt da die Plakate zu Gesicht, diese Wandgemälde der Sünde?»

Er marschierte, durch die Klasse, sein Ellbogen zitterte, und er wetterte: Sogar die Lustmolche schämten sich, ins Angel Talkies zu gehen. Sie versteckten sich unter Decken und schöben den Angestellten an der Kasse verstohlen die Rupienscheine zu. Im Kino seien die Wände mit Plakaten nicht jugendfreier Filme übersät, die Perversionen aller Art bedienten. Sich in so einem Kino einen Film anzusehen, sei für Körper wie Seele gleichermaßen verheerend.

Er schleuderte die Zeitschrift gegen eine Wand. Glaubten sie etwa, dass er davor zurückschrecke, sie zu schlagen? Nein! Er war keiner dieser «neumodischen» Lehrer, die in Bangalore oder Bombay ausgebildet worden waren. Gewalt war sein Hauptgericht – und seine Nachspeise! Wer auf den Stock verzichtet, verdirbt das Kind!

Er ließ sich auf seinen Stuhl fallen. Er war furchtbar außer Atem. Ein dumpfer Schmerz breitete sich in seiner Brust aus. Mit Befriedigung sah er, dass seine Standpauke ein bisschen gewirkt hatte. Die Jungen saßen mucksmäuschenstill da. Der Anblick Julians, der mit zerrissenem Hemdkragen draußen vor der

Klasse kniete, hatte eine beruhigende Wirkung. Aber D'Mello wusste, dass es nur eine Frage der Zeit war, nur eine Frage der Zeit. Mit seinen siebenundfünfzig Jahren machte er sich keine Illusionen mehr über die menschliche Natur. Die Lust würde die Herzen der Jungen erneut mit dem Geist der Rebellion entflammen.

Er befahl ihnen, die Hindi-Lesebücher aufzuschlagen. Seite 168.

«Wer will das Gedicht vorlesen?»

Die Klasse schwieg; ein Arm ging in die Höhe.

«Girish Rai, lies vor.»

In der ersten Reihe stand ein Junge mit einer lächerlich großen Brille auf. Sein dichtes Haar war in der Mitte gescheitelt, sein kleines Gesicht mit Pickeln übersät. Er brauchte das Buch gar nicht, weil er das Gedicht auswendig konnte:

Nein, sagte die Blume

Brich mich, sagte die Blume
Nicht auf dem Bett der Jungfrau
Noch in der Hochzeitskutsche
Noch auf dem bunten Dorfplatz.

Nein, sagte die Blume
Brich mich erst auf dem einsamen Pfad
Den die Helden gehen
Um für ihr Land zu sterben.

Der Junge setzte sich wieder. Die ganze Klasse schwieg für einen Moment, von der Klarheit seines Vortrags in Hindi, dieser fremden Sprache, gebannt. «Wenn ihr doch nur alle wie dieser Junge sein könntet», sagte Mr D'Mello sanft.

Aber er hatte nicht vergessen, dass sein Lieblingsschüler ihn beim Wettbewerb der Rotarier enttäuscht hatte. Er wies die Klasse an, das Gedicht sechsmal in ihre Hefte abzuschreiben, und beachtete Girish zwei oder drei Minuten lang nicht. Dann winkte er ihn mit dem Finger zu sich.

«Girish», seine Stimme versagte fast. «Girish ... warum hast du beim Rotarier-Wettbewerb nicht den ersten Preis bekommen? Wie sollen wir es jemals bis Delhi schaffen, wenn du keine ersten Preise mehr gewinnst?»

«Entschuldigen Sie, Sir ...», sagte der Junge und ließ beschämt den Kopf hängen.

«Girish ... in letzter Zeit hast du nicht mehr so viele erste Preise gewonnen ... stimmt etwas nicht?»

Der Junge hatte einen besorgten Gesichtsausdruck, Mr D'Mello war höchst beunruhigt.

«Hast du irgendwelchen Ärger? Einer der Jungs? Hat D'Essa dich bedroht?»

«Nein, Sir.»

Er schaute zu den großen Jungen in der letzten Bank hinüber. Er wandte sich nach rechts und warf dem knienden D'Essa, der breit grinste, einen scharfen Blick zu. Der Konrektor fasste einen schnellen Entschluss.

«Girish ... morgen ... ich möchte nicht, dass du ins Angel Talkies gehst. Ich möchte, dass du ins Belmore Talkies gehst.»

«Warum, Sir?»

D'Mello zuckte zusammen.

«Wie meinst du das – warum? Weil ich es sage – darum!», fauchte er.

Die Klasse sah zu den beiden hin. War Mr D'Mello seinem Musterschüler gegenüber etwa laut geworden?

Girish Rai errötete. Er schien kurz davor, in Tränen auszubrechen, und Mr D'Mellos Herz schmolz dahin. Er lächelte und klopfte dem kleinen Jungen auf den Rücken.

«Na, na, Girish, nicht weinen … die anderen Jungen sind mir egal. Die sind schon oft im Kino gewesen, und sie haben Zeitschriften gelesen. An denen kann man nichts mehr verderben. Aber an dir. Ich lasse dich da nicht hingehen. Geh ins Belmore.»

Girish nickte und ging auf seinen Platz in der ersten Reihe zurück. Immer noch war er den Tränen nahe. Mr D'Mello spürte, wie ihm vor Bedauern das Herz brach. Er war dem armen Jungen gegenüber zu hart gewesen.

Als die Stunde vorbei war, ging er zur ersten Reihe und klopfte auf den Tisch: «Girish, hast du heute Abend schon etwas vor?»

*

Was für ein schrecklicher Tag, was für ein schrecklicher Tag. Mr D'Mello ging durch die schlammige Straße, die von der Schule zu seinem Haus in der Lehrerkolonie führte. Das fürchterliche, klatschende Geräusch des Steins hallte immer wieder in seinem Kopf nach … der Ausdruck in den Augen des armen Tiers …

Mit seinen Gedichtbüchern unterm Arm ging er nach Hause. Sein Hemd war jetzt mit roten Curryflecken gesprenkelt, und die Kragenspitzen waren wie von der Sonne ausgedörrtes Laub nach innen gewellt. Alle paar Minuten blieb er stehen, um den schmerzenden Rücken zu strecken und nach Atem zu ringen.

«Sind Sie krank, Sir?»

Mr D'Mello drehte sich um. Girish Rai, der einen riesigen Kakiranzen auf den Rücken geschnallt hatte, folgte ihm.

Lehrer und Schüler gingen einige Meter nebeneinander her. Dann blieb Mr D'Mello stehen. «Siehst du das, Junge?» Er streckte den Zeigefinger aus.

Auf halbem Weg zwischen der Schule und seinem Haus verlief eine Ziegelmauer, in deren Mitte ein breiter Spalt klaffte. Die Mauer mit dem Spalt stand schon seit Jahren an dieser Straße, in der sich nichts Wesentliches verändert hatte, seit D'Mello vor dreißig Jahren in das Viertel und in die Wohnung gezogen war, die man ihm als jungem Lehrer zugewiesen hatte. Durch den Spalt in der Mauer waren drei Laternenpfosten an einer Parallelstraße zu sehen, und seit nunmehr zwanzig Jahren war Mr D'Mello an jedem Abend hier stehen geblieben und hatte angestrengt zu den Laternenmasten hochgeblinzelt. Seit zwanzig Jahren hatte er die Laternenmasten nach der Erklärung für ein Rätsel abgesucht. Als er vor zwei Jahrzehnten eines Morgens einmal an dem Spalt vorbeigekommen war, hatte er auf allen drei Laternenpfosten einen mit weißer Kreide geschriebenen Satz gesehen:

Nathan X muss sterben.

Er quetschte sich durch den Mauerspalt, gelangte zu den drei Laternenmasten und zeichnete mit der Schirmspitze die Worte nach, um hinter ihr Geheimnis zu kommen. Was bedeuteten die drei Inschriften? Ein alter Mann zog mit einem Gemüsekarren vorbei. Er fragte ihn, wer Nathan X sei, aber der Gemüsemann zuckte nur mit den Schultern. Ernest D'Mello stand da, wunderte sich, und der Dunst hing in den Baumkronen.

Am nächsten Tag waren die Inschriften verschwunden. Absichtlich weggewischt. Als er in die Schule kam, überflog er die Todesanzeigen in der Zeitung und traute seinen Augen nicht – ein Mann namens Nathan Xavier war am Abend zuvor im Hafen ermordet worden! Anfangs war er überzeugt, das Mordkomplott einer Geheimgesellschaft entdeckt zu haben. Bald überkamen ihn noch dunklere Ängste. Vielleicht hatten chinesische Spione die Worte geschrieben? Jahre vergingen, aber das Geheimnis blieb ungelüftet, und jedes Mal, wenn er den Spalt sah, musste er daran denken.

«Glauben Sie, dass es pakistanische Spione waren, Sir?», sagte Girish. «Dass sie Nathan X getötet haben?»

Mr D'Mello grunzte. Er hatte das Gefühl, dass er diese Erinnerung nicht mit Girish hätte teilen sollen, dass er sich dadurch kompromittiert hatte. Lehrer und Schüler gingen weiter.

D'Mello sah, wie die Strahlen des Sonnenuntergangs durch die Banyanblätter in großen, goldenen Flecken auf den Boden fielen, wie Pfützen, die ein Kind hinterlässt, wenn es aus dem Bad kommt. Er blickte zum Himmel und zitierte unwillkürlich eine Zeile aus einem Hindi-Gedicht: «*Die goldene Hand der Sonne, die über die Wolken streicht ...*»

«Ich kenne das Gedicht, Sir», sagte eine kleine Stimme. Girish Rai zitierte den Rest des Verses: «... *ist wie die Hand des Liebenden, die streichelt, was sie liebt.*»

Sie gingen weiter.

«Du interessierst dich also für Lyrik?», fragte Mr D'Mello. Bevor der Junge antworten konnte, verriet er ihm noch ein Geheimnis. In seiner Jugend wäre er gern ein Dichter geworden – und zwar ein Nationaldichter, ein neuer Bharathi oder Tagore.

«Und warum sind Sie dann kein Dichter geworden, Sir?»

Er lachte. «In so einem kleinen Kaff wie Kittur, mein gelehrter Freund, wie sollte da wohl ein Mann seinen Lebensunterhalt mit Gedichten verdienen können?»

Die Straßenlaternen gingen eine nach der anderen an. Es war jetzt fast Nacht. In einiger Entfernung sah Mr D'Mello eine erleuchtete Tür. Seine Unterkunft. Als sie näher am Haus waren, hörte er auf zu reden. Er konnte die Gören bis hierher hören. Was, fragte er sich, hatten sie heute wohl zerschlagen?

Girish Rai sah zu, wie Mr D'Mello sich das Hemd auszog und an einen Wandhaken hängte. Der Junge sah, wie sich der Konrektor im Unterhemd langsam auf einen Schaukelstuhl in seinem Wohnzimmer sinken ließ. Zwei Mädchen in identischen roten Kleidchen rannten im Zimmer herum und schrien sich die Lungen aus dem Leib. Der alte Lehrer ignorierte sie einfach. Er starrte den Jungen eine Weile lang an und fragte sich erneut, warum er zum ersten Mal in seiner Lehrerlaufbahn einen Schüler zu sich nach Hause eingeladen hatte.

«Warum haben wir die Pakistanis entkommen lassen, Sir?», stieß Girish aus.

«Wovon redest du, Junge?» D'Mello kniff Nase und Augenbrauen zusammen und blinzelte.

«Warum haben wir 1965 die Pakistanis entkommen lassen? Als wir sie schon am Haken hatten? Sie haben das einmal im Unterricht erwähnt, aber nicht weiter erklärt.»

«Ach so, das!» Mr D'Mello schlug sich mit der Hand genüsslich auf den Oberschenkel. Noch eines seiner Lieblingsthemen. Wie die Regierung im Krieg 1965 Mist gebaut hatte. Die indischen Panzer waren bereits in die Vororte von Lahore eingedrungen, als ihnen die Regierung den Boden unter den Füßen wegzog. Irgendein Bürokrat war bestochen worden, und die Panzer kehrten um.

«Seit dem Tod von Sardar Patel geht dieses Land den Bach runter», sagte er, und der kleine Junge nickte. «Wir leben mitten in Chaos und Korruption, aber wir können nichts dagegen tun. Wir können nur unsere Arbeit machen und dann nach Hause gehen», sagte er, und der kleine Junge nickte.

Der Lehrer atmete zufrieden aus. Er war sehr geschmeichelt. In all den Jahren an der Schule hatte noch nie ein Schüler über den kapitalen Schnitzer von 65 die gleiche Empörung wie er empfunden.

Er erhob sich aus dem Schaukelstuhl und zog einen Band Hindi-Lyrik aus dem Bücherregal. «Das will ich aber zurück, ja? Und zwar tipptopp. Ohne Kratzer und ohne Flecken.»

Der Junge nickte. Er sah sich verstohlen im Haus um. Die Armut im Haus seines Lehrers überraschte ihn. Mit Ausnahme eines erleuchteten Bilds des Heiligen Herzen Jesu waren die

Wände des Wohnzimmers kahl. Die Farbe bröckelte, und Geckos liefen unerschrocken über die Wände.

Als Girish in dem Buch blätterte, kreischten ihm die beiden Mädchen in den roten Kleidern abwechselnd ins Ohr und verschwanden dann schreiend in einem anderen Zimmer.

Eine Frau in einem fließenden grünen Gewand mit weißem Blumenmuster kam mit einem Glas mit rotem Saft in der Hand auf den Jungen zu. Ihr Gesicht verwirrte den Jungen, und er konnte ihre Fragen nicht beantworten. Sie sah sehr jung aus. Mr D'Mello musste wohl erst sehr spät geheiratet haben, dachte der Junge. Vielleicht war er in jüngeren Jahren zu schüchtern gewesen, um sich Frauen zu nähern.

D'Mello runzelte die Stirn und rückte näher an Girish heran.

«Warum grinst du so? Ist hier irgendwas komisch?»

Girish schüttelte den Kopf.

Der Lehrer fuhr fort. Er sprach von anderen Dingen, die sein Blut in Wallung brachten. Indien war einst von drei ausländischen Mächten beherrscht worden: England, Frankreich und Portugal. Heute waren an deren Stelle drei hausgemachte Übeltäter getreten: Betrug, Stümperei und Hinterhältigkeit. «Das Problem sitzt hier –» Er klopfte sich gegen die Rippen. «In uns steckt ein Untier.»

Er fing an, Girish Dinge zu erzählen, die er noch nie jemandem erzählt hatte, nicht einmal seiner Frau. Seine Ahnungslosigkeit über die wahre Natur von Schuljungen hatte nur drei Monate seines Lehrerlebens angedauert. In dieser ersten Zeit, verriet er Girish jetzt, war er nach dem Unterricht in der Bibliothek geblieben, um die gesammelten Gedichte Tagores zu lesen. Er las die Gedichte sehr genau, hielt manchmal inne, schloss die Augen und stellte sich vor, dass er während des Freiheitskampfs schon am Leben gewesen wäre – in einem jener heiligen Jahre, als man zu einer Versammlung gehen konnte und dort Gandhi vor seinem Spinnrad sitzen sah, während Nehru eine Rede hielt.

Wenn er aus der Bibliothek kam, schwirrten ihm Tagores Bilder durch den Kopf. Zu jener Stunde war die Ziegelmauer, die die Schule umgab, von der untergehenden Sonne wie zerschmolzen, eine große Fläche gehämmerten Goldes. Entlang der Mauer wuchsen Banyanbäume; in ihren tiefen, dunklen Kronen glitzerten winzige Blätter in langen Silberfäden, als hielte der meditierende Baum einen Rosenkranz. Mr D'Mello hielt inne. Die gesamte Erde schien Tagores Verse zu singen. Er kam am Spielplatz vorbei, der sich in einer Senke unterhalb der Schule befand. Zotiges Geschrei zerstörte seine Träumereien.

«Was soll das Geschrei am Abend?», fragte er ganz naiv einen Kollegen. Der ältere Lehrer genehmigte sich eine Prise Schnupftabak. Er inhalierte das widerliche Zeug von der Ecke eines fleckigen Taschentuchs und grinste.

«Blankziehen. Das treiben die da.»

«*Blankziehen*?» Der erfahrene Lehrer zwinkerte.

«Sagen Sie bloß nicht, dass es das noch nicht gab, als Sie zur Schule gingen.»

Aus Mr D'Mellos Gesichtsausdruck schloss er, dass das tatsächlich nicht der Fall war.

«Es ist das älteste Spiel, das Jungen spielen», sagte der alte Lehrer. «Gehen Sie mal hin, und sehen Sie es sich an. Mir fehlen die Worte, es zu beschreiben.»

Am nächsten Abend ging er hin. Als er die Stufen zum Spielplatz hinunterstieg, wurde der Lärm lauter und lauter.

Am nächsten Morgen rief er alle beteiligten Jungen – alle, sogar die Opfer – an sein Pult. Er hatte Mühe, seine Stimme ruhig zu halten. «Was glaubt ihr eigentlich, wo ihr hier seid? In einer anständigen katholischen Schule oder in einem Bordell?» An diesem Morgen verprügelte er sie heftig.

Anschließend stellte er fest, dass sein rechter Ellbogen immer noch zitterte.

An jenem Abend gab es keinen Lärm auf dem Spielplatz. Um sich vor dem Übel zu schützen, rezitierte er laut Tagore:

Wo erhobenen Hauptes und furchtlosen Sinns …

Als er einige Tage später wieder am Spielplatz vorbeikam, merkte er, dass sein rechter Ellbogen unwillkürlich zitterte. Der gleiche, vertraute, böse Lärm erhob sich wieder über dem Hof

«In diesem Moment fiel es mir wie Schuppen von den Augen», sagte Mr D'Mello. «Über die menschliche Natur machte ich mir keine Illusionen mehr.»

Er blickte Girish besorgt an. Der kleine Junge rührte mit einem breiten Grinsen in seinem roten Saft.

«Mit dir haben sie das aber nicht gemacht, nicht wahr, Girish? Wenn ihr abends Kricket spielt? ‹Blankziehen›?»

(D'Mello hatte D'Essa und seine überreife Bande stets wissen lassen: Wenn sie *das* je mit Girish versuchten, würde er ihnen bei lebendigem Leib die Haut abziehen. Dann würden sie merken, was für ein Scheusal er wirklich sein konnte.)

Ängstlich beobachtete er Girish. Der Junge sagte nichts.

Plötzlich setzte er sein Glas ab, stand auf und ging mit einem gefalteten Stück Papier in der Hand auf seinen Lehrer zu. Der Konrektor faltete es auseinander und war auf das Schlimmste gefasst.

Es war ein Geschenk: ein Gedicht in reinstem Hindi.

Monsun

Dies ist die nasse, wüste Zeit,
Wenn Blitze zucken, Donner schreit.
Wenn nachts der Himmel tobt, ich frag,

Aus welchem Grunde Gott uns gab
Die nasse, wüste Jahreszeit?

«Hast du das selbst geschrieben? Bist du deshalb rot geworden?»

Der Junge nickte glücklich.

Großer Gott!, dachte er. In seinen dreißig Jahren als Lehrer hatte ihm noch nie jemand so ein Geschenk gemacht.

«Warum ist das Reimschema unregelmäßig?» D'Mello runzelte die Stirn. «Auf solche Dinge solltest du achten ...»

Der Lehrer erklärte ihm sämtliche Schwachstellen des Gedichts. Der Junge nickte aufmerksam.

«Soll ich Ihnen morgen noch eines mitbringen?», fragte er.

«Gedichte sind gut und schön, Girish, aber ... interessierst du dich nicht mehr für Wettbewerbe?»

Der Junge schüttelte den Kopf.

«Da möchte ich nicht mehr mitmachen, Sir. Ich will nach dem Unterricht Kricket spielen. Ich kann nie mitspielen, weil – »

«Du musst dich aber an den Wettbewerben beteiligen!» Mr D'Mello erhob sich von seinem Schaukelstuhl. Er erklärte: In dieser kleinen Stadt sollte man jede Chance auf Ruhm und Ehre sofort wahrnehmen. Verstand der Junge das denn nicht?

«Beteilige dich erst einmal an den Wettbewerben, werde berühmt, dann bekommst du einen tollen Job, und dann kannst du auch Gedichte schreiben. Aber was willst du mit Kricket anfangen, Junge? Wie willst du damit berühmt werden? Du wirst nie Gedichte schreiben können, wenn du hier nicht rauskommst, verstehst du das denn nicht?»

Girish nickte. Er trank seinen Saft aus.

«Und morgen, Girish ... gehst du ins Belmore. Basta.»

Girish nickte.

Nachdem er gegangen war, saß Mr D'Mello noch lange in seinem Schaukelstuhl und dachte nach. Girishs frisch erwachtes Interesse an Lyrik, dachte er, war keine schlechte Sache. Vielleicht konnte er sich nach einem Lyrikwettbewerb umhören, an dem Girish teilnehmen konnte. Der Junge würde natürlich gewinnen – er würde mit Gold und Silber überhäuft daraus hervorgehen. *The Dawn Herald* würde vielleicht sein Bild auf der letzten Seite bringen. Auf dem Foto würde Mr D'Mello seinen Arm stolz um Girishs Schulter gelegt haben. «Der Lehrer, der das aufblühende Genie förderte.» Als Nächstes würden sie Bangalore erobern – als Lehrer-und-Schüler-Team, das den Lyrikwettbewerb des Landes Karnataka gewonnen hätte. Danach – ja, was dann? Neu-Delhi! Der Präsident persönlich würde den beiden einen Orden verleihen. Sie würden sich einen Nachmittag freinehmen und gemeinsam das Taj Mahal besuchen. Mit einem Jungen wie Girish war alles möglich. D'Mellos Herz hüpfte vor Freude, wie es seit Jahren, seit seiner Zeit als junger Lehrer, nicht mehr gehüpft hatte. Bevor er in seinem Schaukelstuhl einschlief, schloss er fest die Augen und betete inbrünstig: «Herr, erhalte die Reinheit dieses Jungen.»

*

Gemäß Eilverfügung der Landesregierung von Karnataka drängte sich am nächsten Morgen um zehn Minuten nach zehn eine Horde unschuldiger Schuljungen von St. Alfonso mit Nachnamen von O bis Z in die weit geöffneten Arme eines Pornokinos. Ein alter Stuckengel, der über dem Kinoeingang kauerte, ließ seinen zweifelhaften Segen auf die anstürmenden Jungen niedergehen.

Sobald sie drinnen waren, merkten sie, dass man sie reingelegt hatte.

Die Wände des Angel Talkies – jene berüchtigten, lasterhaften Wandmalereien – waren mit schwarzen Stoffbahnen verhängt. Nicht ein einziges Bild war sichtbar. Zwischen der Kinoleitung und D'Mello hatte es eine Vereinbarung gegeben: Die Kinder würden vor den sündigen Wänden geschützt werden.

«Geht nicht so dicht an den schwarzen Stoff heran!», rief Mr D'Mello. «Berührt den schwarzen Stoff nicht!»

Er hatte alles durchgeplant. Mr Alvarez, Mr Rogers und Mr Bhatt sollten sich unter die Schüler mischen, um sie von den Plakaten fernzuhalten. Zwei Angestellte des Kinos – vermutlich diejenigen, die sonst den unter Decken getarnten Männern die Eintrittskarten verkauften – würden die Strategie unterstützen. Die Jungen wurden in zwei Gruppen eingeteilt. Eine Gruppe führte man in die oberen Ränge, die andere sollte nach unten getrieben werden. Bevor sie sich versahen, würden die Jungen im Saal hinter Schloss und Riegel sitzen. Und so geschah es auch: Der Plan ging hervorragend auf. Die Jungen saßen im Angel Talkies, aber sie würden nichts anderes als den offiziellen Film der Regierung zu Gesicht bekommen. Mr D'Mello hatte gesiegt.

Im Saal gingen die Lichter aus. Die Jungen vibrierten vor Aufregung. Die Leinwand leuchtete auf.

Mit mattem Kratzen erwachte eine verblichene Filmrolle zum Leben.

RETTET DEN TIGER!

D'Mello und die anderen Lehrer standen hinter den sitzenden Jungen. Er wischte sich erleichtert übers Gesicht. Es sah ganz so aus, als liefe nun doch alles bestens. Nachdem er ihn einige Minuten in Frieden gelassen hatte, gesellte sich der junge Mr Bhatt zum Konrektor und versuchte, ihn in einen Plausch zu verwickeln.

Aber D'Mello ignorierte den jungen Mr Bhatt und hielt den

Blick auf die Leinwand geheftet. Fotos von herumtollenden Tigerbabys erschienen, und dann sah man eine Schriftzeile: «Wenn wir diese Tigerjungen heute nicht schützen, gibt es morgen keine Tiger mehr.»

Er gähnte. Von den vier Ecken des Saals sahen Stuckengel auf ihn herab. Von ihren Nasen und Ohren blätterte in langen Streifen die verblichene Farbe wie Brandblasen. Er ging kaum noch ins Kino. Zu teuer. Dann musste er ja auch Karten für die Frau und die beiden Schreihälse kaufen. Aber als Junge? War das Kino damals nicht sein Leben gewesen? Dieses Kino, das Angel Talkies, war einer seiner Lieblingsorte gewesen. Er schwänzte den Unterricht, kam hierher, saß ganz allein da, sah sich Filme an und träumte. Aber wie es jetzt aussah! Selbst im Dunkeln war der Verfall unverkennbar. Die Wände waren schimmelig, hatten große Feuchtigkeitsflecken. Die Sitzpolster waren durchlöchert. Verfall und Verkommenheit schritten gleichzeitig voran. Die Geschichte dieses Kinos spiegelte die Geschichte des ganzen Landes.

Die Leinwand wurde schwarz. Das Publikum kicherte. «Ruhe!», schrie Mr D'Mello.

Der Titel des Bonusfilms erschien.

DIE WICHTIGKEIT LEIBLICHEN WOHLS FÜR DIE KINDLICHE ENTWICKLUNG

Bilder von duschenden, badenden, laufenden und essenden Jungen flackerten vorüber, jedes Bild war entsprechend untertitelt. Mr Bhatt näherte sich wieder dem Konrektor. Diesmal flüsterte er beflissen: «Wenn Sie wollen, können Sie jetzt gehen.»

Mr D'Mello verstand wohl die Worte, nicht aber den verschwörerischen Unterton in der Stimme des jungen Mannes.

Auf seinen eigenen Vorschlag hin wechselten sich die Lehrer dabei ab, im schwarz verhängten Korridor zu kontrollieren, ob sich nicht etwa einer der frühreifen Jungen hinausgeschlichen hatte, um einen Blick auf die pornografischen Bilder zu erhaschen. Zuletzt war Gopalkrishna Bhatt an der Reihe gewesen, an den lasterhaften Wänden Wache zu schieben. Einen Augenblick lang war er verwirrt – dann verstand er den Sinn. Aus dem Grinsen des jungen Mannes schloss D'Mello, dass er selbst einen schnellen Blick riskiert hatte. Er sah sich um. Alle Lehrer unterdrückten ein Grinsen.

Voller Verachtung für seine Kollegen verließ Mr D'Mello den Saal. Er ging an den schwarz verhüllten Wänden vorbei, ohne den leisesten Kitzel zu spüren. Wie konnten Mr Bhatt und Mr Alvarez nur so tief sinken? Er schritt die gesamte Länge des schwarzen Stoffs ab, ohne auch nur die geringste Versuchung zu verspüren, die Stoffbahnen anzuheben.

Auf der Treppe, die zur Empore führte, flackerte Licht. Auch die Wände der Empore waren schwarz verhängt. Mr D'Mello schielte mit offenem Mund hinauf. Nein, er träumte nicht. Dort oben konnte er einen Jungen erkennen, dessen Gesicht ihm abgewandt war; er schlich auf Zehenspitzen auf das schwarze Tuch zu. Julian D'Essa, dachte er. Natürlich. Aber dann geriet das Gesicht des Jungen in sein Blickfeld, als er soeben einen Zipfel des schwarzen Tuchs anhob und dahinterblickte.

«Girish! Was tust du da?»

Beim Klang von Mr D'Mellos Stimme fuhr der Junge herum. Er erstarrte. Lehrer und Schüler starrten einander an.

«Es tut mir leid, Sir ... es tut mir leid ... sie ... sie ...»

Hinter ihm wurde gekichert, und plötzlich war er verschwunden, als habe ihn jemand weggezerrt.

Mr D'Mello hastete sofort die Treppe zur Empore hoch. Aber er schaffte nur zwei Stufen. Seine Brust brannte. Der Magen drehte sich ihm um. Er klammerte sich ans Geländer und ruhte sich einen Moment lang aus. Die nackte Glühbirne im Treppenhaus flackerte an und aus, aus und an. Dem Konrektor wurde schwindelig. Der Herzschlag in seiner Brust wurde schwächer und schwächer wie eine sich auflösende Tablette. Er wollte Girish um Hilfe rufen, brachte aber kein Wort heraus. Er streckte eine Hand nach Hilfe aus und bekam einen Zipfel des schwarzen Tuchs an der Wand zu fassen. Es zerriss und klaffte auf. Eine ganze Horde kopulierender Wesen, erstarrt in verbotener Wollust, Perversitäten und Brutalitäten, schwärmte aus und tanzte vor seinen Augen als höhnische Kavalkade, und eine Welt engelsgleicher Freuden, die er bislang verschmäht hatte, schlug über ihm zusammen. Er sah alles. Und da endlich verstand er auch alles.

So auf der Treppe liegend, fand ihn der junge Mr Bhatt.

ZWEITER TAG (ABEND): MARKT UND MAIDAN

Der Jawaharlal Nehru Memorial Maidan (vormals King George V. Memorial Maidan) ist eine Freifläche im Zentrum Kitturs. Abends füllt sie sich mit Leuten, die Kricket spielen, Drachen steigen lassen und ihren Kindern das Radfahren beibringen. An den Rändern des Maidan bieten Eis- und Bonbonverkäufer ihre Waren feil. Alle wichtigen politischen Versammlungen Kitturs finden auf dem Maidan statt. Die Hyder Ali Road führt vom Maidan zum Zentralmarkt, Kitturs größtem Markt für frisches Obst und Gemüse. Kitturs Rathaus, das neue Gerichtsgebäude, das Havelock Henry District Hospital und die beiden besten Hotels der Stadt – das Hotel Premier Intercontinental und das Taj Mahal International – sind vom Markt aus zu Fuß erreichbar. 1988 wurde der erste Tempel, der ausschließlich der Hoyka-Gemeinde in Kittur für Gottesdienste zur Verfügung steht, in der Nähe des Maidan eingeweiht.

*

Mit solchen Haaren und solchen Augen hätte er glatt als heiliger Mann durchgehen und sich seinen Lebensunterhalt verdienen können, indem er mit übereinandergeschlagenen Beinen auf einem safrangelben Tuch vor dem Tempel gesessen hätte. Das sagten jedenfalls die Händler auf dem Markt. Aber dieser verrückte Kerl tat nichts anderes, als von morgens bis abends auf der mittleren Leitplanke der Hyder Ali Road zu hocken und auf die vorbeifahrenden Busse und Autos zu starren. Bei Sonnenuntergang glänzten seine Haare – ein braun gelocktes Gorgonenhaupt – wie Bronze, und seine Augen leuchteten. Wenn der Abend kam, war er wie ein Sufidichter voll mystischen Feuers. Manche der Händler konnten Geschichten über ihn erzählen: Eines Abends hatten sie ihn auf dem Rücken eines schwarzen Bullen gesehen, auf dem er die Hauptstraße entlangritt. Er fuchtelte mit den Händen und schrie, als ritte der Gott Shiva persönlich auf seinem Bullen Nandi in die Stadt.

Manchmal benahm er sich wie ein vernünftiger Mensch, überquerte vorsichtig die Straße oder saß geduldig vor dem Kittur-Devi-Tempel, so wie die anderen Obdachlosen, die darauf warteten, dass die Reste eines Hochzeitsmahls oder einer Initiationsfeier in ihre gefalteten Hände gekratzt wurden. Ansonsten sah man ihn beim Durchstöbern von Hundescheiße.

Niemand kannte seinen Namen, seine Religion oder seine Kaste, und also unternahm auch niemand den Versuch, mit ihm zu reden. Nur ein einziger Mann, ein Krüppel mit einem Holzbein, der ein- oder zweimal im Monat abends zum Tempel kam, blieb immer stehen und gab ihm etwas zu essen.

«Warum tut ihr so, als würdet ihr diesen Menschen nicht kennen?», rief der Krüppel und zeigte mit einer seiner Krücken auf den braun gelockten Mann. «Ihr habt ihn doch schon so oft gesehen! Er war mal der König der Buslinie fünf!»

Für einen Moment richtete sich die Aufmerksamkeit des ganzen Marktes auf den wilden Mann. Aber er hockte bloß da, starrte gegen eine Wand und wandte ihnen und der Stadt den Rücken zu.

*

Vor zwei Jahren war er nach Kittur gekommen, mit einem Namen, einer Kastenzugehörigkeit und einem Bruder.

«Ich bin Keshava, der Sohn von Lakshminarayana, dem Dorffriseur von Gurupura», sagte er auf dem Weg nach Kittur mindestens sechsmal zu Busschaffnern, Mauteintreibern und Fremden, die ihn fragten. Diese Floskel, sein Bettzeug, das er in einer Tasche unter dem Arm trug, und der leichte Druck der Finger seines Bruders an seinem Ellbogen, wenn sie in einer Menschenmenge waren – das war alles, was er dabeigehabt hatte.

Sein Bruder hatte zehn Rupien, unter dem rechten Arm Bettzeug in einer Tasche und die auf einen Papierzettel gekritzelte Anschrift eines Verwandten dabei, die er zerknüllt in der linken Hand hielt.

Die beiden Brüder waren mit dem Fünf-Uhr-Bus in Kittur angekommen. Sie stiegen am Busbahnhof aus, es war ihr erster Besuch in einer Stadt. Mitten auf der Maidan-Markt-Straße, also mitten auf der größten Straße ganz Kitturs, hatte ihnen der Schaffner erklärt, dass sie mit ihren sechs Rupien und zwanzig Paise nicht weiterkämen. Busse rauschten an ihnen vorbei, und an den Türen hingen Männer in Kakiuniformen und mit Trillerpfeifen in den Mündern, auf denen sie gellend bliesen, um anschließend die Passagiere anzubrüllen: «Glotzt nicht immer den Mädchen hinterher, ihr Mistkerle! Wir haben Verspätung!»

Keshava hielt sich am Hemdsaum seines Bruders fest. Zwei Fahrräder umkurvten ihn und fuhren ihm fast über die Füße. Überall nichts als Fahrräder, Autorikschas und Autos, die ihm die Zehen zerquetschen wollten. Ihm kam es so vor, als wäre er am Strand. Unter ihm schwankte die Straße wie Sand unter den Wellen.

Nach einer Weile brachten sie den Mut auf, einen Passanten anzusprechen, einen Mann, dessen Lippen durch die Weißfleckenkrankheit entfärbt waren.

«Wo ist der Zentralmarkt, Onkel?»

«Ach, der ... der ist unten beim Bunder.»

«Wie weit ist es von hier zum Bunder?»

Der Fremde verwies sie an einen Autorikschafahrer, der sich mit einem Finger das Zahnfleisch massierte.

«Wir müssen zum Markt», sagte Vittal.

Der Fahrer, den Finger noch im Mund, starrte sie an, entblößte sein breites Zahnfleisch und untersuchte seine feuchte Fingerspitze. «Lakshmi-Markt oder Zentralmarkt?»

«Zentralmarkt.»

«Wie viele seid ihr?» Und dann: «Wie viel Gepäck?» Und dann: «Woher kommt ihr?»

Keshava nahm an, dass solche Fragen in einer großen Stadt wie Kittur üblich waren und dass der Autorikschafahrer das Recht hatte, solche Fragen zu stellen.

«Ist es sehr weit von hier?», fragte Vittal verzweifelt. Der Rikschafahrer spuckte ihnen direkt vor die Füße.

«Natürlich. Das ist hier doch kein Dorf, sondern 'ne Stadt. Hier ist alles von allem ganz weit entfernt.»

Er atmete tief durch und zeichnete mit dem feuchten Finger einige Kringel in die Luft, um ihnen den gewundenen Pfad zu weisen, den sie zu nehmen hätten. Dann seufzte er und tat so, als sei der Markt unendlich weit entfernt. Keshava sank das Herz in die Hose. Der Busfahrer hatte sie beschwindelt. Er hatte versprochen, sie so nah am Zentralmarkt abzusetzen, dass sie zu Fuß gehen konnten.

«Wie viel kostet es, wenn Sie uns hinfahren, Onkel?»

Der Fahrer musterte sie vom Scheitel bis zur Sohle und von der Sohle bis zum Scheitel, als ob er ihre Größe, ihr Gewicht und ihren ideellen Wert abschätzte: «Acht Rupien.»

«Das ist zu viel, Onkel. Nehmen Sie vier!»

Der Autorikschafahrer sagte: «Sieben fünfundzwanzig» und bedeutete ihnen einzusteigen. Aber dann ließ er sie mit ihren Bündeln auf dem Schoß ohne jede Erklärung in der Rikscha warten. Zwei weitere Fahrgäste verhandelten über ein Ziel und den Tarif und quetschten sich mit hinein. Einer setzte sich ohne Vorwarnung einfach auf Keshavas Schoß. Trotzdem bewegte die Rikscha sich immer noch nicht. Erst als noch ein Fahrgast, der sich vorne neben den Chauffeur setzte, zugestiegen war, trat der Fahrer aufs Gaspedal des winzigen Vehikels, das eigentlich nur Platz für drei bot und in dem nun sechs Personen zusammengepfercht waren.

Keshava konnte kaum sehen, wohin sie fuhren, und deshalb bestanden seine ersten Eindrücke von Kittur aus dem Mann, der auf seinem Schoß saß, aus dem Geruch von Rizinusöl, mit dem dieser sein Haar eingefettet hatte, und dem leichten Geruch nach Scheiße, den dieser ausströmte, wenn er sich bewegte. Nachdem der Fahrgast vom Vordersitz und die beiden Männer hinten ausgestiegen waren, mäanderte die Autorikscha eine Weile durch ein stilles, dunkles Stadtviertel und bog schließlich in eine von ohrenbetäubendem Lärm erfüllte Straße ein, die vom gleißenden, weißen Licht starker Paraffinlampen erhellt wurde.

«Ist das der Zentralmarkt?», schrie Vittal dem Fahrer zu, der auf ein Schild zeigte:

KOMMUNALER ZENTRALMARKT KITTUR
FRISCHES GEMÜSE UND OBST ALLER ART ZU FAIREN PREISEN

«Danke, Bruder», sagte Vittal, von Dankbarkeit überwältigt, und auch Keshava bedankte sich.

Als sie ausgestiegen waren, fanden sie sich ein weiteres Mal in einem Strudel aus Licht und Lärm wieder. Sie verhielten sich ganz still und warteten darauf, dass ihre Augen in diesem Chaos etwas erkannten.

«Bruder», sagte Keshava aufgeregt, weil er etwas entdeckte,

was er schon einmal gesehen hatte. Er deutete darauf. «Bruder, sind wir nicht von hier aus losgefahren?»

Und als sie sich umsahen, stellten sie fest, dass sie nur einen Meter von der Stelle entfernt waren, an der der Busfahrer sie abgesetzt hatte. Irgendwie war ihnen das Schild entgangen, das die ganze Zeit direkt hinter ihnen gestanden hatte.

«Wir sind beschissen worden!», sagte Keshava erbost. «Der Autorikschafahrer hat uns beschissen, Bruder! Er – »

«Halt den Mund!» Vittal gab seinem jüngeren Bruder eine Kopfnuss. «Das ist alles deine Schuld! Du wolltest doch unbedingt eine Autorikscha nehmen!»

*

Brüder waren die beiden erst seit einigen Tagen.

Keshava war dunkel und pummelig; Vittal war groß, schlank und hellhäutig und fünf Jahre älter. Ihre Mutter war schon vor Jahren gestorben, und ihr Vater hatte sie im Stich gelassen. Ein Onkel nahm sie zu sich, und sie wuchsen zusammen mit ihren Vettern auf (die sie auch «Brüder» nannten). Dann starb ihr Onkel, und ihre Tante rief Keshava zu sich und sagte ihm, er solle sich Vittal anschließen, der in die große Stadt geschickt wurde, um für einen Verwandten zu arbeiten, der dort einen Lebensmittelladen hatte. Und erst seitdem wussten die beiden, dass es zwischen ihnen ein verwandtschaftliches Band gab, das sehr viel fester war als das zwischen Vettern.

Sie wussten lediglich, dass ihr Verwandter irgendwo auf dem Zentralmarkt von Kittur sein musste. Schüchtern gingen sie in einen düsteren Bereich des Marktes, wo Gemüse verkauft wurde, und dann gelangten sie durch eine Hintertür in einen hell erleuchteten Bereich, wo Obst verkauft wurde. Hier fragten sie nach dem Weg. Dann stiegen sie über eine Treppe, die mit verrottetem Müll und nassem Stroh bedeckt war, in den ersten Stock.

Hier fragten sie wieder: «Wo finden wir Janardhana, den Ladenbesitzer aus dem Dorf Gurupura? Er ist unser Verwandter.»

«Welcher Janardhana? Shetty, Rai oder Padiwal?»

«Das weiß ich nicht, Onkel.»

«Ist euer Verwandter ein Bunt?»

«Nein.»

«Kein Bunt? Also ein Jain?»

«Nein.»

«Aus welcher Kaste denn?»

«Er ist ein Hoyka.»

Gelächter.

«Auf diesem Markt gibt es keine Hoykas. Nur Moslems und Bunts.»

Aber die beiden Jungen sahen so verloren aus, dass sie dem Mann leid taten. Er erkundigte sich und fand heraus, dass es tatsächlich einige Hoykas gab, die in der Nähe des Marktes ihre Läden hatten.

Sie stiegen die Treppe hinunter und verließen den Markt. Man hatte ihnen gesagt, vor Janardhanas Laden hänge ein großes Plakat mit einem muskulösen Mann im weißen Unterhemd. Das könnten sie gar nicht verfehlen. Sie gingen von Laden zu Laden, und dann rief Keshava: «Da!»

Unter dem Bild des Mannes mit den starken Muskeln saß schlank und unrasiert ein Ladenbesitzer, der, die Brille auf der Nasenspitze, in einem Notizbuch las.

«Wir suchen Janardhana aus Gurupura», sagte Vittal.

«Warum wollt ihr wissen, wo er ist?»

Der Mann sah sie misstrauisch an.

Vittal platzte heraus: «Onkel, wir kommen aus deinem Dorf. Wir sind deine Verwandten.»

Der Ladenbesitzer starrte sie an. Er feuchtete eine Fingerspitze an und blätterte eine Seite in seinem Buch um.

«Warum denkt ihr, dass ihr meine Verwandten seid?»

«Das hat man uns gesagt, Onkel. Unsere Tante hat's uns gesagt. Die einäugige Kamala.»

Der Ladenbesitzer legte das Buch beiseite.

«Die einäugige Kamala? Ach so. Und was ist mit euren Eltern?»

«Unsere Mutter ist schon vor vielen Jahren gestorben, nach der Geburt von Keshava. Das ist der hier. Und vor vier Jahren wollte unser Vater nichts mehr von uns wissen und ist einfach davongegangen.»

«Davongegangen?»

«Ja, Onkel», sagte Vittal. «Manche sagen, er ist nach Varanasi gegangen, um am Ufer des Ganges Yoga zu machen. Andere sagen, dass er in der heiligen Stadt Rishikesh ist. Wir haben ihn seit Jahren nicht mehr gesehen. Wir sind dann bei unserem Onkel Thimma aufgewachsen.»

«Und der?»

«Ist letztes Jahr gestorben. Wir sind geblieben, aber dann konnte unsere Tante es sich nicht mehr leisten, für uns zu sorgen. In diesem Jahr war die Dürre besonders schlimm.»

Der Ladenbesitzer war verblüfft, dass sie ohne jede Ankündigung den weiten Weg gemacht hatten und wegen der entfernten Verwandtschaft davon ausgingen, dass er sich um sie kümmern würde. Er langte unter die Ladentheke, holte eine Flasche Arrak hervor, öffnete den Verschluss und setzte sie an die Lippen. Dann verschloss und versteckte er die Flasche wieder.

«Aus den Dörfern kommen jeden Tag Leute, die Arbeit suchen. Alle denken, dass unsereiner sie in den Städten so ohne Weiteres gratis unterstützen kann. Als hätten wir keine eigenen Mäuler zu stopfen.»

Der Ladenbesitzer nahm noch einen Schluck aus der Flasche. Seine Laune hob sich. Ihre naive Geschichte von ihrem Papa, der in «die heilige Stadt Rishikesh» gegangen sei, «um Yoga zu machen», hatte ihm ziemlich gut gefallen. Der alte Schlawiner lebt wahrscheinlich irgendwo mit einer Geliebten zusammen und kümmert sich jetzt um seine Bastardbrut, dachte er und lächelte mitfühlend – auf den Dörfern kam man wirklich mit allem davon. Gähnend reckte er die Hände über den Kopf und klatschte sich dann mit ihnen auf den Bauch.

«Aha, dann seid ihr jetzt also Waisen! Ihr armen Jungen. Als Familie muss man immer zusammenhalten – sonst kommt man im Leben zu gar nichts.» Er rieb sich den Bauch. Sieh mal einer an, wie die mich anstarren, als wäre ich ein König, dachte er und kam sich plötzlich wichtig vor. Seitdem er nach Kittur gekommen war, hatte er so ein Gefühl noch nicht oft gehabt.

Er kratzte sich an den Beinen. «Wie geht's denn heutzutage so im Dorf?»

«Abgesehen von der Dürre ist alles wie immer, Onkel.»

«Seid ihr mit dem Bus gekommen?», fragte der Ladenbesitzer. Und dann: «Ich nehme an, dass ihr von der Bushaltestelle hierhergelaufen seid?» Er erhob sich von seinem Stuhl. «Autorikscha? Wie viel habt ihr dafür bezahlt? Diese Burschen sind üble Gauner. Sieben Rupien!» Der Ladenbesitzer lief rot an. «Ihr Schwachköpfe! Ihr Vollidioten!»

Der Ladenbesitzer schien ihnen offenbar übelzunehmen, dass sie betrogen worden waren, und behandelte sie eine halbe Stunde lang wie Luft.

Vittal stand mit gesenktem Blick, gedemütigt und zerknirscht in einer Ecke. Keshava sah sich um. Rot-weiße Stapel Colgate-Palmolive-Zahnpasta und Gläser mit Horlicks-Malzmilch waren hinter dem Kopf des Ladenbesitzers aufgestapelt, glänzende Päckchen mit Malzpulver hingen wie Hochzeitswimpel von der Decke; blaue Kerosinflaschen und rote Flaschen mit Speiseöl standen zu Pyramiden gestapelt vor dem Laden.

Keshava war ein kleiner, runder, dunkelhäutiger Junge mit riesigen, unsteten Augen. Manche, die ihn kannten, behaupteten, er habe die Energie eines Kolibris, der ständig herumflatterte und allen lästig war; andere empfanden ihn als faul und melancholisch mit der Neigung, stundenlang herumzusitzen und die Decke anzustarren. Wenn er für sein Verhalten gescholten wurde, lächelte er und wandte den Kopf ab, als habe er gar keine Vorstellung von sich selbst und keine eigene Meinung.

Der Ladenbesitzer griff wieder zur Arrakflasche und gönnte sich noch einen Schluck. Und das verbesserte wiederum seine Laune.

«Wir trinken hier nicht wie auf den Dörfern», sagte er und erwiderte Keshavas Staunen. «Nur hin und wieder einen kleinen Schluck. Die Kunden merken nie, dass ich betrunken bin.» Er zwinkerte. «So läuft das in der Stadt. Man kann tun und lassen, was man will, solange es niemand merkt.»

Nachdem er die Rollläden vor seinem Laden heruntergelassen hatte, führte er Vittal und Keshava über den Markt. Überall schliefen Menschen zugedeckt mit dünnen Laken auf dem Boden. Nachdem er ein paar Fragen gestellt hatte, führte Janardhana die Jungen in eine Gasse hinter dem Markt. Die Gasse war voller Männer, Frauen und Kinder, die dort in langer Reihe schliefen. Keshava und Vittal hielten sich im Hintergrund, während der Ladenbesitzer mit einem der Schläfer verhandelte.

«Wenn sie hier schlafen, müssen sie beim Boss bezahlen», jammerte der Schläfer.

«Was soll ich denn mit ihnen machen? Irgendwo müssen sie ja schlafen.»

«Tja, dann gehst du ein Risiko ein, aber wenn du sie schon hierlassen musst, dann versuch's ganz weit hinten.»

Die Gasse endete an einer Wand, von der ständig Wasser tropfte. Die Abwasserleitung war fehlerhaft installiert worden.

An diesem Ende der Gasse drang ein entsetzlicher Gestank aus einer großen Mülltonne.

«Nimmt der Onkel uns denn nicht mit zu sich nach Hause, Bruder?», flüsterte Keshava, nachdem der Ladenbesitzer ihnen noch einige Tipps gegeben hatte, wie man im Freien schläft, und dann verschwunden war.

Vittal kniff ihn.

«Ich habe Hunger», sagte Keshava nach ein paar Minuten. «Können wir nicht den Onkel suchen und um Essen bitten?»

Seite an Seite lagen die beiden Brüder, eingewickelt in ihr Bettzeug, neben der Mülltonne.

Statt einer Antwort zog sich sein Bruder das Laken über den Kopf und lag ganz still darin, wie in einem Kokon.

Keshava konnte nicht glauben, dass er hier schlafen sollte – und auch noch mit leerem Magen. Zu Hause mochte es noch so dürftig zugegangen sein, aber zu essen hatte es immer etwas gegeben. Jetzt kamen alle Enttäuschungen des Abends zusammen, die Erschöpfung und die Verwirrung, und er trat mit dem Fuß heftig gegen die eingewickelte Gestalt. Sein Bruder riss sich die Decke herunter, als hätte er nur auf so eine Provokation gewartet. Er griff mit beiden Händen nach Keshavas Kopf und stieß ihn zweimal gegen den Boden.

«Wenn du noch einen Mucks von dir gibst, lasse ich dich in dieser Stadt allein, das schwöre ich dir.» Dann zog er sich wieder die Decke über den Kopf und wandte seinem Bruder den Rücken zu.

Und obwohl Keshava jetzt Kopfschmerzen hatte, fürchtete er sich vor dem, was sein Bruder gesagt hatte. Und hielt den Mund.

Während er so mit schmerzendem Kopf dalag, fragte Keshava sich dumpf, wo eigentlich darüber entschieden wurde, wer wessen Bruder sein sollte. Und wie Menschen überhaupt auf die

Welt kamen und wie sie sie wieder verließen. Das war doch alles sehr merkwürdig. Dann begann er an Essen zu denken. Er befand sich in einem Tunnel, und der Tunnel war sein Hunger, und wenn er weiterginge, redete er sich selbst ein, läge am Ende des Tunnels ein riesiger Haufen Reis und obendrauf heiße Linsen und große Stücke Hühnerfleisch.

Er öffnete die Augen. Am Himmel standen Sterne. Um sich vom Müllgestank abzulenken, blickte er zu ihnen empor.

*

Als sie am nächsten Morgen am Laden ankamen, hängte der Ladenbesitzer gerade mit einem langen Stock Plastikbeutel mit Malzpulver an Deckenhaken.

«Du», sagte der Ladenbesitzer und zeigte auf Vittal. Er machte dem Jungen vor, wie man die Plastikbeutel am Stockende befestigte, hochhob und dann am Haken in der Decke abstreifte.

«Das dauert jeden Morgen fünfundvierzig Minuten. Du musst bei der Arbeit nichts überstürzen. Arbeiten macht dir doch nichts aus, oder?»

Dann sagte er mit der für reiche Leute typischen Weitschweifigkeit: «Ein Mann, der nicht arbeitet, kriegt auf dieser Welt auch nichts zu essen.»

Während Vittal die Plastikbeutel an die Haken hängte, sagte der Ladenbesitzer zu Keshava, er solle sich hinter die Ladentheke setzen. Er gab ihm sechs Blätter, auf die die Gesichter von Filmschauspielerinnen gedruckt waren, und sechs Schachteln mit Räucherstäbchen. Der Junge sollte die Bilder ausschneiden, auf die Räucherstäbchenschachteln legen, sie schnell mit Zellophan bedecken und das Zellophan mit Klebestreifen auf den Schachteln fixieren.

«Wenn schöne Mädchen drauf sind, kann man zehn Paise

mehr verlangen», sagte der Ladenbesitzer. «Weißt du, wer das ist?» Er zeigte Keshava das Bild, das er eben aus dem Bogen ausgeschnitten hatte. «Sie ist ein Star in Hindi-Filmen.»

Keshava schnitt das nächste Bild einer Schauspielerin aus. Vor sich unter der Ladentheke konnte er sehen, wo der Ladenbesitzer seine Schnapsflasche versteckt hatte.

Mittags kam die Frau des Ladenbesitzers mit dem Essen. Sie sah Vittal an, der ihrem Blick auswich, und dann Keshava, der sie anstarrte, und sagte: «Für beide reicht das Essen nicht. Schick einen von ihnen zum Friseur.»

Keshava merkte sich die Anweisungen, die man ihm gab, machte sich auf den Weg durch die unbekannten Straßen und erreichte einen Stadtteil, in dem er einen auf der Straße arbeitenden Friseur fand. Er hatte seinen Friseurstand vor einer Mauer aufgebaut. Sein Spiegel hing an einem Nagel, den er zwischen einem Schild für Familienplanung und einem Antituberkuloseplakat eingeschlagen hatte.

Auf einem Stuhl vor dem Spiegel saß in ein weißes Tuch eingehüllt ein Kunde, und der Friseur rasierte ihn. Keshava wartete, bis der Kunde gegangen war.

Der Friseur kratzte sich am Kopf und musterte Keshava von Kopf bis Fuß.

«Welche Arbeit kann ich dir anbieten, mein Junge?»

Zuerst fiel dem Friseur nichts Besseres ein, als dass Keshava den Kunden den Spiegel hinhalten sollte, wenn sie sich nach der Rasur musterten. Dann wies er Keshava an, den Kunden die Fußnägel und die Hornhaut zu schneiden, während er sie rasierte. Dann sagte er dem Jungen, dass er die Haare vom Pflaster fegen sollte.

«Gib ihm auch etwas zu essen, er ist ein guter Junge», sagte der Friseur zu seiner Frau, als sie um vier Uhr Tee und Kekse brachte.

«Das ist der Junge des Ladenbesitzers. Der kann ihm selbst etwas zu essen geben. Und er ist ein Hoyka. Willst du etwa, dass er mit uns isst?»

«Er ist ein guter Junge. Gib ihm etwas zu essen. Nur ein bisschen.»

Erst als der Friseur sah, dass Keshava die Kekse wie ein Wolf verschlang, wurde ihm klar, warum der Ladenbesitzer den Jungen zu ihm geschickt hatte. «Mein Gott! Hast du etwa den ganzen Tag noch nichts gegessen?»

*

Als Keshava am nächsten Morgen erschien, klopfte ihm der Friseur auf die Schulter. Er wusste immer noch nicht so recht, was er mit Keshava anfangen sollte, aber das schien weiter kein Problem zu sein. Er wusste, dass er diesen Jungen mit dem lieben Gesicht nicht den ganzen Tag beim Ladenbesitzer hungern lassen konnte. Nachmittags bekam Keshava Mittagessen. Die Frau des Friseurs nörgelte zwar, doch der Friseur füllte Keshavas Teller mit einer großen Portion Fischcurry.

«Er arbeitet hart. Er verdient das.»

Am Abend begleitete Keshava den Friseur bei Hausbesuchen. Sie gingen von Haus zu Haus und warteten in den Hinterhöfen auf ihre Kunden. Während Keshava im Hof einen kleinen Holzstuhl aufbaute, band der Friseur dem Kunden ein weißes Tuch um den Hals und fragte, wie er heute seine Haare geschnitten haben wolle. Nach jedem Termin schlug der Friseur das Tuch kräftig aus, um die Haarreste zu entfernen. Als sie das Haus verließen und zum nächsten zogen, machte der Friseur eine Bemerkung über den Kunden.

«Der Kunde kriegt keinen mehr hoch. Das sieht man, weil sein Schnurrbart so herabhängt.»

Als er Keshavas verständnislosen Blick sah, fügte er hinzu:

«Ich glaube, von solchen Sachen verstehst du noch nichts, was, mein Junge?» Sogleich bereute er seine Vertraulichkeit und flüsterte dem Jungen zu: «Erzähl das aber bloß nicht meiner Frau.»

Immer wenn sie eine Straße überquerten, hielt der Friseur den Jungen am Handgelenk fest.

«Es ist *gefährlich* hier», sagte er und sprach das entscheidende Wort mit zitternder Stimme auf Englisch aus, sodass im fremden Wort die ganze Dramatik mitschwang. «Wenn du in dieser Stadt auch nur einen Moment nicht aufpasst, ist es um dein Leben geschehen. *Gefährlich.*»

Am Abend ging Keshava wieder in die Gasse hinterm Markt. Sein Bruder schlief schon tief und fest, lag mit dem Gesicht nach unten auf dem Boden und war so müde gewesen, dass er sich nicht einmal zugedeckt hatte. Keshava faltete das Laken auseinander und deckte Vittal zu.

Da Vittal schon schlief, schob er seine Matte dicht neben seinen Bruder, bis sich ihre Arme berührten. Er blickte zu den Sternen auf und schlief ein.

Mitten in der Nacht wurde er von einem schrecklichen Lärm geweckt. Drei Kätzchen jagten um seinen Körper herum. Am Morgen sah er, dass ihr Nachbar die Kätzchen mit einer Schale Milch fütterte. Sie waren gelb und ihre Pupillen länglich, wie von Krallen aufgeschlitzt.

«Habt ihr das Geld zusammen?», fragte ihn der Nachbar, als er hinging, um die Kätzchen zu streicheln. Er erklärte Vittal und Keshava, dass sie dem «Boss» des Viertels eine Gebühr zahlen mussten. Der Boss war einer dieser Typen, die in den Straßen Kitturs von den Obdachlosen Schutzgeld verlangten – hauptsächlich zum «Schutz» vor ihnen selbst.

«Aber wo ist dieser Boss? Mein Bruder und ich haben ihn noch nie gesehen.»

«Ihr werdet ihn heute Nacht sehen. Das haben wir gehört. Haltet das Geld bereit. Sonst verprügelt er euch.»

Im Lauf der nächsten Wochen entwickelte Keshava eine gewisse Routine. Morgens arbeitete er beim Friseur. Dann konnte er machen, was er wollte. Er ging über den Markt, der vor lauter glänzenden und teuren Sachen zu bersten schien. Sogar die Kühe, die den Abfall fraßen, schienen auf dem Markt viel größer als zu Hause zu sein. Er fragte sich, was hier wohl im Abfall steckte, dass die Kühe so fett wurden. Eine schwarze Kuh, ein Tier mit enormen Hörnern, lief wie ein Zaubertier aus einem fremden Land herum. Daheim im Dorf war er auf Kühen geritten, und er hätte dieses Tier auch gern bestiegen, aber hier in der Stadt fürchtete er sich davor. In Kittur schien es überall Essen zu geben. Hier verhungerten nicht einmal die Armen. Er sah, wie den Armen vor dem Jain-Tempel Essen zugesteckt wurde. Er sah einen Ladenbesitzer, der im Gedränge des Marktes zu schlafen versuchte und seinen Kopf mit einem Motorradhelm bedeckte. Er sah Läden, die Armreifen aus Glas, weiße Hemden und Unterhemden in Zellophantüten und Landkarten Indiens mit allen Bundesstaaten feilboten.

«Hey! Aus dem Weg, du Landei!»

Er drehte sich um. Der Mann kutschierte einen Ochsenkarren, beladen mit Pappkartons, die zu einer Pyramide aufgestapelt waren. Der Junge fragte sich, was wohl in den Kartons war.

Er hätte gern ein Fahrrad gehabt, mit dem er dann die Hauptstraße auf und ab gefahren wäre; und den hochmütigen Typen auf ihren Ochsenkarren, die immer so fies mit ihm umsprangen, hätte er dann die Zunge herausgestreckt. Aber am allerliebsten wäre er Busschaffner gewesen. Die hingen draußen an den Seiten der Busse, schrien den Leuten zu, dass sie sich beim Einsteigen beeilen sollten, und fluchten, wenn sie von einem Konkurrenzbus überholt wurden. Sie trugen Kakiuniformen, und schwarze Trillerpfeifen hingen ihnen an roten Kordeln um den Hals.

Eines Abends blickte beinahe jeder Passant auf dem Markt nach oben, weil da über ihren Köpfen ein Affe auf einem Telefonkabel herumturnte. Keshava starrte den Affen fasziniert an. Sein rosa Skrotum baumelte zwischen den Beinen, und die riesigen, roten Hoden klatschten gegen das Kabel. Es führte zu einem Gebäude, auf das eine blaue Sonne mit funkelnden Strahlen gemalt war, und da setzte sich der Affe hin und guckte teilnahmslos auf die Menge herunter.

Plötzlich wurde Keshava von einer Autorikscha angefahren und auf die Straße geschleudert. Bevor er sich wieder aufrappeln konnte, sah er vor sich den Rikschafahrer, der wütend brüllte.

«Steh auf! Du Sohn einer Kahlköpfigen! Steh auf! Steh auf!» Der Fahrer ballte schon die Faust, und Keshava schützte sein Gesicht mit den Händen und bettelte um Gnade.

«Lassen Sie den Jungen in Ruhe!»

Über Keshava stand ein dicker Mann in einem blauen Sarong und drohte dem Rikschafahrer mit einem Stock. Der Fahrer grummelte etwas, wandte sich aber ab und ging wieder zu seinem Fahrzeug.

Keshava wollte die Hände des Mannes im blauen Sarong ergreifen und küssen, aber der Mann war bereits in der Menge verschwunden.

*

Wieder einmal weckten die Katzen Keshava mitten in der Nacht. Bevor er wieder einschlafen konnte, hörte er einen schrillen Pfiff am Ende der Gasse. «Bruder kommt!», schrie jemand. Kleider und Bettdecken raschelten. Um ihn herum standen alle auf.

Ein dickbäuchiger Mann in weißem Unterhemd und blauem Sarong stand, die Hände auf die Hüften gestützt, am Eingang zur Gasse. Er brüllte: «So, meine lieben Dickerchen, ihr dachtet wohl, ihr müsst eurem armen, mittellosen Bruder nichts dafür bezahlen, wenn ihr in diese Gasse kommt, was?»

Der fette Mann, der sich selbst Bruder nannte, ging zu jedem Einzelnen der Männer, die in der Gasse übernachteten. Keshava zuckte zusammen. Es war sein Retter vom Markt. Bruder stieß jeden Schläfer mit seinem Stock an und fragte: «Wann hast du mich das letzte Mal bezahlt? Hm?»

Vittal war außer sich vor Angst, aber ein Nachbar flüsterte: «Keine Bange. Er lässt euch nur ein bisschen auf den Knien herumrutschen und Entschuldigung sagen, und dann haut er wieder ab. Er weiß, dass in dieser Gasse kein Geld zu holen ist.»

Als er Vittal erreichte, blieb der fette Mann stehen und musterte ihn genau.

«Und Sie, Sir, verehrter Maharadscha von Mysore, wenn ich Sie mal für einen Augenblick stören dürfte», sagte er. «Dein Name?»

«Vittal, Sohn des Friseurs aus dem Dorf Gurupura, Sir.»

«Hoyka?»

«Ja, Sir.»

«Seit wann bist du in dieser Gasse?»

«Seit vier Monaten», sagte Vittal wahrheitsgemäß.

«Und wie oft hast du in diesem Zeitraum Gebühren an mich entrichtet?»

Vittal sagte nichts.

Der fette Mann gab ihm eine Ohrfeige. Vittal stolperte rückwärts über sein Bettzeug und knallte hart auf den Boden.

«Schlagen Sie ihn nicht! Schlagen Sie *mich*!»

Der Mann im blauen Sarong wandte sich Keshava zu.

«Er ist mein Bruder! Er ist mein einziger Verwandter auf der ganzen Welt! Schlagen Sie lieber mich. Bitte!»

Der dicke Mann ließ den Stock sinken. Mit zusammengekniffenen Augen betrachtete er den kleinen Jungen.

«Ein so mutiger Hoyka? Das ist ungewöhnlich. Deine Kaste besteht sonst nur aus Feiglingen. Jedenfalls ist das Bruders Erfahrung in Kittur.»

Er deutete mit dem Stock auf Keshava und sprach zur ganzen Gasse: «Alle mal herhören! Habt ihr gesehen, wie er zu seinem Bruder hält? Alle Achtung. Junger Mann, weil du's bist, verschone ich heute Nacht die Haut deines Bruders.»

Er berührte Keshavas Kopf mit dem Stock. «Am Donnerstag kommst du zu mir. Zum Busbahnhof. Für mutige Jungs wie dich habe ich Arbeit.»

Der Friseur war entsetzt, als Keshava ihm am nächsten Tag von seinem unwahrscheinlichen Glück berichtete.

«Aber wer soll denn jetzt den Spiegel halten?», sagte er.

Er packte den Jungen am Handgelenk.

«Bei den Busleuten ist es *gefährlich*. Bleib bei mir, Keshava. Du darfst auch in meinem Haus übernachten, damit dich dieser Bruder nicht mehr ärgern kann. Du wirst mir wie ein eigener Sohn sein.»

Aber Keshava hatte sein Herz an die Busse verloren. Jeden Tag marschierte er zum Busbahnhof am Ende des Zentralmarkts, um mit einem Lappen und einem Eimer Wasser die Busse zu schrubben. Von allen Putzjungen war er der fleißigste. Wenn er in einem Bus war, setzte er sich ans Steuer und tat so, als würde er fahren: Brumm-brumm!

«Da haben wir einen netten, kleinen Fang gemacht», sagte Bruder, und die Schaffner und Fahrer lachten und waren der gleichen Meinung.

Solange er am Steuer saß und Busfahrer spielte, war er laut

und benutzte die vulgärsten Ausdrücke. Aber wenn ihn jemand unterbrach und fragte: «Wie heißt du denn, du Großmaul?», geriet er in Verwirrung, rollte mit den Augen, schlug sich mit der flachen Hand gegen die Stirn und sagte dann: «Keshava ... ja, genau. Keshava. Ich glaube, so heiße ich.» Sie brüllten vor Lachen und sagten: «Der Bursche ist ein bisschen wirr im Kopf.»

Einer der Schaffner mochte ihn besonders gern und erlaubte ihm, bei der 4-Uhr-Tour im Bus mitzufahren. «Aber nur eine Tour, kapiert?», mahnte er den Jungen streng. «Um 5 Uhr 15 musst du wieder aussteigen.»

Der Schaffner kehrte erst um halb elf mit Keshava zum Busbahnhof zurück.

«Er bringt Glück», sagte er und strich dem Jungen übers Haar. «Heute haben wir alle Christenbusse geschlagen und mal richtig Klarschiff gemacht.»

Bald luden ihn alle Schaffner in ihre Busse ein. Bruder, der ein abergläubischer Mann war, beobachtete diese Entwicklung und erklärte, dass Keshava das Glück aus seinem Dorf mitgebracht habe.

«Ein junger, ehrgeiziger Kerl wie du!» Er klopfte Keshava mit seinem Stock auf den Hintern. «Du wirst eines Tages vielleicht sogar mal selber Busschaffner, Großmaul!»

«Wirklich?» Keshava machte große Augen.

Er fuhr mit den Bussen, die um fünf Uhr zur Stoßzeit die Market Road entlangbrausten, und der Bus der Linie 243 fuhr direkt vor ihnen.

Er saß vorne neben dem Fahrer – auf dem besten Platz überhaupt. «Wollen Sie etwa, dass die uns schlagen?», fragte er den Fahrer. «Lassen Sie bloß keinen Hindubus von einem Christenbus überholen!»

Der Schaffner bahnte sich seinen Weg durch die Menge, gab

Fahrscheine aus, kassierte und hatte dabei stets die Trillerpfeife im Mund. Der Bus beschleunigte und hätte beinahe eine Kuh erwischt. Der Bus Nummer 5 raste die Straße entlang, schloss dann parallel zur Nummer 243 auf, sodass ein entsetzter Motorrollerfahrer nach links ausscheren musste, um sein Leben zu retten, und überholte dann – unter dem Jubelgeschrei der Passagiere! – seinen Rivalen. Der Hindubus hatte gewonnen!

Abends wusch er die Busse und steckte Räucherstäbchen an die Götterbilder von Ganapati und Krishna neben den Rückspiegeln der Fahrer.

Sonntags hatte er ab Mittag frei. Er erkundete den Zentralmarkt von den Gemüseverkäufern an einem Ende bis zu den Kleiderverkäufern am anderen.

Er lernte, auf das zu achten, worauf die Leute achteten. Er lernte, was bei Hemden ein guter Preis und was Wucher war, was einen guten von einem schlechten Reispfannkuchen unterschied. Er wurde zu einem Kenner des Marktes. Er lernte zu spucken, aber nicht einfach so wie früher, um Hals oder Kehle frei zu bekommen, sondern mit Arroganz – mit Stil. Als der Regen erneut ausblieb und neue Gesichter aus den Dörfern auf dem Markt auftauchten, machte er sich über sie lustig: «Na, ihr Landeier!» Auf dem Markt lernte er, wie man das Leben meisterte, lernte, wie man eine Straße trotz des ständigen Verkehrs überquerte, indem man einfach die Hand wie ein Stoppschild hob, drauflosmarschierte und das laute Hupen wütender Fahrer ignorierte.

Wenn ein Kricketspiel stattfand, war der ganze Markt voller Radiostimmen. Keshava ging von Laden zu Laden, und jeder Ladenbesitzer hatte ein kleines, schwarzes Kofferradio, aus dem der krächzende Lärm einer Kricketreportage knisterte. Der ganze Markt summte wie ein Bienenstock, und aus jeder seiner Waben sickerte die Kricketreportage.

Abends aßen die Leute am Straßenrand. Sie hackten Feuerholz, warfen es in ihre Kocher, hockten um die Feuer und sahen im Schein der flackernden Flammen ausgemergelt und hart aus. Sie kochten Brühe und brieten manchmal Fisch. Er erledigte kleine Botendienste für sie, fuhr leere Flaschen in die Läden in der Nähe und kam mit Brot, Reis und Eisblöcken auf dem Gepäckträger seines Fahrrads zurück, und im Gegenzug luden sie ihn zum Essen ein.

Vittal sah er fast gar nicht mehr. Wenn er in die Gasse kam, lag sein Bruder schon in seine Decke gewickelt da und schnarchte leise.

*

Eines Abends gab es eine Überraschung für ihn. Der Friseur, der sich Sorgen machte, weil Keshava unter den Einfluss der *gefährlichen* Burschen vom Busbahnhof geraten war, nahm ihn mit ins Kino und hielt unterwegs fest seine Hand. Als sie aus dem Kino kamen, sagte der Friseur, er solle noch auf ihn warten, und unterhielt sich mit seinem Freund, der vor dem Kino Paanblätter verkaufte. Während er wartete, hörte Keshava Trommeln und Geschrei und ging auf der Suche nach dem Ursprung des Lärms um die Ecke. Vor einem Spielplatz schlug ein Mann auf eine längliche Trommel; neben ihm stand ein Metallschild, auf das Bilder von fetten, miteinander ringenden Männern in blauen Unterhosen gemalt waren.

Der Trommler wollte Keshava aber nicht durchlassen. «Zwei Rupien Eintritt», sagte er.

Keshava seufzte und ging zum Kino zurück. Auf dem Weg sah er ein paar Jungen, die über eine Mauer auf den Spielplatz kletterten. Er folgte ihnen.

Im Sandkasten in der Mitte des Spielplatzes standen zwei Ringer. Der eine trug graue Shorts, der andere gelbe. Neben dem Sandkasten hatten sich weitere sechs oder sieben Ringer aufgebaut und schüttelten Arme und Beine aus. Männer mit derart schlanken Taillen und enormen Schultern hatte er noch nie gesehen. Allein schon ihre Körper waren faszinierend.

«Govind Pehlwan gegen Shamsher Pehlwan», verkündete ein Mann mit einem Megafon.

Der Mann mit dem Megafon war Bruder.

Beide Ringer berührten den Boden und legten die Finger an die Stirn. Dann stürmten sie wie Widder aufeinander los. Der mit den grauen Shorts stolperte, rutschte aus, und der mit den gelben Shorts drückte ihn zu Boden. Danach war die Situation genau umgekehrt. So ging das eine ganze Weile, bis Bruder sie voneinander trennte und sagte: «Was für ein Kampf!»

Die schmutzbedeckten Ringer gingen beiseite und wuschen sich. Zu Keshavas Überraschung trugen sie unter ihren Shorts noch Unterhosen, die sie zum Baden anbehielten. Plötzlich streckte ein Ringer die Hand aus und langte dem anderen an den Hintern. Keshava rieb sich die Augen, weil er kaum glauben konnte, was er da gesehen hatte.

«Als Nächste: Balram Pehlwan gegen Rajesh Pehlwan», lautete Bruders Ansage.

Der helle Matsch war in der Mitte des Sandkastens, wo das Ringen und Kämpfen am heftigsten war, dunkel geworden. Die Zuschauer saßen dicht beim Sandkasten auf einer grasbewachsenen Böschung. Bruder stolzierte um den Sandkasten herum und kommentierte das Geschehen. «Wah, wah!», rief er, wenn ein Ringer den anderen am Boden hatte. Über all dem summte ein Moskitoschwarm, als ob auch die Mücken vom Kampf begeistert wären.

Keshava mischte sich unter die vielen Zuschauer. Er sah Jungen, die sich gegenseitig an den Händen hielten oder den Kopf an die Brust eines anderen gelegt hatten. Er war eifersüchtig. Er hätte auch gern einen Freund gehabt, dessen Hand er halten konnte.

«Hast dich wohl hier reingeschlichen, was?» Bruder war zu ihm rübergekommen. Er legte Keshava freundschaftlich einen Arm um die Schulter und zwinkerte. «Keine gute Idee – denn das Eintrittsgeld gehört mir. Du hast mich also beschwindelt, du Lümmel!»

«Ich muss los», sagte Keshava und drehte und wand sich. «Der Friseur wartet auf mich.»

«Zum Teufel mit dem Friseur!», rief Bruder. Er platzierte Keshava neben sich und gab wieder seine Kommentare durchs Megafon ab.

«Ich war auch mal so wie du», sagte Bruder bei der nächsten Kommentarpause. «Ein Junge, der nichts hatte. Ich bin mit leeren Händen aus meinem Dorf gekommen. Und sieh mal, was ich aus mir gemacht habe.»

Er breitete die Arme aus, und Keshava begriff, dass er die Ringer, die Erdnussverkäufer, die Moskitos und den Trommler am Eingang umarmte: Bruder beherrschte alles, was auf der Welt zählte.

In dieser Nacht kam der Friseur in die Gasse und umarmte Keshava, der sich zum Schlafen hingelegt hatte. «Hey! Wo bist du denn nach dem Kino geblieben? Wir dachten schon, du hättest dich verlaufen.» Er legte Keshava die Hand auf den Kopf und zerzauste ihm das Haar.

«Du bist mir wie mein eigener Sohn, Keshava. Ich sage meiner Frau, dass wir dich in unser Haus aufnehmen müssen. Wenn sie einverstanden ist, kommst du zu mir. Dies ist deine letzte Nacht hier.»

Keshava wandte sich Vittal zu, der einen Zipfel seiner Decke gelüftet und ihnen zugehört hatte.

Vittal zog sich die Decke wieder über den Kopf und drehte

sich weg. «Machen Sie mit ihm, was Sie wollen», murmelte er. «Ich habe mit mir selbst genug zu tun.»

*

Als Keshava eines Abends den Bus schrubbte, wurde neben ihm mit einem Stock auf den Boden geklopft.

«Großmaul!» Es war Bruder in seinem weißen Unterhemd. «Wir brauchen dich für die Kundgebung.»

Ein ganzer Haufen Jungen vom Busbahnhof wurde mit dem Bus der Linie 5 zum Nehru Maidan gebracht. Dort hatte sich eine gewaltige Menschenmenge versammelt. Auf dem Gelände waren Stangen in den Boden gerammt worden, an denen kleine Flaggen der Kongresspartei hingen.

In der Platzmitte war eine große Rednerbühne aufgebaut worden, und darüber hing das riesige, gemalte Bild eines Mannes mit Schnauzbart und dicker schwarzer Brille, der seine Arme erhoben hatte, als wollte er die ganze Welt segnen. Unter dem Bild saßen sechs weiß gekleidete Männer.

Ein Redner stand am Mikrofon: «Er ist ein Hoyka, und er sitzt neben dem Premierminister Rajiv Gandhi und berät ihn! Und so wird die ganze Welt Zeuge, dass die Hoykas vertrauenswürdig und zuverlässig sind, den falschen Behauptungen zum Trotz, die die Bunts und andere Oberkasten über uns verbreiten!»

Nach einer Weile trat der Parlamentsabgeordnete persönlich, der Mann, dessen Porträt das Bild zeigte, ans Mikrofon.

Bruder zischte sofort: «Los, jubeln!»

Das Dutzend Jungen, das ganz hinten in der Menge stand, holte tief Luft und brüllte: «Lang lebe der Held der Hoykas!»

Das schrien sie sechs Mal, und dann sagte Bruder, dass sie die Klappe halten sollten.

Der berühmte Mann sprach länger als eine Stunde.

«Es wird einen Hoyka-Tempel geben. Egal, was die Brahmanen sagen; egal, was die Reichen sagen; es wird in dieser Stadt einen Hoyka-Tempel geben. Mit Hoyka-Priestern. Und Hoyka-Göttern. Und Hoyka-Göttinnen. Und Hoyka-Türen und Hoyka-Glocken und sogar Hoyka-Fußmatten und Hoyka-Türklinken. Und warum? Weil wir neunzig Prozent dieser Stadt ausmachen! Wir haben hier unsere Rechte!»

«Wir sind neunzig Prozent der Stadt! Wir sind neunzig Prozent der Stadt!» Bruder befahl den Jungen, den Slogan zu brüllen. Die anderen taten, was er ihnen sagte. Keshava drängte sich dicht an Bruder und schrie ihm ins Ohr: «Aber wir sind gar nicht neunzig Prozent der Stadt. Das stimmt nicht.»

«Halt die Klappe und schrei!»

Nach der Kundgebung wurden von Lastwagen aus Schnapsflaschen verteilt, und die Menschen rangelten miteinander, um welche zu ergattern.

«Hey!» Bruder winkte Keshava zu. «Trink auch einen, das hast du dir verdient.» Er klopfte ihm auf den Rücken. Die anderen Jungen flößten ihm den Schnaps ein, und er musste husten.

«Unser bester Parolenbrüller!»

Als Keshava in dieser Nacht schließlich in die Gasse kam, erwartete Vittal ihn mit verschränkten Armen.

«Du bist ja betrunken.»

«Na und?» Keshava schlug sich auf die Brust. «Bist du etwa mein Vater?»

Vittal wandte sich an den Nachbarn, der mit seinen Katzen spielte, und schrie: «Dieser Mensch verliert in dieser Stadt jeden Anstand. Er weiß nicht mehr, was richtig und was falsch ist. Er treibt sich mit Besoffenen und Ganoven herum.»

«Sag bloß nicht so was über Bruder, ich warne dich», sagte Keshava leise.

Aber Vittal fuhr fort: «Was zum Teufel erlaubst du dir? Treibst du dich so spät noch in der Stadt rum? Du glaubst wohl, ich wüsste nicht, was für ein Tier du geworden bist?»

Er schlug mit der Faust nach Keshava, aber sein kleiner Bruder hielt die Hand fest.

«Rühr mich nicht an!»

Ohne genau zu wissen, was er da tat, raffte er dann sein Bettzeug zusammen und ging die Gasse hinunter.

«Wo willst du hin?», schrie Vittal.

«Ich gehe.»

«Und wo willst du heute Nacht schlafen?»

«Bei Bruder.»

Er hatte die Gasse schon fast hinter sich, als er hörte, wie Vittal seinen Namen rief. Tränen liefen Keshava übers Gesicht. Seinen Namen zu rufen, war nicht genug. Er wollte, dass Vittal hinter ihm herlief, ihn berührte, ihn umarmte, ihn anflehte zurückzukommen.

Eine Hand berührte seine Schulter. Sein Herz machte einen Freudensprung. Aber als er sich umdrehte, erblickte er nicht Vittal, sondern den Nachbarn. Dann kamen auch die Kätzchen zu ihm, leckten ihm die Füße und miauten wie wild.

«Du weißt doch, dass Vittal es nicht so meint! Er macht sich Sorgen um dich, das ist alles. Du gibst dich mit gefährlichen Leuten ab. Vergiss einfach, was er gesagt hat, und komm zurück.»

Keshava schüttelte nur den Kopf.

Es war zehn Uhr abends. Er ging zur Buswerkstatt. Zwei Männer mit Schutzmasken schnitten in der Dunkelheit mit einer blauen Flamme Metall. Qualm, Funken, beißender Rauch und Lärm.

Nach einer Weile deutete einer der maskierten Männer mit der Hand nach oben, und obwohl er nicht wusste, was das bedeuten sollte, ging Keshava direkt an den Bussen vorbei. Auf dem Boden hockte eine Frau, die er noch nie gesehen hatte. Sie massierte Bruders Füße. Bruder saß mit nacktem Oberkörper auf einem Rohrstuhl.

«Bruder, nimm mich auf. Ich weiß nicht, wo ich bleiben soll. Vittal hat mich rausgeworfen.»

«Armer Junge!» Ohne vom Stuhl aufzustehen, wandte sich Bruder an die Frau, die ihm die Füße massierte. «Siehst du, was in unserem Land aus dem Familienzusammenhalt geworden ist? Ein Bruder wirft den anderen auf die Straße.»

Er führte Keshava zu einem Gebäude in der Nähe. Das sei, erklärte er, eine Unterkunft für die besten Arbeiter in seinem Busbetrieb. Er öffnete eine Tür. Drinnen standen Reihen von Betten, und in jedem Bett lag ein Junge. Bruder zog die Decke von einem Bett weg. Ein Junge schlief da mit dem Kopf auf den Händen.

Bruder weckte den Jungen mit einer Ohrfeige.

«Steh auf und verschwinde.»

Ohne Widerrede rappelte der Junge sich auf und raffte seine Sachen zusammen. Er verzog sich in eine Ecke und hockte sich hin. Er war zu verwirrt, um zu wissen, wohin er gehen sollte. «Raus hier! Du hast dich seit drei Wochen nicht mehr bei der Arbeit blicken lassen!», schrie Bruder.

Keshava tat die hockende Gestalt leid, und er wollte rufen: Nein, Bruder, wirf ihn nicht raus! Aber er begriff: Entweder lag dieser Junge heute Nacht hier in diesem Bett – oder er.

Ein paar Sekunden später war die hockende Gestalt verschwunden.

Zwischen zwei Deckenbalken war eine lange Wäscheleine aufgespannt, an der die weißen Baumwollsarongs der Jungen wie Geister baumelten, die sich aneinanderdrängten. An den Wänden hingen Poster von Filmschauspielerinnen und dem Gott Ayappa, der auf seinem Pfau saß. Die Jungen drängten sich um Keshavas Bett, staunten ihn an und machten sich über ihn lustig.

Er ignorierte sie und packte seine Habseligkeiten aus: ein Hemd zum Wechseln, ein Kamm, eine halbe Flasche Haaröl, Klebestreifen und sechs Bilder von Filmschauspielerinnen, die er im Laden seines Verwandten geklaut hatte. Er klebte die Bilder über sein Bett.

Sofort kamen die Jungen näher.

«Weißt du, wie diese Bombay-Tussis heißen? Sag's uns doch, Keshava.»

«Die hier ist Hema Malini», sagte er. «Und die da ist Rekha. Sie ist mit Amitabh Bachhan verheiratet.»

Das brachte die Jungen, die um ihn herumstanden, zum Kichern.

«Hey, Junge, das ist nicht seine Frau. Das ist seine *Freundin*. Er nagelt sie jeden Sonntag in einem Haus in Bombay.»

Als sie das sagten, wurde er so wütend, dass er aufsprang und sie wirr anschrie. Danach vergrub er sein Gesicht eine Stunde lang im Bett.

«Launischer Typ. Wie 'ne Frau. Zimperlich und launisch.»

Er zog sich das Kissen übers Gesicht. Er dachte an Vittal, fragte sich, wo er jetzt wohl sein mochte und warum er nicht neben ihm schlief. Er weinte ins Kissen.

Ein anderer Junge kam an sein Bett. «Bist du ein Hoyka?», fragte er.

Keshava nickte.

«Ich auch», sagte der Junge. «Die anderen Jungs sind alle Bunts. Die denken, sie sind was Besseres. Wir beide sollten zusammenhalten. Es gibt da etwas», flüsterte er, «vor dem ich dich warnen muss. Einer der Jungs geht nachts rum und fasst den anderen an den Schwanz.»

Keshava schrak zusammen. «Wer macht das?»

Er blieb die ganze Nacht wach, und immer wenn jemand seinem Bett auch nur von Weitem nahe kam, richtete er sich auf. Erst am Morgen, als er sah, wie die anderen Jungen beim Zähneputzen hysterisch kicherten, wurde ihm klar, dass sie ihn auf den Arm genommen hatten.

Nach kaum einer Woche kam es ihm vor, als hätte er schon immer in dieser Unterkunft gewohnt.

Nach ein paar Wochen kam Bruder zu ihm.

«Heute ist dein großer Tag, Keshava», sagte er. «Gestern Abend ist einer der Schaffner bei einer Schlägerei in einem Schnapsladen getötet worden.» Er hielt Keshavas Arm in die Höhe, als hätte er beim Ringkampf gewonnen.

«Der erste Hoyka-Busschaffner in unserer Firma! Der ganze Stolz seines Volkes!»

*

Keshava wurde zum Oberschaffner einer der sechsundzwanzig Busse befördert, die die Route der Linie 5 bedienten. Er bekam eine nagelneue Kakiuniform, seine eigene, schwarze Trillerpfeife an einer roten Kordel und Fahrscheinblöcke in Braun, Grün und Grau, die alle die Nummer fünf trugen.

Während der Fahrt hielt er sich an einem Metallgriff fest und lehnte sich mit der Trillerpfeife im Mund aus dem Bus. Wenn er einmal scharf pfiff, hielt der Fahrer, wenn er zweimal pfiff, fuhr er weiter. Sobald der Bus anhielt, sprang er auf die Straße und rief den Fahrgästen zu: «Einsteigen, einsteigen!» Er wartete, bis der Bus wieder anfuhr, und sprang dann auf die Metallstufen am Einstieg, hielt sich am Geländer fest und lehnte sich hinaus. Schreiend schob und bahnte er sich seinen Weg durch den voll besetzten Bus, kassierte und gab Fahrscheine aus. Eigentlich brauchte man gar keine Fahrscheine – er kannte alle Fahrgäste vom Sehen. Aber es war nun mal die Regel, Fahrscheine auszugeben, und er befolgte sie, riss sie vom Block und gab sie den Fahrgästen oder ließ sie weiterreichen, wenn er nicht bis zu ihnen durchkam.

Abends bewunderten ihn die anderen Putzjungen wegen seiner Beförderung und scharten sich am Busbahnhof um ihn.

«Schraubt den mal fest!», rief er und zeigte auf den Metallgriff, an dem er sich aus dem Bus lehnte. «Ich hab ihn den ganzen Tag klappern gehört. Der ist locker.»

«So lustig ist das alles gar nicht», sagte er nach Feierabend, wenn die Jungen um ihn herumhockten und ihn bewundernd anstarrten. «Klar, im Bus gibt's auch Mädchen, aber die kann man nicht ärgern – schließlich ist man ja der Schaffner. Und außerdem muss man sich dauernd Sorgen machen, dass man von den Christenbussen überholt wird, die uns dann die Passagiere abspenstig machen. Nein, das ist überhaupt nicht lustig.»

Als die Regenfälle einsetzten, musste er die Lederplanen vor den Fenstern herunterziehen, damit die Fahrgäste nicht nass wurden. Aber das Wasser drang trotzdem ein, und im Bus wurde es feucht. Die Windschutzscheibe war vom Regen beschmutzt; silbrige Wasserflecken hingen wie Quecksilbertropfen am Glas. Draußen verschwamm die Welt, und er hielt sich am Griff fest, lehnte sich hinaus und sorgte dafür, dass der Fahrer auf dem Weg blieb.

Eines Abends lag er auf seinem Bett in der Unterkunft, ließ sich von einem der Jungen mit einem weißen Handtuch das Haar frottieren und von einem anderen die Füße massieren. Das waren seine neuen Privilegien. Auf einmal erschien Bruder im Schlafsaal und schleppte ein verrostetes, altes Fahrrad hinter sich her.

«Du kannst nicht mehr zu Fuß durch die Stadt laufen. Du bist jetzt ein großes Tier. Ich erwarte von meinen Schaffnern, dass sie sich stilvoll fortbewegen.»

Keshava stellte das Fahrrad neben sein Bett. Die anderen Jungen lachten darüber, doch in dieser Nacht schlief er mit dem Fahrrad neben sich.

Am Busbahnhof sah er eines Abends einen verkrüppelten Bettler sitzen, der in seinen Tee blies und die Beine so übereinandergeschlagen hatte, dass man sein Holzbein sah.

Einer der Jungen kicherte vor sich hin.

«Erkennst du deinen Gönner nicht?»

«Was meinst du?»

«Das ist der Mann, mit dessen Fahrrad du jetzt rumfährst», sagte der Junge.

Er erklärte, dass der Krüppel wie Keshava früher selbst Busschaffner gewesen war. Aber er war aus dem Bus gefallen, seine Beine waren von einem vorbeifahrenden Lastwagen zerquetscht worden, und ein Bein hatte man ihm amputieren müssen.

«Und darum hast du jetzt ein eigenes Fahrrad!» Der Junge brüllte vor Lachen und schlug Keshava kräftig auf die Schulter.

Der Krüppel trank langsam seinen Tee und starrte dabei so intensiv in die Tasse, als sei Tee die einzige Freude, die ihm im Leben geblieben war.

Wenn er nicht mit dem Bus unterwegs war, beauftragte Bruder ihn mit allerlei Lieferjobs als Fahrradkurier. Einmal musste er einen Eisblock auf dem Gepäckträger festzurren und den ganzen Weg in die Innenstadt fahren, um ihn im Haus von Mabroor Engineer abzuliefern, dem reichsten Mann der Stadt also, dem das Eis für seinen Whisky ausgegangen war. Aber abends durfte er zu seinem Vergnügen mit dem Rad herumfahren. Normalerweise bedeutete das, dass er mit Höchstgeschwindigkeit über die Hauptstraße beim Zentralmarkt jagte. Auf beiden Straßenseiten leuchteten die Läden im Licht von Paraffinlampen, und all die Lichter und Farben machten ihn so glücklich, dass er beide Hände vom Lenker nahm, vor Freude schrie und gerade noch rechtzeitig bremste, um nicht gegen eine Autorikscha zu prallen.

Alles schien bestens für ihn zu laufen. Aber eines Morgens sahen seine Zimmernachbarn, dass er noch immer im Bett lag, die Filmschauspielerinnen anstarrte und sich nicht rühren wollte.

«Er ist wieder schlecht drauf», sagten seine Nachbarn. «Hey, warum holst du dir keinen runter? Dann fühlst du dich besser.»

Am nächsten Morgen besuchte er den Friseur. Der alte Mann war nicht zu Hause. Seine Frau saß auf dem Friseurstuhl und kämmte sich. «Warte doch auf ihn. Er spricht ständig von dir. Er vermisst dich sehr, weißt du.»

Keshava nickte. Er ließ die Knöchel knacken und ging drei- oder viermal um den Stuhl herum.

An diesem Abend schnappten ihn sich die anderen Jungen, als er sich im Schlafsaal die Haare bürstete, und schleppten ihn vor die Tür.

«Der Bursche hat jetzt schon seit Tagen schlechte Laune. Es wird Zeit, dass er mal 'ne Frau kriegt.»

«Nein», sagte er. «Nicht heute Abend. Ich muss den Friseur besuchen. Ich habe versprochen, dass ich –.»

«Wir bringen dich zu einer, die dich gut rasieren wird!»

Sie setzten ihn in eine Autorikscha und fuhren mit ihm zum Bunder. Eine Prostituierte «traf» Männer in einem Haus neben den Hemdenfabriken. Er schrie die Jungen an, dass er das nicht wolle, doch sie sagten, das würde seine schlechte Laune kurieren und dann wäre er ein Mensch wie alle anderen.

In den folgenden Tagen schien er tatsächlich wieder normaler zu sein. Eines Abends sah er bei Schichtende, wie einer der neuen Putzjungen, den Bruder gerade erst rekrutiert hatte, beim Reinigen des Busses auf den Boden spuckte. Keshava rief ihn zu sich und gab ihm eine Ohrfeige.

«In der Nähe des Busses wird nicht gespuckt, kapiert?»

Es war das erste Mal, dass er jemanden geschlagen hatte.

Es fühlte sich gut an. Seitdem schlug er die Putzjungen immer wieder, wie die anderen Schaffner auch.

In der Nummer 5 machte er seinen Job immer besser. Niemand konnte ihm etwas vormachen. Zu den Schulkindern, die auf dem Rückweg vom Kino umsonst mit ihren Schülerausweisen zu fahren versuchten, sagte er: «Geht nicht. Die Ausweise gelten nur, wenn ihr zur Schule oder von der Schule zurück fahrt. Wenn's zum Privatvergnügen ist, zahlt ihr den vollen Preis.»

Ein Junge machte ständig Probleme – ein großer, gut aussehender Kerl, dessen Freunde ihn Shabbir nannten. Keshava merkte, dass die Leute neidisch auf sein Hemd starrten. Er fragte sich, warum dieser Junge überhaupt mit dem Bus fuhr. Leute wie er hatten ihr eigenes Auto und einen Fahrer.

Als der Bus eines Abends am Mädchencollege hielt, ging der reiche Junge zu den für Frauen reservierten Sitzplätzen und beugte sich über eines der Mädchen.

«Entschuldigen Sie, Fräulein Rita. Ich möchte mich nur mit Ihnen unterhalten.»

Das Mädchen wandte den Kopf zum Fenster und rückte von ihm ab.

«Warum wollen Sie sich denn nicht mit mir unterhalten?», fragte der Junge im Bombay-Hemd mit einem draufgängerischen Grinsen. Seine Freunde hinten im Bus pfiffen und johlten begeistert.

Keshava ging auf ihn zu. «Schluss jetzt!» Er packte den reichen Jungen am Arm und zog ihn von dem Mädchen weg. «In meinem Bus werden keine Frauen belästigt.»

Der Junge namens Shabbir starrte Keshava finster an, der dem Blick standhielt.

«Hast du mich verstanden?» Er zerriss einen Fahrschein und warf dem reichen Jungen die Schnipsel ins Gesicht, um seiner Warnung Nachdruck zu verleihen. «Hast du mich verstanden?»

Der reiche Junge lächelte. «Jawohl, Sir», sagte er und streckte dem Schaffner die Hand wie zu einem Händedruck hin. Keshava war verwirrt und nahm seine Hand. Die Jungen auf der letzten Bank grölten vor Lachen. Als der Schaffner seine Hand zurückzog, fand er einen Fünf-Rupien-Schein darin.

Keshava schleuderte dem reichen Jungen den Schein vor die Füße.

«Versuch das ja nicht noch einmal, du Sohn einer Kahlköpfigen. Sonst schmeiß ich dich hochkant aus dem Bus.»

Als sie aus dem Bus stieg, sah das Mädchen Keshava an. Er registrierte die Dankbarkeit in ihrem Blick, und er wusste, dass er das Richtige getan hatte.

«Wissen Sie, wer dieser Junge ist?», flüsterte einer der Fahrgäste. «Seinem Vater gehört die Videothek, und er ist gut mit dem berühmten Parlamentarier befreundet. Haben Sie das *CD*-Emblem auf seiner Hemdtasche gesehen? Sein Vater kauft diese Hemden in einem Laden in Bombay und bringt sie seinem Sohn mit. So ein Hemd kostet angeblich hundert Rupien oder vielleicht sogar zweihundert.»

«In meinem Bus», antwortete Keshava, «hat er sich zu benehmen. Hier gibt es kein Arm oder Reich. Jeder kauft das gleiche Ticket. Und niemand belästigt hier Frauen.»

Als Bruder die Geschichte am Abend hörte, umarmte er Keshava.

«Mein tapferer Schaffner! Ich bin so stolz auf dich!»

Er hob Keshavas Hand hoch, und alle applaudierten. «Dieser kleine Dorfjunge hat den Reichen dieser Stadt gezeigt, wie man sich in einem Bus der Linie 5 zu benehmen hat!»

*

Als Keshava sich am nächsten Morgen an der Metallstange des Busses festhielt, sich aus dem Bus lehnte und auf seiner Trillerpfeife pfiff, knirschte die Stange – und brach ab. Keshava fiel aus dem anfahrenden Bus, stürzte auf die Straße, rollte ein paar Meter und schlug mit dem Kopf gegen den Kantstein.

Danach fanden ihn seine Mitbewohner im Schlafsaal einige Tage lang zusammengekrümmt und den Tränen nah auf dem Bett hockend. Der Kopfverband hatte sich gelöst, und er blutete nicht mehr. Aber er schwieg immer noch. Wenn sie ihn an der Schulter packten, nickte Keshava lächelnd, als wollte er sagen: Ja doch, alles in Ordnung.

«Warum stehst du dann nicht auf und gehst wieder zur Arbeit?»

Er sagte nichts.

«Er ist den ganzen Tag schlecht drauf. So haben wir ihn noch nie erlebt.»

Aber nachdem er vier Tage nicht bei der Arbeit erschienen war, sahen sie ihn schließlich doch wieder, wie er sich aus dem Bus lehnte und die Fahrgäste anschrie und ganz der Alte war.

Zwei Wochen vergingen. Eines Morgens spürte er eine schwere Hand auf seiner Schulter. Bruder war höchstpersönlich erschienen, um mit ihm zu reden.

«Ich habe gehört, dass du in den letzten zehn Tagen nur einmal zur Arbeit gegangen bist. Das ist ganz übel, mein Sohn. Du darfst nicht schlecht drauf sein.» Bruder ballte die Faust. «Du musst voller Leben sein.» Er schüttelte die Faust in Keshavas Richtung, als wollte er ihm so die Fülle des Lebens demonstrieren.

Ein Junge, der in der Nähe stand, tippte sich an die Stirn. «Bei ihm kommt nichts mehr an. Er hat einen Schlag weg. Die Kopfverletzung hat ihn schwachsinnig gemacht.»

«Er war immer schon schwachsinnig», sagte ein anderer Zimmergenosse, der sich vor einem Spiegel kämmte. «Jetzt will er hier nur noch umsonst schlafen und essen.»

«Halt's Maul!», sagte Bruder. Er drohte ihnen mit dem Stock. «Niemand spricht so über meinen besten Parolenbrüller!»

Er tippte mit seinem Stock leicht an Keshavas Kopf. «Hörst du, was sie über dich sagen, Keshava? Dass du dich nur deshalb so verhältst, weil du Bruder Essen und ein Bett stehlen willst? Hörst du die Beleidigungen, die sie über dich verbreiten?»

Keshava begann zu weinen. Er zog die Knie an die Brust, vergrub den Kopf darin und weinte.

«Mein armer Junge!» Bruder war selbst den Tränen nahe. Er ging zum Bett und umarmte den Jungen.

«Jemand muss es seiner Familie sagen», sagte er beim Hinausgehen. «Wenn er nicht arbeitet, kann er nicht hierbleiben.»

«Wir haben es seinem Bruder gesagt», antworteten die Mitbewohner.

«Und?»

«Er will nichts mehr von Keshava wissen. Er sagt, dass sie keinen Kontakt mehr haben.»

Bruder schlug krachend mit der Faust gegen die Wand.

«Da seht ihr mal, was heutzutage aus der Familie geworden ist!» Er schüttelte die vom Schlag schmerzende Faust. «Der Bursche muss sich um seinen Bruder kümmern. Er hat keine andere Wahl!» Er schrie. Er ließ seinen Stock durch die Luft sausen. «Ich werd's dem Stück Scheiße schon zeigen! Ich werde ihn zwingen, sich an seine Verantwortung für seinen kleinen Bruder zu erinnern!»

Obwohl er streng genommen nicht hinausgeworfen wurde, saß eines Abends, als Keshava zurückkam, ein anderer auf seinem Bett. Der Junge strich mit dem Finger über die Gesichter der Filmschauspielerinnen, und die anderen Jungen zogen ihn auf: «Oh, sie ist also seine *Frau*, was? Ist sie aber nicht, du Idiot!»

Es war, als wäre er immer schon hier, und die anderen immer schon seine Nachbarn gewesen.

Keshava ging einfach fort. Er hatte keine Lust, um sein Bett zu kämpfen.

An diesem Abend saß er vor den verschlossenen Toren des Zentralmarkts, und einige der Straßenverkäufer erkannten ihn wieder und gaben ihm etwas zu essen. Er bedankte sich nicht, grüßte sie nicht einmal.

So ging das ein paar Tage. Schließlich sagte einer zu ihm: «Wer in dieser Welt nicht arbeitet, soll auch nicht essen. Es ist noch nicht zu spät. Geh zu Bruder, entschuldige dich und bitte ihn, dass er dir deinen alten Job wiedergibt. Du weißt doch, dass er dich quasi als ein Familienmitglied ansieht ...»

Einige Nächte lungerte er vor dem Markt herum. Eines Tages verschlug es ihn wieder in die Unterkunft. Bruder saß wieder dort und ließ sich die Füße von der Frau massieren. «Das war ein schönes Kleid, das Rekha in dem Film getragen hat, findest du nicht auch ...»

Keshava trat ein.

«Was willst du?», fragte Bruder und stand auf. Keshava rang nach Worten. Er streckte dem Mann im blauen Sarong die Arme entgegen.

«Dieser Hoyka-Idiot ist wahnsinnig! Und er stinkt! Schmeißt ihn raus!»

Hände zogen ihn fort und stießen ihn zu Boden. Lederschuhe traten ihm in die Rippen.

Etwas später hörte er Schritte, und dann hob ihn jemand hoch. Holzkrücken klapperten über den Boden, und die Stimme eines Mannes sagte: «Bruder kann dich also auch nicht mehr gebrauchen, was ...?»

Von Weitem bekam er mit, dass ihm etwas zu essen angeboten wurde. Er schnüffelte daran. Es roch nach Rizinusöl und

Scheiße, und er stieß es zurück. Um ihn herum roch es nach Müll, und er wandte den Kopf zum Himmel. Als er die Augen schloss, sah er immer noch die Sterne vor sich.

DIE GESCHICHTE KITTURS

(gekürzte Version nach «Eine kurze Geschichte Kitturs» von Pater Basil D'Essa, S. J.)

Das Wort «Kittur» ist eine Verballhornung – entweder von «Kiri Uru» («Kleine Stadt») oder von «Kittammas Uru» – Kittamma ist eine auf die Abwehr von Pocken spezialisierte Göttin; ein ihr geweihter Tempel stand früher in der Nähe des heutigen Bahnhofs. Ein christlicher Kaufmann aus Syrien empfiehlt 1091 in einem Brief an seine Kollegen, andere seefahrende Kaufleute, den hervorragenden natürlichen Hafen der Stadt Kittur an der Küste Malabars. Gleichwohl scheint die Stadt während des gesamten zwölften Jahrhunderts von der Bildfläche verschwunden gewesen zu sein. Berichte arabischer Kaufleute, die 1141 und 1190 nach Kittur kamen, sprechen nur von einer Wildnis. Im vierzehnten Jahrhundert kurierte ein Derwisch namens Yusuf Ali im Bunder Leprakranke. Nach seinem Tod wurde sein Leichnam in einem weißen Kuppelgewölbe beigesetzt, und das Gebäude – das Dargah des Hazrat Yusuf Ali – ist bis auf den heutigen Tag ein Wallfahrtsort. Im späten fünfzehnten Jahrhundert wird «Kittore, auch als Zitadelle der Elefanten bekannt», in den Steuerlisten der Vijayanagara-Herrscher als eine Provinz ihres Reichs erwähnt. 1649 zog eine vierköpfige Gesandtschaft portugiesischer Missionare unter Leitung Pater Cristofo d'Almeidas, S. J., von Goa nach Kittur und stieß dort auf «eine beklagenswerte Ansammlung von Götzenanbetern, Mohammedanern und Elefanten». Die Portugiesen vertrieben die Mohammeda-

ner, zertrümmerten die Götzenbilder und zerlegten die wilden Elefanten zu einem Haufen schmutzigen Elfenbeins. Während der nächsten hundert Jahre gehörte Kittur – das damals in Valencia umbenannt wurde – abwechselnd den Portugiesen, den Marathanen und dem Königreich Mysore. 1780 besiegte Hyder Ali, der Herrscher über Mysore, eine Armee der Ostindien-Gesellschaft in der Nähe des Bunder. Im sogenannten Vertrag von Kittur, der im gleichen Jahr besiegelt wurde, verzichtete die Gesellschaft auf ihren Anspruch auf «Kittore, auch Valencia oder Bunder genannt». Nach dem Tod Hyder Alis im Jahr 1782 verletzte die Gesellschaft den Vertrag, indem sie in der Nähe des Bunder eine Militärbasis errichtete. Im Gegenzug erbaute Tippu, der Sohn Hyder Alis, die Sultan's Battery, eine mächtige, mit französischen Kanonen bestückte Festung aus schwarzem Stein. Nach Tippus Tod fiel Kittur 1799 in den Besitz der Gesellschaft und wurde in die Provinz Madras eingemeindet. Wie die meisten südindischen Städte spielte auch Kittur beim großen anti-britischen Aufstand von 1857 keine Rolle. 1921 hisste ein Aktivist des Indischen Nationalkongresses auf dem alten Leuchtturm eine Trikolore: Der Freiheitskampf hatte Kittur erreicht.

DRITTER TAG: ANGEL TALKIES

Kitturs Nachtleben dreht sich um das Kino Angel Talkies. Jeden Donnerstagmorgen sind Kitturs Mauern mit handgemalten Plakaten übersät, auf denen das Bild einer üppigen Frau zu sehen ist, die sich mit den Fingern durchs Haar streicht; darunter steht der jeweilige Filmtitel: IHRE NÄCHTE; WEIN UND WEIBER; GEHEIMNISSE DES WACHSENS; DIE SCHULD DES ONKELS. Die Worte «Malayalam Farbfilm» und «Nur für Erwachsene» sind auf den Plakaten besonders hervorgehoben. Um 8 Uhr morgens hat sich vor dem Angel Talkies bereits eine lange Schlange arbeitsloser Männer gebildet. Die Vorführungen sind um 10 Uhr morgens, 12 Uhr mittags, 14 Uhr, 16 Uhr und 19 Uhr. Die Eintrittspreise bewegen sich zwischen 2,20 Rupien für einen Platz in den vorderen Reihen und 4,50 Rupien für eine «Familienloge» im oberen Rang. Nicht weit vom Kino entfernt liegt das Hotel Woodside, zu dessen Attraktionen ein berühmtes Pariser Cabaret gehört, in dem jeden Freitag Miss Zeena aus Bombay und jeden zweiten Sonntag Miss Ayesha und Miss Zimboo aus Bahrein auftreten. Dr. Kuruvilla, MBBS, MD, Mch, MS, DDBS, PCDB, ein reisender Sexologe, besucht das Hotel an jedem ersten Montag des Monats. Preiswerter und schäbiger als das Woodside sind die zahllosen Bars, Restaurants, Pensionen und Apartments in unmittelbarer Nähe. Dank der YMCA gibt es jedoch auch in diesem Viertel eine moralisch einwandfreie und saubere Unterkunft für anständige Männer.

*

Die Tür des YMCA öffnete sich um zwei Uhr morgens, und eine schmale Gestalt trat hinaus.

Es war ein kleiner Mann mit einer mächtigen, vorgewölbten Stirn, die ihn wie die Karikatur eines Professors erscheinen ließ. Seine Haare, dicht und gewellt wie die eines Teenagers, waren geölt und fest angeklatscht, um die Schläfen und an den Koteletten waren sie schon ergraut. Als er aus dem YMCA trat, hatte er den Blick auf den Boden gerichtet. Nun blieb er für einen Moment stehen, als hätte er zum ersten Mal gemerkt, dass er sich in der wirklichen Welt befand, schaute nach links und rechts und ging dann in Richtung Markt.

Sogleich brach eine Serie von Pfiffen über ihn herein. Ein uniformierter Polizist, der mit dem Fahrrad die Straße entlangfuhr, hielt an und setzte einen Fuß auf das Pflaster.

«Wie heißen Sie, Kollege?»

Der Mann, der wie ein Professor aussah, sagte: «Gururaj Kamath.»

«Und welchem Gewerbe gehen Sie nach, das Sie nachts allein auf die Straße treibt?»

«Ich suche die Wahrheit.»

«Nun werden Sie aber bloß nicht witzig, ja?»

«Journalist.»

«Für welche Zeitung?»

«Wie viele Zeitungen gibt's hier denn?»

Der Polizist, der wohl damit gerechnet hatte, an dem Mann irgendetwas Verdächtiges auszumachen, und somit hoffte, ihn entweder schikanieren oder erpressen zu können, was er beides gern tat, blickte enttäuscht drein und fuhr dann weiter. Er war erst ein kurzes Stück gefahren, als ihn ein Gedanke durchzuckte; er hielt wieder an und drehte sich nach dem kleinen Mann um.

«Oh ja, Gururaj Kamath. Sie haben doch die Kolumne über die Unruhen geschrieben, oder?»

«Ja», sagte der kleine Mann.

Der Polizist sah zu Boden.

«Ich heiße Aziz.»

«Ja und?»

«Sie haben allen Minderheiten in dieser Stadt einen großen Dienst erwiesen, Sir. Ich heiße Aziz. Ich möchte Ihnen ... Ihnen danken.»

«Ich habe nur meine Arbeit getan. Ich habe Ihnen doch gesagt, dass ich die Wahrheit suche.»

«Trotzdem möchte ich Ihnen danken. Wenn mehr Menschen täten, was Sie tun, gäbe es in dieser Stadt keine Unruhen mehr, Sir.»

Gar nicht so übel, der Mann, dachte Gururaj, als er sah, wie Aziz davonradelte. Macht halt auch nur seine Arbeit.

Er setzte seinen Weg fort.

Da ihn niemand beobachtete, erlaubte er sich ein stolzes Lächeln.

In den Tagen nach den Unruhen war die Stimme dieses kleinen Mannes mitten im Chaos die Stimme der Vernunft gewesen. In klarer, schneidender Prosa hatte er seinen Lesern die Verwüstungen geschildert, die Hindufanatiker angerichtet hatten, als sie die Läden moslemischer Kaufleute verwüsteten. Mit seiner ruhigen, unaufgeregten Stimme hatte er die Bigotterie angeprangert und sich für die Rechte religiöser Minderheiten starkgemacht. Mit seinen Kolumnen hatte er lediglich den Opfern der Unruhen helfen wollen; stattdessen hatten sie Gururaj zu einer Art Prominenten in Kittur gemacht. Zu einem Star.

Vor vierzehn Tagen hatte er den schwersten Schlag seines Lebens einstecken müssen. Sein Vater war an Lungenentzündung gestorben. Am Tag nachdem Gururaj aus dem Dorf seiner Vorväter, wo er sich den Kopf rasiert, am Wasserbecken seines Ahnentempels gesessen, mit einem Priester Sanskritverse rezitiert und der Seele seines Vaters Lebewohl gesagt hatte, nach Kittur zurückgekehrt war, stellte er fest, dass er zum stellvertretenden Chefredakteur befördert worden war, also auf die zweithöchste Position in jener Zeitung, für die er nun schon seit zwanzig Jahren arbeitete.

So gleicht sich im Leben alles wieder aus, sagte sich Gururaj.

Der Mond schien hell und war von einem breiten schimmernden Hof umgeben. Er hatte vergessen, wie schön ein nächtlicher Spaziergang sein konnte. Im starken, klaren Licht, das die Welt erleuchtete, warfen alle Dinge scharfe Schatten. Er dachte, es könnte ein Tag nach Vollmond sein.

Selbst zu dieser späten Nachtstunde wurde noch gearbeitet. Er hörte ein leises, gleichmäßiges Geräusch, das wie das Atemholen der nächtlichen Welt klang: Ein Lastwagen mit offener Ladefläche lud Erde, wahrscheinlich für eine Baustelle. Der Fahrer war am Steuer eingeschlafen; sein Arm hing aus einem Wagenfenster heraus und die Füße aus dem anderen. Erdbrocken flogen von hinten auf die Ladefläche, als ob Geister die Arbeit verrichteten.

Sein Hemd wurde am Rücken schweißnass, und er dachte: «Ich werde mich noch erkälten. Ich gehe lieber zurück.» Bei dem Gedanken kam er sich alt vor, und er beschloss, weiterzulaufen. Er ging ein paar Schritte nach links und marschierte dann mitten auf der Umbrella Street weiter. Es war einer seiner Kindheitsträume, mitten auf einer großen Straße zu laufen, aber es war ihm unter den wachsamen Augen seines Vaters nie gelungen, sich lange genug davonzustehlen, um diesen Traum in Erfüllung gehen zu lassen.

Mitten auf der Straße blieb er plötzlich stehen. Dann bog er schnell in eine Seitengasse ein.

In der Gasse kopulierten zwei Hunde. Er bückte sich und versuchte, alles ganz genau zu beobachten.

Nach dem Akt trennten sich die Hunde. Einer lief die Gasse hinunter, und der andere kam auf Gururaj zu; in seinem postkoitalem Ungestüm streifte er fast seine Hose, als er an ihm vorbeirannte. Gururaj folgte ihm.

Der Hund erreichte die Hauptstraße, schnüffelte an einer Zeitung herum und nahm sie zwischen die Zähne. Dann lief er wieder in die Gasse hinein, und Gururaj rannte hinterher. Der Hund drang immer tiefer in die Seitengassen ein, und der Redakteur folgte ihm. Schließlich ließ der Hund seine Beute fallen. Er drehte sich um, knurrte Gururaj an und riss die Zeitung in Fetzen.

«Braver Hund! Braver Hund!»

Gururaj wandte sich nach rechts, um zu sehen, wer da gesprochen hatte. Es kam ihm vor, als hätte er eine Erscheinung: Ein in Kaki gekleideter Mann, der ein Gewehr aus dem Zweiten Weltkrieg trug, mit einem gelblichen, lederartigen Gesicht, das mit Schnitten und Narben übersät war. Seine schmalen Augen standen schräg. Gururaj ging näher heran und dachte: Natürlich. Das ist ein Gurkha.

Der Gurkha saß auf einem Holzschemel auf dem Straßenpflaster vor dem heruntergelassenen Rollladen einer Bank.

«Warum sagen Sie das?», fragte Gururaj. «Warum loben Sie einen Hund dafür, dass er die Zeitung zerfetzt?»

«Der Hund macht genau das Richtige. Weil kein Wort in der Zeitung wahr ist.»

Der Gurkha, den Gururaj für einen Nachtwächter der Bank hielt, stand von seinem Schemel auf und machte einen Schritt auf den Hund zu.

Sofort ließ das Tier die Zeitung fallen und lief davon. Der Gurkha hob die zerrissene, zerknitterte und mit Speichel befleckte Zeitung vorsichtig auf und blätterte darin.

Gururaj zuckte zusammen.

«Sagen Sie mir, was Sie suchen. Ich weiß alles, was in dieser Zeitung steht.»

Der Gurkha ließ die dreckige Zeitung zu Boden sinken.

«Gestern Abend hat es einen Unfall gegeben. In der Nähe der Flower Market Street. Mit Fahrerflucht.»

«Ich kenne den Fall», sagte Gururaj. Er hatte den Artikel nicht selbst geschrieben, las aber jeden Tag die Korrekturfahnen der gesamten Zeitung. «Ein Angestellter von Mr Engineer war daran beteiligt.»

«Das behauptet die Zeitung. Aber der Angestellte war es nicht.»

«Tatsächlich?» Gururaj lächelte. «Wer war es dann?»

Der Gurkha sah Gururaj in die Augen. Er lächelte und zielte dann mit dem Lauf des alten Gewehrs auf ihn. «Das kann ich Ihnen sagen, aber dann müsste ich Sie hinterher erschießen.»

Gururaj starrte auf den Gewehrlauf und dachte: «Ich rede mit einem Irren.»

Am nächsten Morgen war Gururaj um sechs Uhr in der Redaktion. Wie immer der Erste. Zuerst kümmerte er sich um das Faxgerät und überflog die verschmierten Nachrichten aus Delhi, Colombo und anderen Städten, die er nie im Leben besuchen würde. Um sieben Uhr schaltete er das Radio an und notierte sich die wichtigsten Punkte für die Morgenkolumne.

Um acht Uhr kam Miss D'Mello. Das Hämmern der Schreibmaschine zerstörte den Bürofrieden.

Sie schrieb ihre übliche Kolumne *Twinkle Twinkle*. Es war eine tägliche Kolumne mit Schönheitstipps. Sie wurde vom Besitzer eines Damenfrisiersalons gesponsert, und Miss D'Mello beantwortete allerlei per Post eingegangene Fragen zur Haarpflege, gab Ratschläge und lenkte das Augenmerk der Briefschreiberinnen dezent auf die Angebote und Produkte des Frisiersalons.

Gururaj redete nie mit Miss D'Mello. Er verabscheute die Tatsache, dass seine Zeitung eine gesponserte Kolumne brachte, eine Praxis, die er für zutiefst unmoralisch hielt. Aber es gab noch einen anderen Grund, sich kühl gegenüber Miss D'Mello zu verhalten: Sie war eine unverheiratete Frau, und er wollte verhindern, dass jemand auf die Idee kam, er könnte auch nur das geringste Interesse an ihr haben.

Verwandte und Freunde seines Vaters rieten Gururaj schon seit Jahren, aus dem YMCA auszuziehen und zu heiraten, und er hätte dem auch beinahe nachgegeben, weil er meinte, er bräuchte eine Frau, um seinen Vater angesichts dessen wachsender Senilität zu pflegen, aber dann hatte sich die Notwendigkeit einer Ehefrau ein für alle Mal erledigt. Nun war er entschlossen, für nichts und niemanden seine Unabhängigkeit aufzugeben.

Als Gururaj gegen elf Uhr wieder aus seinem Büro kam, war die Redaktion vollkommen verräuchert – der einzige Umstand, der ihm an seinem Arbeitsplatz missfiel. Die Reporter saßen an ihren Schreibtischen, tranken Tee und rauchten. Der Fernschreiber an der Wand spuckte massenweise verschmierte Nachrichten aus Delhi voller Tippfehler aus.

Nach dem Mittagessen schickte er den Büroboten los, um Menon zu holen, einen jungen Journalisten und aufgehenden Stern am Zeitungshimmel. Menon erschien in seinem Büro. Die oberen beiden Hemdknöpfe standen offen, und er trug ein glitzerndes Goldkettchen um den Hals.

«Setzen Sie sich», sagte Gururaj.

Er zeigte ihm die zwei Zeitungsartikel über den Autounfall in der Flower Market Street, die er frühmorgens aus dem Archiv gegraben hatte. Der erste (er zeigte darauf) war vor dem Prozess erschienen, der zweite nach der Urteilsverkündung.

«Sie haben doch beide Artikel geschrieben, nicht wahr?»

Menon nickte.

«Im ersten Artikel ist das Auto, das den Mann totfährt, ein roter Maruti Suzuki. Im zweiten ist es ein weißer Fiat. Was für eines war es denn nun wirklich?»

Menon verglich die beiden Artikel.

«Ich habe mich lediglich an die Polizeiberichte gehalten.»

«Soll ich das so verstehen, dass Sie sich nicht die Mühe gemacht haben, sich den Wagen selbst anzusehen?»

An diesem Abend aß er das Abendessen, das die Hausangestellte im YMCA ihm auf sein Zimmer brachte. Sie redete viel, doch er hatte die Befürchtung, dass sie ihn mit ihrer Tochter verkuppeln wollte, und sagte deshalb so wenig wie möglich zu ihr.

Als er an diesem Abend zu Bett ging, stellte er den Wecker auf zwei Uhr.

Er erwachte mit rasendem Herzen. Er knipste das Licht an und schielte auf seine Armbanduhr. Es war zwanzig Minuten vor zwei. Er zog sich die Hose an, klopfte die widerborstigen Haarsträhnen glatt und rannte fast die Treppe hinunter, hinaus aus dem YMCA und Richtung Bank.

Der Gurkha hockte mit seinem alten Gewehr auf dem Schemel.

«Hören Sie mal, haben Sie diesen Unfall mit eigenen Augen gesehen?»

«Natürlich nicht. Ich habe hier gesessen. Das ist mein Job.»

«Woher zum Teufel wussten Sie dann, dass die Autos in den Polizeiberichten vertauscht – »

«Gerüchte.»

Der Gurkha sprach leise. Er erzählte dem Zeitungsredakteur, dass es in Kittur ein Netzwerk der Nachtwächter gab, das Nachrichten verbreitete. Ein Nachtwächter besuchte einen anderen auf eine Zigarettenlänge und erzählte ihm etwas, und der besuchte dann wiederum den nächsten auf eine Zigarettenlänge.

Auf diese Weise sprachen sich die Dinge herum. Geheimnisse kursierten. So wurde die Wahrheit – das, was bei Tage wirklich geschah – geschützt.

Das war doch wahnsinnig, das war unmöglich – Gururaj wischte sich den Schweiß von der Stirn.

«Also ist tatsächlich Folgendes passiert: Engineer hat auf seinem Heimweg einen Mann überfahren?»

«Hat ihn tot liegen lassen und ist weitergefahren.»

«Das kann nicht stimmen.»

Die Augen des Gurkhas blitzten. «Sie leben doch schon lange genug hier, Sir. Sie wissen, dass es *stimmen kann*. Engineer war betrunken, er kam von seiner Geliebten, er hat den Mann wie einen streunenden Hund überfahren und ist weitergefahren, hat ihn da einfach liegen lassen, obwohl ihm die Eingeweide schon herausquollen. Morgens hat ihn dann der Zeitungsjunge so gefunden. Die Polizei weiß haargenau, wer nachts betrunken diese Straße entlangfährt. Also erscheinen am nächsten Morgen zwei Polizisten in seinem Haus. Er hat noch nicht mal das Blut von den Vorderreifen seines Autos abwaschen lassen.»

«Aber warum – »

«Er ist der reichste Mann der Stadt. Ihm gehört das höchste Gebäude der Stadt. Man kann ihn nicht verhaften. Er bringt einen Angestellten aus seiner Fabrik dazu auszusagen, dass er den Wagen gefahren hat. Der Mann unterschreibt bei der Polizei eine eidesstattliche Erklärung. ‹In der Nacht auf den 12. Mai steuerte ich unter Alkoholeinfluss den Wagen, als ich das bedauernswerte Opfer überfuhr.› Dann gibt Mr Engineer dem Richter sechstausend Rupien und der Polizei etwas weniger, vielleicht vier- oder fünftausend, weil die Justiz natürlich vornehmer als die Polizei ist, damit sie den Mund halten. Dann verlangt er seinen Maruti Suzuki zurück, weil es ein neues Auto und ein Statussymbol ist und er gern damit fährt, und also gibt er der Polizei noch mal tausend Rupien, damit aus dem Unfallauto ein Fiat wird, und schon hat er seinen Wagen wieder und fährt damit durch die Stadt.»

«Mein Gott.»

«Der Angestellte hat vier Jahre bekommen. Der Richter hätte eine härtere Strafe verhängen können, aber das arme Schwein tat ihm leid. Freisprechen konnte er ihn natürlich auch nicht. Also –» (der Nachtwächter ließ einen imaginären Hammer niedersausen) «– vier Jahre.»

«Ich fasse es nicht», sagte Gururaj. «Kittur ist doch nicht so eine Stadt.»

Der Ausländer kniff listig die Augen zusammen und lächelte. Eine Weile blickte er auf die glühende Spitze seiner Bidi und bot die Zigarette dann Gururaj an.

Am Morgen öffnete Gururaj das einzige Fenster seines Zimmers. Er sah auf die Umbrella Street hinunter, auf das Herz der Stadt, in der er geboren und aufgewachsen war und wo er höchstwahrscheinlich auch sterben würde. Manchmal glaubte er, jedes Haus in Kittur zu kennen, jeden Baum, jeden Ziegel auf jedem Hausdach. Die Umbrella Street leuchtete im Morgenlicht und schien sagen zu wollen: Nein, die Geschichte des Gurkhas kann nicht wahr sein. Die Klarheit der Schrift auf einer Werbefläche, die blinkenden Speichen des Fahrrads, das der Mann fuhr, der die Zeitungen auslieferte, sagten: Nein, der Gurkha lügt. Doch als Gururaj zur Redaktion ging, sah er den schweren, schwarzen Schatten des Banyanbaums wie ein Stück der Nacht, das vom Besen des Morgens nicht weggefegt worden war, auf der Straße liegen, und seine Seele geriet wieder in Aufruhr.

Die Arbeit begann. Er beruhigte sich. Er ging Miss D'Mello aus dem Weg.

Abends rief ihn der Chefredakteur in sein Büro. Er war ein plumper, alter Mann mit Hängebacken und dichten weißen Augenbrauen, die wie aus Zuckerguss wirkten, und während er Tee trank, zitterten seine Hände. Die Sehnen an seinem Hals traten deutlich hervor, und jede Faser seines Körpers schien nach dem Ruhestand zu rufen.

Wenn er in Rente ginge, würde Gururaj seinen Posten erben.

«Was diese Story angeht, auf die Sie Menon noch mal angesetzt haben …», sagte der Chefredakteur und schlürfte seinen Tee. «Vergessen Sie's.»

«Es gab da Widersprüche hinsichtlich der Autos – »

Der alte Mann schüttelte den Kopf. «Die Polizei hat bei ihrem ersten Bericht einen Fehler gemacht. Das ist alles.» Seine Stimme verfiel in den ruhigen, beiläufigen Ton, von dem Gururaj inzwischen wusste, dass er einen Schlusspunkt bedeutete. Er trank einen Schluck Tee und dann noch einen.

Das schlürfende Geräusch beim Teetrinken, die Schroffheit im Verhalten des alten Mannes, die Müdigkeit so vieler schlafloser Nächte – alles das ging Gururaj auf die Nerven, und er sagte: «Vielleicht ist ein Mann unschuldig ins Gefängnis gewandert, und vielleicht läuft ein Schuldiger frei herum. Und Ihnen fällt dazu nichts anderes ein als ‹das ist alles›.»

Der Alte nippte an seinem Tee. Gururaj meinte, eine Kopfbewegung ausmachen zu können, die wie ein zustimmendes Nicken wirkte.

Er ging zurück ins YMCA, stieg die Treppe zu seinem Zimmer hoch. Er legte sich mit offenen Augen auf das Bett. Als um zwei Uhr morgens der Wecker klingelte, war er immer noch wach. Als er nach draußen trat, hörte er einen Pfiff. Der Polizist radelte an ihm vorbei und winkte ihm wie einem alten Freund herzlich zu.

Der Mond nahm schnell ab. In ein oder zwei Tagen würden die Nächte völlig finster sein. Er ging jetzt immer den gleichen

Weg, als folgte er einem Ritual: Erst ging er langsam, dann lief er mitten auf der Straße, und schließlich flitzte er durch Seitengassen, bis er zur Bank kam. Der Gurkha saß auf seinem Schemel, das Gewehr über der Schulter, eine glimmende Bidi zwischen den Fingern.

«Was für Gerüchte gibt's heute Nacht?»

«Heute Nacht gar nichts.»

«Dann erzählen Sie mir etwas aus einer der letzten Nächte. Sagen Sie mir, was für Lügen sonst noch in der Zeitung standen.»

«Das mit den Unruhen. Das haben die Zeitungen völlig falsch verstanden.»

Gururaj glaubte, sein Herz würde für einen Moment aussetzen. «Wieso das denn?»

«Die Zeitungen haben behauptet, die Hindus hätten die Moslems bekämpft, verstehen Sie?»

«Aber es *waren* Hindus, die die Moslems bekämpft haben. Das weiß jeder.»

«Ha!»

Am nächsten Morgen erschien Gururaj nicht in der Redaktion, sondern ging direkt zum Hafen. Es war das erste Mal, seit er nach den Unruhen hingegangen war, um sich mit den Ladenbesitzern zu unterhalten. Er klapperte jedes Restaurant und Fischgeschäft ab, das während der Unruhen in Brand gesteckt worden war.

Er ging zurück in die Redaktion, stürmte ins Büro des Chefredakteurs und sagte: «Gestern Nacht habe ich eine ganz unglaubliche Geschichte über die Hindu-Moslem-Unruhen gehört. Soll ich Ihnen erzählen, was ich gehört habe?»

Der alte Mann schlürfte seinen Tee.

«Ich habe gehört, dass unser berühmter Parlamentarier Hand in Hand mit der Hafenmafia die Unruhen angestiftet hat. Und ich habe gehört, dass die Schlägertrupps und der Abgeordnete nach den Unruhen alle niedergebrannten und zerstörten Grundstücke unter ihren eigenen Leuten aufgeteilt haben, unter dem Deckmantel einer fiktiven Gesellschaft namens *New Kittur Port Development Trust*. Die Gewaltausbrüche waren geplant. Moslemische Schlägertrupps haben moslemische Läden niedergebrannt und hinduistische Schlägertrupps Hinduläden. Es war eine als religiöser Konflikt getarnte Massenenteignung von Grundstücken.»

Der Chefredakteur schlürfte nicht mehr.

«Wer hat Ihnen das erzählt?»

«Ein Freund. Ist es wahr?»

«Nein.»

Gururaj lächelte und sagte: «Ich glaube es auch nicht. Danke.» Er verließ das Büro, und sein Chef sah ihm besorgt hinterher.

Am nächsten Morgen kam er wieder verspätet in die Redaktion.

Nach ein paar Minuten erschien der Bürobote an seinem Schreibtisch und schrie: «Chefredakteur will Sie sprechen!»

«Warum haben Sie sich heute nicht im Büro der Stadtverwaltung blicken lassen?», fragte der Alte ihn und schlürfte wie immer eine Tasse Tee. «Der Bürgermeister hatte darum gebeten, dass Sie anwesend sind. Er hat eine Erklärung zur Einheit zwischen Hindus und Moslems abgegeben und die Nationalistenpartei BJP angegriffen, und er wollte, dass Sie das hören. Sie wissen ja, dass er Ihre Arbeit sehr schätzt.»

Gururaj drückte sich die Haare glatt; er hatte sie heute Morgen nicht geölt, und sie waren widerborstig.

«Mir doch egal.»

«Wie bitte, Gururaj?»

«Glauben Sie etwa, dass irgendjemand in dieser Redaktion

nicht weiß, dass diese politischen Kämpfe nur Scheingefechte sind? Dass die Nationalistenpartei und die Kongresspartei in Wirklichkeit zusammenarbeiten und sich das Bestechungsgeld teilen, das sie für Bauvorhaben in Bajpe kassieren? Sie und ich wissen seit Jahren, dass das die Wahrheit ist, und trotzdem tun wir in unserer Berichterstattung so, als wäre es anders. Kommt Ihnen das nicht bizarr vor? Sehen Sie mal. Lassen Sie uns doch heute mal nichts als die Wahrheit, und zwar die ganze Wahrheit, in der Zeitung schreiben. Nur heute. Ein einziger Tag mit nichts als der Wahrheit. Mehr will ich gar nicht. Vielleicht merkt sowieso keiner was. Morgen schreiben wir dann wieder unsere üblichen Lügen. Aber an einem einzigen Tag möchte ich einmal die Wahrheit berichten, schreiben und herausgeben. An einem einzigen Tag meines Lebens möchte ich ein echter Journalist sein. Was sagen Sie dazu?»

Der Chefredakteur runzelte die Stirn, als dächte er darüber nach, und sagte dann: «Kommen Sie heute nach dem Abendessen zu mir nach Hause.»

Um neun Uhr ging Gururaj zu einem Haus in der Rose Lane. Es hatte einen großen Garten, und in einer Mauernische an der Vorderseite stand eine blaue Krishna-Statue mit einer Flöte. Er klingelte an der Haustür.

Der Chefredakteur führte ihn ins Wohnzimmer und schloss die Tür. Er bat Gururaj, Platz zu nehmen, und deutete auf ein braunes Sofa.

«Sagen Sie mir lieber gleich, was Ihnen Sorgen macht.»

Gururaj sagte es ihm.

«Mal angenommen, Sie haben Beweise für diese Sache. Und schreiben darüber. Sie sagen damit nicht nur, dass die Polizei bestechlich ist, sondern auch, dass die Justiz korrupt ist. Dann wird der Richter Sie wegen Verunglimpfung des Gerichts belangen. Man wird Sie festnehmen – auch wenn das, was Sie sagen, der Wahrheit entspricht. Sie und ich und andere Presseleute tun so, als gäbe es in Indien Pressefreiheit, aber wir kennen die Wahrheit.»

«Und was ist mit den Hindu-Moslem-Unruhen? Können wir darüber auch nicht die Wahrheit schreiben?»

«Was ist denn die Wahrheit, Gururaj?»

Gururaj sagte ihm die Wahrheit, und der Chefredakteur lächelte. Er stützte den Kopf in die Hände und lachte sich mit einer Lautstärke, die die Nacht zu erschüttern schien, die Seele aus dem Leib. «Selbst wenn das, was Sie sagen, tatsächlich die Wahrheit ist», sagte der alte Mann, der sich langsam wieder in der Gewalt hatte, «und nehmen Sie bitte zur Kenntnis, dass ich all dem weder zustimme noch widerspreche, gäbe es für uns nicht die geringste Möglichkeit, sie zu drucken.»

«Warum nicht?»

Der Redakteur lächelte.

«Wem, glauben Sie, gehört diese Zeitung?»

«Ramdas Pai», sagte Gururaj und nannte den Geschäftsmann aus der Umbrella Street, dessen Name auf der Titelseite als Eigentümer angegeben wurde.

Der Redakteur schüttelte den Kopf. «Sie gehört ihm nicht. Nicht ganz.»

«Wem dann?»

«Denken Sie mal scharf nach.»

Gururaj betrachtete den Chefredakteur mit neuen Augen. Den alten Mann schien ein Heiligenschein zu umschweben, der aus all den Dingen bestand, die er im Lauf seiner Karriere erfahren hatte, aber nie veröffentlichen durfte. Dieses Geheimwissen umstrahlte seinen Kopf wie der Lichthof einen fast vollen Mond. Das ist das Schicksal jedes Journalisten in dieser Stadt, in diesem Bundesstaat, in diesem Land und vielleicht auf der ganzen Welt, dachte Gururaj.

«Haben Sie denn noch nie darüber nachgedacht, Gururaj? Das muss daran liegen, dass Sie noch nicht verheiratet sind. Weil Sie noch nie eine Frau hatten, haben Sie nie verstanden, worum sich die Welt dreht.»

«Und Sie haben nur allzu gut verstanden, worum sich die Welt dreht.»

Die beiden Männer sahen sich an, und jeder tat dem anderen von Herzen leid.

Als er am nächsten Morgen in die Redaktion ging, dachte Gururaj: Die Welt, in der ich mich bewege, ist falsch. Ein Unschuldiger sitzt hinter Gittern, und ein Schuldiger läuft frei herum. Jeder weiß, dass es so ist, aber niemand hat den Mut, es zu ändern.

Seitdem stieg Gururaj jede Nacht die verdreckte Treppe des YMCA hinunter, registrierte stumpfsinnig die Schweinereien und Graffiti an den Wänden, ging die Umbrella Street hinunter, ignorierte die kläffenden, streunenden und kopulierenden Hunde, bis er zu dem Gurkha kam, der sein altes Gewehr zum Gruß hob und lächelte. Sie waren jetzt Freunde.

Der Gurkha erzählte ihm, wie viel Verderbtheit es in einer kleinen Stadt geben konnte; wer in den vergangenen Jahren wen umgebracht hatte; wie viel Bestechungsgeld die Richter in Kittur verlangt hatten, wie viel die Polizeichefs. Sie unterhielten sich bis zur Morgendämmerung, und dann war es für Gururaj Zeit zu gehen, damit er vor der Arbeit noch ein wenig Schlaf bekam.

Eines Nachts zögerte er. «Ich kenne immer noch nicht Ihren Namen.»

«Gaurishankar.»

Gururaj wartete darauf, dass er ihn nun auch nach seinem Namen fragen würde. Dann wollte er antworten: «Da mein Vater nun tot ist, sind Sie mein einziger Freund, Gaurishankar.»

Der Gurkha saß mit geschlossenen Augen da.

Als Gururaj um vier Uhr früh in sein Zimmer zurückkehrte, dachte er: Wer ist dieser Mann, dieser Gurkha? Aus einigen Andeutungen, dass er der Hausdiener eines pensionierten Generals gewesen sei, hatte Gururaj geschlossen, dass er in der Armee in einem Gurkha-Regiment gedient haben musste. Aber wie er in Kittur gelandet und warum er nicht nach Nepal zurückgekehrt war, blieb ein Geheimnis. Morgen werde ich ihn danach fragen. Dann kann ich ihm auch von mir selbst erzählen.

Vor dem Eingang des YMCA stand ein Ashokabaum, und Gururaj blieb stehen, um sich den Baum anzusehen. Auf ihm schimmerte das Mondlicht, und irgendwie schien er heute Nacht anders zu sein – als wäre er im Begriff, sich in etwas anderes zu verwandeln.

*

«Das sind nicht meine Kollegen. Sie sind primitiver als Tiere.»

Er konnte ihren Anblick nicht länger ertragen. Er wandte seinen Blick ab, verzog sich in sein Büro und schlug die Tür hinter sich zu, sobald er die Redaktion betreten hatte. Obwohl er die Artikel, die man ihm vorlegte, weiterhin redigierte, konnte er es nicht mehr ertragen, diese Zeitung zu lesen. Besonders entsetzte es ihn, seinen eigenen Namen gedruckt sehen zu müssen. Aus diesem Grund bat er darum, von dem entbunden zu werden, was bislang seine größte Freude gewesen war, nämlich dem Schreiben seiner Kolumne, und bestand darauf, nur noch zu redigieren. Obwohl er früher manchmal bis Mitternacht in der Redaktion geblieben war, verließ er sein Büro nun jeden Abend um fünf, eilte zurück in sein Zimmer und ließ sich auf das Bett fallen.

Um Punkt zwei Uhr erwachte er. Um sich die Mühe zu sparen, im Dunkeln nach seiner Hose suchen zu müssen, hatte er es sich angewöhnt, in voller Kleidung zu schlafen. Er rannte fast die Treppe herunter und stieß die Tür des YMCA auf, um endlich mit seinem Gurkha sprechen zu können.

Eines Nachts geschah es dann schließlich. Der Gurkha saß nicht mehr vor der Bank. Ein anderer hatte seinen Schemel eingenommen.

«Wie soll ich das wissen, Sir?», sagte der neue Nachtwächter. «Mir wurde dieser Job erst gestern Abend zugewiesen. Man hat mir allerdings nicht gesagt, was aus dem alten Knaben geworden ist.»

Gururaj rannte von Laden zu Laden, von Haus zu Haus und fragte jeden Nachtwächter, den er traf, was mit dem Gurkha geschehen sei.

«Nach Nepal gefahren», erzählte ihm schließlich ein Nachtwächter. «Zurück zu seiner Familie. Er hat all die Jahre Geld gespart, und jetzt ist er weg.»

Gururaj traf die Nachricht wie ein Schlag ins Gesicht. Nur ein einziger Mann hatte gewusst, was in dieser Stadt geschah, und dieser einzige Mann war in ein anderes Land verschwunden. Als sie sahen, dass Gururaj nach Luft rang, versammelten sich die Nachtwächter um ihn, ließen ihn Platz nehmen und brachten ihm kühles, klares Wasser in einer Plastikflasche. Er versuchte ihnen zu erklären, was zwischen ihm und dem Gurkha während der vergangenen Wochen abgelaufen war und was er nun verloren hatte.

«Dieser Gurkha, Sir?» Einer der Nachtwächter schüttelte den Kopf. «Sind Sie sicher, dass Sie sich mit ihm über solche Dinge unterhalten haben? Er war ein Vollidiot. In der Armee hat er einen Hirnschaden erlitten.»

«Was ist mit den Gerüchten? Funktioniert das Netzwerk noch?», fragte Gururaj. «Kann mir jetzt einer von Ihnen erzählen, was Sie voneinander hören?»

Die Wächter gafften ihn an. Er konnte ihnen an den Augen

ablesen, wie sich ihre Zweifel in eine Art Angst verwandelten. Sie halten mich offenbar für verrückt, dachte er.

Nachts wanderte er umher, vorbei an den düsteren Gebäuden, vorbei an den schlafenden Menschenmassen, vorbei an riesigen, schwarzen Gebäuden, in denen Hunderte von Körpern stumpfsinnig ruhten. «Ich bin der einzige Mensch, der jetzt wach ist», sagte er zu sich selbst. Auf einem Hügel zu seiner Linken sah er einen großen Häuserblock, in dem Licht brannte. Sieben Fenster waren erleuchtet, und das Gebäude funkelte; es kam ihm wie ein lebendiges Wesen vor, wie eine Art Lichtmonster, aus dessen Eingeweiden Helligkeit strömte.

Gururaj verstand jetzt: Der Gurkha hatte ihn keineswegs verlassen. Er hatte ihm nicht angetan, was ihm in seinem Leben alle anderen angetan hatten. Vielmehr hatte er ihm etwas hinterlassen – eine Gabe. Ab jetzt würde Gururaj die Gerüchte selbst vernehmen. Er streckte seine Arme in Richtung des hell erleuchteten Gebäudes aus; er spürte, wie ihn okkulte Mächte erfüllten.

Als er eines Tages wieder zu spät zur Arbeit kam, hörte er hinter sich ein Flüstern: «Das ist dem Vater auch passiert, kurz bevor es mit ihm zu Ende ging …»

«Ich muss mich vorsehen», dachte er, «damit die anderen von der Veränderung, die sich in mir vollzieht, nichts bemerken.»

Als er sein Büro betrat, stellte er fest, dass der Bürobote soeben sein Namensschild von der Tür abmontierte. Ich verliere alles, was ich mir so viele Jahre lang hart erarbeitet habe, dachte er. Aber er empfand weder Bedauern noch Zorn. Es war, als ob das alles jemand anderem geschähe. Er sah das neue Namensschild an der Bürotür:

KRISHNA MENON
STELLVERTRETENDER CHEFREDAKTEUR

«Gururaj! Ich wollte das nicht, ich – »

«Sie müssen mir gar nichts erklären. An ihrer Stelle hätte ich das Gleiche getan.»

«Wollen Sie, dass ich mit jemandem rede, Gururaj? Wir könnten etwas für Sie arrangieren.»

«Wovon reden Sie eigentlich?»

«Ich weiß, dass Sie keinen Vater mehr haben ... Aber wir könnten für Sie eine Ehe arrangieren ...»

«Wovon reden Sie?»

«Wir glauben, dass Sie krank sind. Sie sollten wissen, dass viele in dieser Redaktion das seit geraumer Zeit sagen. Ich bestehe darauf, dass Sie sich eine Woche freinehmen. Oder zwei Wochen. Fahren Sie in Urlaub. Fahren Sie zu den Western Ghats, und schauen Sie eine Weile in die Wolken.»

«Na schön. Ich nehme drei Wochen Urlaub.»

Drei Wochen lang schlief er tagsüber und streifte nachts herum. Der Nachtpolizist grüßte ihn nicht mehr wie früher mit «Hallo, Herr Redakteur», und Gururaj sah, wie der Mann im Vorbeiradeln den Kopf nach ihm umwandte und ihn anstarrte. Auch die Nachtwächter sahen ihn merkwürdig an. Und er grinste – selbst hier, selbst im Hades der Mitternacht, bin ich zum Außenseiter geworden, zu einem Mann, der andere erschreckt. Er freute sich über diesen Gedanken.

Eines Tages kaufte er sich eine Schiefertafel für Kinder und ein Stück Kreide. Am Abend schrieb er oben auf die Tafel:

NICHTS ALS DIE WAHRHEIT SOLL TRIUMPHIEREN.
EINE NACHTZEITUNG
Alleiniger Korrespondent, Redakteur, Inserent
und Abonnent: Gururaj Manjeshwar Kamath

Er schrieb die Schlagzeile der Morgenzeitung ab:

Nationalistischer Stadtrat attackiert Kongressabgeordneten

Er rieb und wischte sie wieder aus und schrieb:

2. Oktober 1989

Der Stadtrat der Nationalistenpartei, der dringend Geld benötigt, um sich an der Rose Lane eine neue Villa zu bauen, attackiert den Kongressabgeordneten. Morgen wird er von der Kongresspartei in einer braunen Tüte eine bedeutende Menge Bargeld überreicht bekommen und anschließend den Kongressabgeordneten nicht mehr attackieren.

Dann legte er sich ins Bett und schloss die Augen. Er wartete sehnsüchtig auf die Dunkelheit, die seine Stadt wieder in einen anständigen Ort verwandeln würde.

Eines Nachts dachte er: Mein Urlaub dauert nur noch eine Nacht. Es dämmerte bereits, und er eilte zum YMCA zurück. Er blieb stehen. Er war sich sicher, vor dem YMCA-Gebäude einen Elefanten zu sehen. Träumte er? Was um alles in der Welt wollte ein Elefant zu dieser Zeit mitten in der Stadt? Das war jenseits aller Vernunft. Und dennoch wirkte er in seinen Augen ganz real und greifbar. Es gab nur eines, das ihn zweifeln ließ, ob es ein echter Elefant war – er stand völlig still und machte nicht das leiseste Geräusch. Alle Elefanten bewegen sich und machen die ganze Zeit irgendein Geräusch – also siehst du gar keinen Elefanten. Er schloss die Augen und ging aufs YMCA zu, und als er die Augen wieder öffnete, starrte er einen Baum an. Er berührte die Rinde und dachte: Das war die erste Halluzination meines Lebens.

Als er am nächsten Morgen in der Redaktion erschien, sagten alle, dass Gururaj wieder ganz der Alte sei. Er hatte das Redaktionsleben vermisst, er wollte zurückkommen.

«Danke für Ihr Angebot, eine Ehe für mich zu arrangieren», sagte er zum Chefredakteur, als sie in seinem Büro zusammen

Tee tranken. «Aber ich bin bereits mit meiner Arbeit verheiratet.»

Mit jungen Männern, die gerade vom College gekommen waren, saß er im Konferenzraum und redigierte in alter Frische Artikel. Als die jungen Männer nach Hause gegangen waren, blieb er noch da und vergrub sich im Archiv. Er war mit einer bestimmten Absicht zu seiner Arbeit zurückgekehrt. Er wollte eine Geschichte Kitturs schreiben. Eine höllische Geschichte Kitturs – jedes Ereignis der letzten zwanzig Jahre sollte darin neu interpretiert werden. Er zog alte Zeitungen hervor und studierte sorgfältig die ersten Seiten. Dann löschte er Wörter aus und setzte dafür mit einem roten Stift andere Wörter ein, was zwei Zwecken diente – erstens entstellte es die Zeitungen der Vergangenheit, und zweitens erlaubte es ihm, den wahren Beziehungen zwischen den Wörtern und den in den Nachrichten erwähnten Personen auf die Spur zu kommen. Zuerst einmal bestimmte er Hindi – die Sprache des Gurkhas – zur Sprache der Wahrheit und übersetzte die in Kannada geschriebenen Schlagzeilen der Zeitung in Hindi. Dann wechselte er zum Englischen, und schließlich griff er zu einem Code, indem er jeden Buchstaben des lateinischen Alphabets durch den jeweils folgenden Buchstaben ersetzte; irgendwo hatte er gelesen, dass Julius Cäsar diesen Code für die Römer erfunden hätte. Und um die Sache noch komplizierter zu machen, dachte er sich Symbole aus und fügte sie anstelle bestimmter Wörter ein, zum Beispiel stand ein Dreieck mit einem Punkt darin für das Wort «Bank». Andere Symbole, die er erfand, entbehrten nicht einer gewissen Ironie, zum Beispiel ein Nazi-Hakenkreuz für die Kongresspartei, das Symbol atomarer Abrüstung für die BJP und so weiter. Als er eines Tages die Aufzeichnungen der vergangenen Wochen durchsah, stellte er fest, dass er inzwischen die Hälfte der Symbole wieder vergessen hatte und selbst nicht mehr verstand, was er geschrieben hatte. Gut, dachte er, so muss es sein. Selbst der Verfasser der Wahrheit darf die vollständige Wahrheit nicht kennen. Jedes wahre Wort ist aufgeschrieben wie der Vollmond, der von Tag zu Tag abnimmt und schließlich ganz verschwindet. Das ist der Lauf der Dinge.

Als er mit seiner Neuinterpretation sämtlicher Tageszeitungen fertig war, schnitt er die Worte *The Dawn Herald* aus den Titelseiten und schrieb stattdessen: *NUR DIE WAHRHEIT SOLL TRIUMPHIEREN*.

«Was zum Teufel machen Sie mit unseren Zeitungen?»

Es war der Chefredakteur. Menon und er hatten sich eines Abends in Gururajs Büro geschlichen.

Ohne ein Wort zu sagen, blätterte der Chefredakteur Seite um Seite der entstellten Zeitungen um, während Menon versuchte, ihm dabei über die Schulter zu schauen. Sie sahen Seiten, die mit Schnörkeln, roten Markierungen, Dreiecken, Zeichnungen von Mädchen mit Pferdeschwänzen und blutenden Zähnen und Bildern kopulierender Hunde übersät waren. Dann knallte der alte Mann die Archivtür zu.

«Ich habe Ihnen doch gesagt, dass Sie heiraten sollen.»

Gururaj lächelte. «Hören Sie mal, alter Freund, es handelt sich um symbolische Zeichen. Ich kann sie interpretieren – »

Der Chefredakteur schüttelte den Kopf.

«Verschwinden Sie aus der Redaktion. Sofort. Tut mir leid, Gururaj.»

Gururaj lächelte, als wollte er sagen: keine weiteren Erklärungen nötig. Der Chefredakteur hatte Tränen in den Augen, und seine schlaffe Halsmuskulatur bewegte sich auf und ab, als er mehrmals schluckte. Auch Gururaj kamen die Tränen. Er dachte: Wie schwer es dem alten Mann gefallen sein muss, das zu tun. Wie angestrengt muss er versucht haben, mich zu schützen. Er stellte sich Konferenzen hinter verschlossenen Türen vor, auf denen all seine Kollegen nach seinem Blut geschrien hatten, und nur dieser anständige alte Mann hatte ihn bis zum Letzten verteidigt. «Es tut mir leid, mein Freund, dass ich Sie enttäuscht habe», wollte er sagen.

In dieser Nacht lief Gururaj durch Kitturs Straßen und redete sich ein, dass er nun glücklicher als je zuvor in seinem Leben war. Er war jetzt ein freier Mann. Als er kurz vor der Morgendämmerung zum YMCA zurückkam, sah er den Elefanten wieder. Diesmal wurde er nicht zu einem Ashokabaum, nicht einmal, als Gururaj dicht an ihn herantrat. Er ging auf das Tier zu, sah, wie es mit den Ohren schlug, die in Farbe, Form und Bewegung den Flügeln einer Flugeidechse glichen. Er ging um das Tier herum und sah, dass von hinten beide Ohren rosa gerändert und von Venen durchzogen waren. Wie kann solch ein Detailreichtum unecht sein?, dachte er. Dieses Geschöpf war real, und wenn der Rest der Welt das nicht sehen konnte, dann war der Rest der Welt arm dran.

Stoß nur einen einzigen Laut aus!, flehte er den Elefanten an. Damit ich mit Sicherheit weiß, dass ich mich nicht täusche und du real bist. Der Elefant verstand ihn. Er reckte seinen Rüssel und trompetete so laut, dass Gururaj meinte, er würde taub.

«Du bist jetzt frei», sagte der Elefant so laut, dass Gururaj seine Worte wie Zeitungsschlagzeilen vorkamen. «Geh und schreibe die wahre Geschichte Kitturs.»

Einige Monate später hörte man wieder von Gururaj. Vier junge Reporter zogen los, um zu recherchieren.

Sie unterdrückten ihr Kichern, als sie die Tür zum öffentlichen Lesesaal im Leuchtturm aufstießen. Der Bibliothekar hatte sie schon erwartet. Er legte einen Finger an die Lippen und führte sie hinein.

Die Journalisten sahen Gururaj, wie er auf einer Bank saß und eine Zeitung las, die teilweise sein Gesicht bedeckte. Die Kleidung des alten Redakteurs war zerlumpt, aber er schien zugenommen zu haben, als ob der Müßiggang ihm gutgetan hätte.

«Er sagt kein Wort mehr», sagte der Bibliothekar. «Er sitzt hier nur bis Sonnenuntergang und hält sich die Zeitung vor die Nase. Nur ein einziges Mal hat er etwas gesagt, und zwar als ich ihm erzählte, dass mir seine Artikel über die Unruhen gefallen hätten, und da hat er mich angeschrien.»

Einer der jungen Journalisten drückte die Zeitung langsam mit dem Finger herunter. Gururaj wehrte sich nicht. Der Journalist schrie auf und trat einen Schritt zurück.

Im Innenteil der Zeitung war ein feuchtes, dunkles Loch. Partikel von Druckerschwärze hingen in Gururajs Mundwinkeln, und seine Kieferknochen mahlten.

DIE SPRACHEN KITTURS

Kannada, eine der vier wichtigsten Sprachen Südindiens, ist die Amtssprache des Bundesstaats Karnataka, zu dem Kittur gehört. Die Lokalzeitung The Dawn Herald *erscheint auf Kannada. Obwohl sie von praktisch jedem in der Stadt verstanden wird, ist Kannada lediglich die Muttersprache einiger Brahmanen. Tulu, eine regionale Sprache, die keine Schriftsprache hat – obwohl man annimmt, dass es vor Jahrhunderten einmal eine Tulu-Schriftsprache gab –, ist die Lingua franca in Kittur. Es gibt zwei Tulu-Dialekte. Der Dialekt der «Oberkaste» wird immer noch von einigen Brahmanen gesprochen, stirbt jedoch aus, weil die tulusprachigen Brahmanen zu Kannada wechseln. Der andere Tulu-Dialekt, eine raue und derbe Sprache, beliebt wegen der Ausdrucksvielfalt ihrer drastischen Kraftausdrücke, wird von den Bunts und Hoykas gesprochen – in Kittur ist sie die Sprache der Straße. Im Bereich um die Umbrella Street herum, dem Geschäftszentrum der Stadt, wird hauptsächlich Konkani gesprochen: Es ist die Sprache der Gaud-Saraswat-Brahmanen, die ursprünglich aus Goa stammen und denen hier die Geschäfte gehören (obwohl Tulu und Kannada sprechende Brahmanen seit etwa 1960 untereinander heiraten, haben die Konkani-Brahmanen bislang alle Heiratsanträge von Außenstehenden abgelehnt). Ein sehr eigenwilliger Konkani-Dialekt, vermischt mit portugiesischen Brocken, wird im Vorort Valencia von den dort lebenden Katholiken gesprochen. Die Muttersprache der meisten Moslems, besonders der im Hafenviertel Bunder ansässigen, ist ein Malayalam-Dialekt. Einige der reicheren Moslems, die aus dem Adelsgeschlecht des Königreichs Hyderabad stammen, sprechen Hyderabadi Urdu als Muttersprache. Der große Bevölkerungsanteil der Wanderarbeiter, der sich in Kittur von Baustelle zu Baustelle wälzt, spricht Tamilisch. Die höhere Mittelschicht versteht Englisch.*

Anzumerken ist noch, dass nur wenige Sprachen in indischen Städten mit der Umgangssprache Kitturs vergleichbar sind, was die Ausdrucksvielfalt ihrer Flüche und Schimpfwörter angeht, die aus allen vier Sprachen – Urdu, Englisch, Kannada und Tulu stammen. Die am häufigsten zu hörende Wendung – «Sohn einer Kahlköpfigen» – bedarf einer Erklärung. Früher war es Witwen aus den oberen Kasten nicht gestattet, erneut zu heiraten; sie wurden gezwungen, sich die Haare abzurasieren, um für Männer unattraktiv zu sein. Das Kind einer kahlköpfigen Frau war also in der Regel unehelich.

VIERTER TAG: UMBRELLA STREET

Wenn Sie während Ihres Aufenthalts in Kittur einen Einkaufsbummel machen möchten, sollten Sie sich einige Stunden in der Umbrella Street, dem Geschäftszentrum der Stadt, gönnen. Hier findet man Möbelgeschäfte, Apotheken, Restaurants, Süßwarenläden und Buchhandlungen. Es gibt sogar noch einige Händler, die Regenschirme aus Holz verkaufen, obwohl die meisten pleitegegangen sind, seitdem billige Metallschirme aus China importiert werden. An der Straße liegen auch Kitturs berühmtestes Restaurant, The Ideal Traders Ice-Cream and Fresh Fruit Juice Parlour, sowie die Redaktion des The Dawn Herald, *«Kitturs einziger und bester Zeitung».*

Jeden Donnerstagabend findet im Ramvittala-Tempel in der Nähe der Umbrella Street eine interessante Veranstaltung statt. Auf der Veranda des Tempels sitzen zwei traditionelle Sänger und rezitieren die ganze Nacht hindurch Verse aus dem Mahabharatha, dem großen indischen Epos von Heldentum und Erleiden.

*

Alle Angestellten des Möbelgeschäfts hatten sich im Halbkreis um Mr Ganesh Pais Tisch versammelt. Heute war ein besonderer Tag: Mrs Engineer höchstpersönlich war im Geschäft erschienen. Sie hatte einen Fernsehtisch ausgesucht und näherte sich nun Mr Pais Schreibtisch, um das Geschäft abzuschließen.

Sein Gesicht war mit Sandelholzöl eingeschmiert, und er trug ein locker sitzendes Seidenhemd, aus dem ein dunkles Dreieck seiner Brustbehaarung herausquoll. An der Wand hinter seinem Stuhl hatte er Goldfolienbilder von Lakshmi, der Göttin des Reichtums, und dem dicken Elefantengott Ganapati aufgehängt. Unter den Bildern brannte ein Räucherstäbchen.

Mrs Engineer nahm langsam am Tisch Platz. Mr Pai griff in eine Schublade und hielt ihr vier rote Karten entgegen. Mrs Engineer zögerte, biss sich auf die Lippen und zog dann eine der vier Karten.

«Ein Tassenservice aus Edelstahl!», sagte Mr Pai und zeigte ihr die Bonuskarte, die sie gezogen hatte. «Wirklich ein wunderbares Geschenk, Madam. Das wird Ihnen jahrelang Freude bereiten.»

Mrs Engineer strahlte. Sie zog eine kleine rote Geldbörse heraus, entnahm ihr vier Hundert-Rupien-Scheine und legte sie vor Mr Pai auf den Tisch.

Mr Pai tauchte eine Fingerspitze in ein Wasserschälchen, das einzig zu diesem Zweck auf seinem Schreibtisch stand, und zählte die Scheine noch einmal nach. Dann sah er Mrs Engineer lächelnd an, als erwarte er noch mehr von ihr.

«Den Rest bei Lieferung», sagte sie und erhob sich vom Stuhl. «Und vergessen Sie nicht, das Bonusgeschenk mitzuschicken.»

«Sie mag ja die Frau des reichsten Mannes der Stadt sein, aber sie ist trotzdem eine geizige alte Fotze», sagte Mr Pai, nachdem er sie aus dem Laden begleitet hatte. Hinter sich hörte er einen Verkäufer lachen. Er drehte sich um und starrte den Verkäufer an – einen kleinen, dunklen Tamilenjungen.

«Schick schnell einen der Kulis zum Ausliefern», sagte Mr Pai. «Ich will den Restbetrag haben, bevor sie es vergisst.»

Der Tamilenjunge lief aus dem Laden. Die Fahrradkulis hatten ihre übliche Haltung eingenommen – sie lagen auf ihren Karren, guckten Löcher in die Luft und rauchten Bidis. Einige starrten mit stumpfer Gier zum Laden auf der anderen Straßenseite hinüber, dem Ideal Traders Ice Cream Parlor. Vor dem Laden leckten fette Kinder in T-Shirts an ihrem Vanilleeis.

Der Junge deutete mit dem Zeigefinger auf einen der Männer.

«Chenayya – du bist an der Reihe!»

*

Chenayya trat kräftig in die Pedale. Man hatte ihm gesagt, er solle auf direktem Weg in die Rose Lane fahren, also musste er über den Lighthouse Hill. Es mühte sich ab, den hinter sein Rad gespannten Karren mit dem Fernsehtisch zu ziehen. Sobald er über dem Hügelkamm war, ließ er das Rad einfach rollen. In der Rose Lane bremste er, fand die Hausnummer, die er sich gemerkt hatte, und klingelte.

Er rechnete damit, dass ein Diener öffnen würde, aber als eine pummelige, hellhäutige Frau die Tür aufmachte, wusste er, dass es Mrs Engineer höchstpersönlich war.

Chenayya trug den Fernsehtisch ins Haus und stellte ihn an der Stelle ab, die sie ihm zeigte.

Er ging wieder nach draußen und kam mit einer Säge zurück. Beim Hereinkommen hatte er das Ding eng am Körper gehalten, aber als er ins Esszimmer kam, wo er den Tisch in zwei Kartons abgestellt hatte, sah Mrs Engineer zu, wie er das Werkzeug auf Armlänge hielt, und plötzlich schien es riesig zu sein: einen halben Meter lang, mit gezacktem, rostigem Blatt, das aber noch Reste der ursprünglichen metallgrauen Farbe zeigte – wie eine von einem Stammeskünstler angefertigte Haiskulptur.

Chenayya sah die Angst in den Augen der Frau. Um ihre Furcht zu zerstreuen, grinste er übertrieben liebenswürdig – ein Grinsen wie eine Totenmaske, das Grinsen eines Mannes, der es nicht gewohnt war, vor anderen zu kriechen. Dann schaute er sich um, als hätte er vergessen, wo er den Tisch abgestellt hatte.

Die Beine waren ungleich lang. Chenayya kniff ein Auge zu und taxierte ein Bein nach dem anderen. Dann setzte er die Säge an, und feines Sägemehl rieselte auf den Boden. Er führte das Werkzeug so bedächtig, so präzise, dass es den Anschein hatte, als übe er erst; nur das sich auf dem Fußboden sammelnde Sägemehl bewies das Gegenteil. Wieder musterte er mit zusammengekniffenem Auge die vier Beine, um sich zu vergewissern, dass sie nun gleich lang waren, und setzte dann die Säge ab. Er suchte seinen dreckigen, weißen Sarong, das einzige Kleidungsstück, das er am Körper trug, nach einem vergleichsweise sauberen Zipfel ab und wischte damit über die Tischplatte.

«Der Tisch ist fertig, Madam.» Er faltete die Hände und wartete.

Mit zuvorkommendem Lächeln wischte er noch einmal über den Tisch, damit der Dame des Hauses nicht entginge, mit welcher Sorgfalt er ihr Mobiliar behandelte.

Mrs Engineer hatte aber gar nicht hingeschaut, sondern war in ein anderes Zimmer gegangen. Sie kam wieder und blätterte siebenhundertzweiundvierzig Rupien hin.

Sie zögerte einen Moment und legte dann noch drei Rupien dazu.

«Geben Sie mir bitte etwas mehr, Madam?», platzte Chenayya heraus. «Geben Sie mir drei Rupien mehr.»

«Sechs Rupien? Kommt nicht infrage», sagte sie.

«Es ist ein weiter Weg, Madam.» Er griff nach der Säge und deutete auf seinen Nacken. «Ich musste sie die ganze Zeit auf meinem Radkarren hierherschleppen, Madam. Jetzt tut mir der Nacken sehr weh.»

«Kommt nicht infrage. Verschwinde. Oder ich rufe die Polizei, du Gauner. Raus hier! Und nimm bloß dein großes Messer mit!»

Er verließ missmutig knurrend das Haus, rollte die Geldscheine zu einem Bündel zusammen und knotete es in seinen dreckigen, weißen Sarong. Neben dem Haustor stand ein Neembaum, und er musste sich bücken, um nicht mit dem Kopf an die Zweige zu stoßen. Er hatte den Radkarren in der Nähe des Baums abgestellt. Er warf die Säge in den Karren. Um den Fahrradsattel hatte er ein weißes Baumwolltuch gewickelt; er nahm es ab und band es sich um den Kopf.

Eine Katze raste an ihm vorbei, zwei Hunde rannten ihr hinterher. Die Katze sprang auf den Neembaum und hüpfte von Ast zu Ast. Die Hunde warteten am Fuß des Baums, kratzten am Stamm und kläfften wie verrückt. Chenayya, der sich in den Sattel geschwungen hatte, wartete noch und beobachtete die Szene. Wenn er erst einmal losgefahren war, würde er so etwas nicht mehr wahrnehmen, sondern sich in eine Maschine verwandeln, die schnurstracks zum Laden seines Auftraggebers zurückkehrte. Er stand da, beobachtete die Tiere und genoss es, seinen Gedanken nachhängen zu können. Er hob eine verfaulte Bananenschale vom Boden auf und hängte sie in die Blätter des Neembaums, damit sich die Hauseigentümer erschrecken würden, wenn sie herauskämen.

Er war so zufrieden mit sich, dass er lächeln musste.

Aber er wollte immer noch nicht losradeln, weil das bedeutete, die Schlüssel zu seiner Persönlichkeit der Müdigkeit und der Routine zu überlassen.

Etwa zehn Minuten später fuhr er mit seinem Fahrrad zurück zur Umbrella Street. Er fuhr wie immer, den Hintern aus dem Sattel erhoben, das Rückgrat zu einem 60-Grad-Winkel gebeugt. Nur an Straßenkreuzungen richtete er sich auf, entspannte sich und lehnte sich im Sattel zurück. Als er sich der Umbrella Street näherte, herrschte wie immer Stau. Chenayya stieß mit seinem Vorderrad gegen das Auto vor ihm und brüllte: «Fahr schon, du Arschloch!»

Schließlich sah er zu seiner Rechten das Schild GANESH PAI – VENTILATOREN UND MÖBEL und hielt an.

*

Chenayya hatte das Gefühl, als brenne das Geld ihm ein Loch in den Sarong. Er wollte es seinem Arbeitgeber so schnell wie möglich aushändigen. Er wischte sich die Hände am Sarong ab, stieß die Tür auf, betrat den Laden und hockte sich neben eine Ecke von Mr Pais Schreibtisch. Weder Mr Pai noch der tamilische Verkäufer beachteten ihn. Er wickelte das Bündel aus seinem Sarong, legte die Hände zwischen die Beine und starrte den Fußboden an.

Wieder tat ihm der Nacken weh; er drehte den Kopf nach links und rechts, um die Verspannung zu lösen.

«Hör auf damit!»

Mr Pai forderte ihn mit einer Handbewegung auf, ihm das Geld zu geben. Chenayya stand auf.

Er näherte sich langsam seinem Chef und händigte Mr Ganesh Pai die Geldscheine aus. Der befeuchtete den Finger in der Wasserschale und zählte siebenhundertzweiundvierzig Rupien. Chenayya starrte die Wasserschale an. Ihm fiel auf, dass ihre Ränder so gebogen waren, dass sie wie die Blätter der Lotusblüte aussahen, und dass der Künstler sogar am Fuße der Schale das Muster des Blattwerks imitiert hatte.

Mr Pai schnipste mit den Fingern. Er hatte ein Gummiband um die Scheine gewickelt und streckte Chenayya seine offene Hand entgegen.

«Zwei Rupien zu wenig.»

Chenayya löste den Knoten an der Seite des Sarongs und händigte ihm zwei weitere Rupienscheine aus.

Das war die Summe, die er Mr Pai nach jeder Lieferung zu zahlen hatte: eine Rupie für das Essen, das er gegen neun

Uhr bekommen würde, und eine Rupie für das Privileg, für Mr Ganesh Pai arbeiten zu dürfen.

Draußen gab der tamilische Junge aus Mr Pais Laden einem der Fahrradkulis Anweisungen; es war ein starker, junger Bursche, der erst kürzlich dazugekommen war. Er sollte mit dem Anhänger, der mit zwei Pappkartons beladen war, losfahren, und der Junge aus dem Laden klopfte auf die Kartons und sagte: «In einem der Kartons ist ein Mixer und in dem anderen ein Vierblattventilator. Wenn du sie ablieferst, musst du darauf achten, dass sie beide eingestöpselt werden, bevor du zurückkommst.» Er nannte dem Kuli die Adresse, zu der er fahren sollte, und der musste sie wie ein begriffsstutziger Schüler vor einem Lehrer laut wiederholen.

Es würde eine Weile dauern, bis Chenayya wieder an der Reihe wäre, und so ging er auf der Straße bis zu einer Stelle, an der ein Mann auf dem Pflaster an einem Tisch saß, und bündelweise kleine, rechteckige Lose verkaufte, die so bunt wie Bonbons waren. Er lächelte Chenayya zu. Mit den Fingern blätterte er durch eines der Bündel.

«Gelb?»

«Sagen Sie mir erst mal, ob ich beim letzten Mal gewonnen habe», sagte Chenayya. Aus dem Knoten seines Sarongs fummelte er ein schmutziges Stück Papier hervor. Der Verkäufer griff zu einer Zeitung und schaute auf die untere rechte Ecke.

«Lotto-Gewinnzahlen: 17-8-9-9-643-455», las er vor.

Chenayya wusste genug über englische Zahlen, um seine eigene Losnummer zu erkennen. Er blinzelte einige Augenblicke und ließ das Los dann auf den Boden fallen.

«Die Leute spielen fünfzehn, sechzehn Jahre, bevor sie mal gewinnen, Chenayya», sagte der Losverkäufer, um ihn zu trösten. «Aber schließlich gewinnen immer die, die wirklich dran glauben. So läuft es in dieser Welt.»

Chenayya hasste es, wenn der Losverkäufer ihn so zu trösten versuchte. Er hatte dann das Gefühl, dass er von dem Mann, der die Lose druckte, ausgenommen wurde.

«Ich kann nicht ewig so weitermachen», sagte er. «Mein Nacken tut mir weh. Ich kann so nicht weitermachen.»

Der Losverkäufer nickte. «Noch mal ein gelbes?»

Chenayya schob das Los in sein Bündel, taumelte zurück zum Laden und fiel rücklings auf seinen Anhänger. Eine Weile blieb er einfach so liegen, fühlte sich nach der Pause aber nicht erfrischt, sondern nur benommen.

Dann tippte ein Finger an seinen Kopf.

«Du bist dran, Chenayya.»

Es war der tamilische Junge aus dem Laden.

Lieferanschrift Suryanarayan Rao Lane Nummer 54. «54, Suryanarayan ...», wiederholte er laut.

«Gut.»

Der Weg führte ihn wieder über den Lighthouse Hill. Als er die Hälfte des Hügels geschafft hatte, stieg er ab und zog den Karren. Die Sehnen an seinem Hals strafften sich wie Gurtbänder, und wenn er einatmete, brannte die Luft in seiner Brust und Lunge. Du schaffst das nicht, sagten seine müden Glieder, seine brennende Brust. Du schaffst das nicht. Doch gleichzeitig wuchs auch der Widerstandswille gegen sein Schicksal, und während er den Karren schob und zog, brachen sich Unruhe und Wut, die ihn den ganzen Tag gequält hatten, endlich Bahn.

«Ihr werdet mich nicht brechen, ihr Schweinehunde! Ihr werdet mich *niemals* brechen!»

*

Wenn die zu liefernde Ware leicht war wie etwa eine Matratze, durfte er keinen Fahrradanhänger benutzen, sondern musste sie auf dem Kopf tragen. Er wiederholte gegenüber dem tamilischen

Verkäufer die Adresse und setzte sich mit langsamen, vorsichtigen Schritten in Bewegung wie ein dicker joggender Mann. Schon nach kurzer Zeit kam ihm das Gewicht der Matratze unerträglich vor. Es drückte seinen Nacken und sein Rückgrat zusammen und verursachte stechende Rückenschmerzen. Er geriet geradezu in Trance.

An diesem Morgen trug er eine Matratze zum Bahnhof. Der Kunde erwies sich als eine nordindische Familie, die aus Kittur wegzog. Aus dem Auftreten und Verhalten von Kunden konnte man schließen, welche der reichen Leute anständig waren und welche nicht, und so ahnte Chenayya schon im Voraus, dass der hier ihm sein Trinkgeld verweigern würde.

Aber Chenayya blieb standhaft. «Sie Schweinehund! Geben Sie mir mein Geld!»

Es war ein Triumph für ihn. Der Mann lenkte ein und gab ihm drei Rupien. Als er aus dem Bahnhof kam, dachte er: Ich bin jetzt stolz, aber der Kunde hat nichts weiter getan, als mir das Geld zu geben, das mir ohnehin zusteht. Auf so etwas hat sich mein Leben also reduziert.

Die Gerüche und der Lärm des Bahnhofs machten ihn krank. Hinterm Bahnhof hockte er sich neben die Schienen, raffte den Sarong hoch und hielt die Luft an. Während er dahockte, rumpelte der Zug vorbei. Er drehte sich um und hätte den Leuten im Zug am liebsten ins Gesicht geschissen. Ja, das täte gut – der Zug donnerte über die Weichen, und er presste die Scheiße heraus, vor den Augen der Passagiere.

Neben sich sah er ein Schwein, das das Gleiche tat.

Sogleich dachte er: Mein Gott, was ist nur aus mir geworden? Er lief zu einer Ecke, kroch hinter ein Gebüsch und kackte dort. Er sagte sich: Ich will nie wieder an einem Ort kacken, wo man mich sehen kann. Es gibt schließlich einen Unterschied zwischen Mensch und Tier. Es gibt einen Unterschied.

Er schloss die Augen.

Der Duft von Basilikum in seiner Nähe kam ihm wie ein Beweis dafür vor, dass es auf der Welt auch noch Schönes gab. Aber als er die Augen wieder öffnete, bestand die Welt nur noch aus Dornen und Scheiße und streunenden Tieren.

Er sah auf und atmete tief durch. Der Himmel ist sauber, dachte er. Da oben gibt es noch Reinheit. Er riss ein paar Blätter ab, putzte sich damit ab und versuchte dann den Geruch loszuwerden, indem er mit der linken Hand über den Erdboben wischte.

Um zwei Uhr war er wieder an der Reihe – ein riesiger Kistenstapel war an eine Adresse in Valencia zu liefern. Der tamilische Verkäufer vergewisserte sich, dass Chenayya die Adresse richtig verstanden hatte: hinterm Krankenhaus, unten beim Seminar, wo die Jesuitenpriester wohnten.

«Heute gibt's 'ne Menge Arbeit, Chenayya», sagte er. «Sieh zu, dass du den schnellsten Weg nimmst – über den Lighthouse Hill.»

Chenayya grunzte, erhob sich aus dem Sattel, verlagerte das Gewicht auf die Pedale und machte sich auf den Weg. Die verrostete Eisenkette, die den Anhänger mit dem Vorderreifen des Fahrrads verband, verursachte beim Fahren Geräusche.

Unten an der Hauptstraße geriet er in einen Stau. Er hielt an und wurde sich wieder einmal seines Körpers bewusst. Sein Nacken schmerzte, die Sonne versengte ihm den Rücken. Sobald er den Schmerz bewusst wahrnahm, begann er nachzudenken.

Warum sind manche Tage schwierig, andere Tage aber einfach? Die anderen Fahrradkulis hatten nie «gute» oder «schlechte» Tage; sie erledigten ihre Arbeit wie Maschinen. Nur er hatte solche Stimmungsschwankungen. Er senkte den Kopf, um den schmerzenden Nacken zu entlasten, und starrte auf die rostige Kette zu seinen Füßen, die um das Metallrohr geschlungen war, das das Fahrrad mit dem Anhänger verband. Zeit, die Kette zu ölen, dachte er. Nicht vergessen.

Wieder bergauf. Über den Sitz nach vorn gebeugt, arbeitete Chenayya schwer. Der Atem fuhr wie ein heißes Schüreisen durch seine Lunge. Auf halber Strecke erblickte er einen Elefanten, der bergab lief und ihm mit einem kleinen Blätterbündel auf dem Rücken entgegenkam, wobei ihm sein Treiber mit einem Elefantenhaken am Ohr stupste.

Er hielt an. Das war ja unglaublich. Er schrie den Elefanten an: «Hey, du da, was machst du da mit den Blättern? Nimm mir lieber meine Last ab! Die entspricht eher deiner Größe, du Riesenarschloch!»

Hinter ihm hupten Autos. Der Treiber drehte sich um und fuchtelte mit seinem Haken. Ein Passant brüllte ihn an, den Verkehr nicht aufzuhalten.

«Sehen Sie denn nicht, dass mit dieser Welt etwas nicht stimmt?», sagte Chenayya zum Fahrer des Autos hinter ihm, der mit dem Handballen seine Hupe bearbeitete. «Wenn ein Elefant, der praktisch nichts zu tragen hat, bergab schlendern darf, ein menschliches Wesen aber so einen schweren Anhänger ziehen muss?»

Sie hupten weiter, und der Lärm schwoll an.

«Seht ihr denn nicht, dass hier etwas falsch läuft?», schrie er. Sie antworteten mit ihren Hupen. Die Welt reagierte wütend auf seine Wut. Sie wollte ihn aus dem Weg schaffen. Doch er genoss es, genau da zu sein, wo er war, und all diesen reichen und wichtigen Leuten im Weg zu stehen.

An diesem Abend zeigte der Himmel großartige rosa Streifen. Nach Ladenschluss gingen die Kulis in die Gasse hinter dem Geschäft. Sie kauften immer abwechselnd kleine Flaschen mit Landschnaps, teilten ihn unter sich, wurden albern und schmetterten aus vollem Hals, aber völlig falsch, Filmsongs auf Kannada.

Chenayya machte nie mit. «Ihr verschwendet euer Geld, ihr Idioten!», rief er ihnen manchmal zu. Dann verspotteten sie ihn einfach.

Er trank nicht. Er hatte sich geschworen, die bitter verdienten Früchte seiner Arbeit nicht mit Alkohol zu vergeuden. Doch der Schnapsgeruch, der in der Luft hing, machte ihm den Mund wässrig, und angesichts der Ausgelassenheit und guten Laune der anderen Fahrradkulis fühlte er sich einsam. Er schloss die Augen und öffnete sie wieder, als er ein Klimpern hörte.

Auf den Stufen eines unbewohnten Gebäudes in seiner Nähe war wie üblich eine fette Prostituierte erschienen, um ihre Dienste anzubieten. Sie klatschte in die Hände und warb um Aufmerksamkeit, indem sie mit zwei Münzen klimperte. Ein Kunde näherte sich, und sie feilschten um den Preis. Das Geschäft kam nicht zustande, und der Mann verzog sich fluchend.

Chenayya lag, die Füße über dem Rand, auf seinem Anhänger und beobachtete das Geschehen mit einem trägen Grinsen.

«Hey, Kamala!», rief er der Prostituierten zu. «Warum lässt du mich heute Abend nicht mal ran?»

Sie wandte ihr Gesicht von ihm ab und klimperte weiter mit den Münzen. Er starrte ihre prallen Brüste an, die dunkle Spitze des Ausschnitts, die durch die Bluse sichtbar war, und ihre grell geschminkten Lippen.

Er blickte zum Himmel auf. Er durfte nicht immer an Sex denken. Rosa Streifen zwischen den Wolken. Gab es denn da oben keinen Gott oder irgendjemanden, fragte er sich, der auf diese Erde heruntersah? Eines Abends, als er ein Paket am Bahnhof abgeliefert hatte, hatte er einem moslemischen Derwisch zugehört, der in einer Ecke des Bahnhofs vom Mahdi erzählte, dem letzten Imam, der auf die Erde kommen und mit dem Bösen aufräumen würde. «Allah ist der Schöpfer aller Menschen», hatte der Derwisch gemurmelt, «der armen wie der reichen.

Und Er sieht unser Leid, und wenn wir leiden, leidet Er mit uns. Und am Ende aller Tage wird Er auf einem weißen Pferd mit einem Flammenschwert den Mahdi schicken, um den Reichen ihren Platz zuzuweisen und alles, was in der Welt falsch ist, zu korrigieren.»

Als Chenayya einige Tage später zu einer Moschee ging, fand er, dass die Moslems stanken, und hielt sich nicht lange dort auf. Doch den Mahdi hatte er nie vergessen. Immer wenn er am Himmel einen rosa Streifen sah, glaubte er, einen Gott der Gerechtigkeit zu entdecken, der über die Erde wachte und vor Zorn glühte.

Chenayya schloss die Augen und hörte wieder das Klimpern der Münzen. Er wälzte sich unruhig hin und her, bedeckte schließlich sein Gesicht mit einem Lumpen, damit die Sonne ihn nicht wecken konnte, und schlief ein. Eine halbe Stunde später erwachte er von einem brennenden Schmerz in den Rippen. Polizisten stießen den Fahrradkulis ihre Rohrstöcke in die Rippen. Ein Lastwagen fuhr auf diesem Teil des Marktes vor. «Alle Fahrradkulis! Steht auf und schafft eure Anhänger weg!»

*

Der Wettbewerb im Drachensteigenlassen fand zwischen zwei Häusern in der Nähe statt. Die Besitzer der Drachen waren nicht zu sehen. Während Chenayya sich mit einer Neemwurzel die Zähne putzte, konnte er nur den schwarzen und den roten Drachen erkennen, die sich am Himmel bekämpften. Wie immer gewann das Kind mit dem schwarzen Drachen; sein Drachen stieg am höchsten. Chenayya fragte sich, warum das arme Kind mit dem roten Drachen nie gewinnen konnte.

Er spuckte aus und ging ein paar Schritte, um an einer Mauer zu urinieren.

Hinter sich hörte er Gejohle. Die anderen Fahrer urinierten genau dahin, wo sie geschlafen hatten.

Er sagte nichts dazu. Chenayya redete nie mit seinen Kollegen. Er konnte kaum ihren Anblick ertragen – wie sie vor Mr Ganesh Pai buckelten und krochen. Ja, vielleicht tat er das auch, aber er war wütend und kochte innerlich. Die anderen Männer schienen nicht einmal dazu in der Lage zu sein, schlecht von ihrem Chef zu denken, und er hatte keinen Funken Respekt vor Leuten, denen Auflehnung derart fremd war.

Als der tamilische Junge den Tee nach draußen brachte, gesellte er sich widerwillig zu den Fahrern. Wie fast jeden Morgen hörte Chenayya sie wieder einmal von den Autorikschas reden, die sie sich kaufen wollten, wenn sie erst einmal hier raus wären, oder über die kleine Teestube, die sie eröffnen wollten.

«Denkt doch mal nach», hätte er gern zu ihnen gesagt. «Denkt doch nur mal nach!»

Mr Ganesh Pai gewährte ihnen gerade mal zwei Rupien pro Fahrt, sodass sie bei drei Fahrten täglich auf sechs Rupien kamen. Abzüglich Lottolose und Schnaps konnte man dann mit etwas Glück zwei Rupien sparen. Sonntags und an Hindufeiertagen war frei. Am Monatsende hatte man dann also nicht mehr als vierzig oder fünfundvierzig Rupien gespart. Eine Reise ins Dorf, ein Abend mit einer Hure, ein ausgedehntes Trinkgelage, und schon sind die Ersparnisse eines Monats einfach weg. Angenommen, man würde alles sparen, was man sparen konnte, dann hätte man mit viel Glück vierhundert im Jahr verdient. Eine Autorikscha kostete zwölf- bis vierzehntausend. Eine kleine Teestube viermal so viel. Das bedeutete also fünfunddreißig Jahre solche Arbeit, bis man etwas anderes machen könnte. Aber glaubten sie wirklich, dass ihre Körper so lange durchhielten? Gab es hier auch nur einen einzigen Fahrradkuli, der älter als vierzig war?

Denkt ihr jemals über diese Dinge nach, ihr Dummköpfe?

Aber als er einmal versucht hatte, ihnen den Zusammenhang zu erklären, hatten sie sich geschlossen geweigert, mehr zu fordern. Sie schätzten sich glücklich. Es gab Tausende, die ihren Job vom Fleck weg übernommen hätten. Und er wusste auch, dass sie recht hatten.

Trotz ihrer Vernunft und ihrer berechtigten Ängste, nagte ihre dumpfe Rückgratlosigkeit an ihm. Deshalb, dachte er, konnte sich Mr Ganesh Pai auch sicher sein, dass, wenn ein Kunde einem Fahrradkuli Tausende von Rupien bar in die Hand drückte, alles bis zur letzten Rupie zu ihm gelangte, ohne dass der Fahrer auch nur einen einzigen Schein unterschlug.

Natürlich plante Chenayya schon seit Langem, eines Tages das Geld eines Kunden zu stehlen. Er würde die Rupien einfach einstecken und aus der Stadt verschwinden. So viel war sicher – eines nicht so fernen Tages würde er das tun.

An jenem Abend drängten sich die Fahrer um einen Mann in einem blauen Safarianzug, einen wichtigen, gebildeten Mann, der ihnen Fragen stellte. Er hielt einen kleinen Notizblock in der Hand und sagte, er komme aus Madras.

Er fragte die Fahrer nach ihrem Alter. Niemand war sich sicher. Als er sagte: «Können Sie es grob schätzen?», nickten sie nur. Als er sagte: «Sind Sie achtzehn oder zwanzig oder dreißig – Sie müssen doch *irgendeine* vage Ahnung haben?», nickten sie einfach noch einmal.

«Ich bin neunundzwanzig!», rief Chenayya von seinem Anhänger.

Der Mann nickte und notierte sich etwas auf seinem Block.

«Sagen Sie mal, wer sind Sie eigentlich?», sagte Chenayya. «Warum stellen Sie uns all diese Fragen?»

Er sagte, dass er Journalist sei, und das beeindruckte die Fahrradkulis. Er arbeitete für eine englischsprachige Zeitung in Madras, und das beeindruckte sie noch viel mehr.

Sie staunten darüber, dass ein elegant gekleideter Mann höflich mit ihnen sprach, und baten ihn, auf einer Pritsche Platz zu nehmen, das einer von ihnen mit der Hand sauber wischte. Der Mann aus Madras zupfte an seiner Hose und setzte sich.

Dann wollte er wissen, was sie zu essen bekamen. Auf seinem Block listete er alles auf, was sie täglich aßen. Dann schwieg er und kratzte mit seinem Stift emsig auf dem Block herum, während sie gespannt warteten.

Schließlich legte er den Block beiseite und verkündete mit einem fast triumphierenden Grinsen: «Die Arbeit, die Sie leisten, übersteigt die von Ihnen konsumierte Kalorienmenge. Mit jeder Tour begehen Sie Tag für Tag Selbstmord auf Raten.»

Zum Beweis seiner Behauptung zeigte er ihnen den mit Kringeln, Pfeilen und Zahlen bekritzelten Notizblock.

«Warum machen Sie nicht etwas anderes? Zum Beispiel Fabrikarbeit? Irgendwas anderes? Warum lernen Sie nicht lesen und schreiben?»

Chenayya sprang von seinem Anhänger.

«Bevormunden Sie uns nicht, Sie Arschloch!», schrie er. «Wer in diesem Land arm geboren wird, ist dazu verdammt, arm zu sterben. Für uns gibt es keine Hoffnung und keinen Grund für Mitleid. Und schon gar nicht von einem wie Ihnen, der noch nie auch nur einen Finger gerührt hat, um uns zu helfen. Ich spucke auf Sie. Ich spucke auf Ihre Zeitung. Es ändert sich nie etwas. Es wird sich nie etwas ändern. Sehen Sie mich an.» Er streckte die Handflächen aus. «Ich bin neunundzwanzig Jahre alt. Ich bin jetzt schon gebeugt und ausgelaugt. Falls ich vierzig werden sollte, was erwartet mich dann? Dann bin ich ein verbrauchtes schwarzes Strichmännchen. Meinen Sie etwa, ich wüsste das nicht? Meinen Sie, ich bräuchte Ihren Notizblock und Ihr Englisch, damit Sie mir das erklären? Ihr seid das doch, die uns in diesem Zustand halten, Ihr Leute aus der Stadt, Ihr reichen Säcke. Es liegt in eurem Interesse, uns wie Vieh zu behandeln! Sie Arschloch! Sie Englisch sprechendes Arschloch!»

Der Mann steckte seinen Block ein. Er sah zu Boden und schien nach einer Antwort zu suchen.

Chenayya spürte, dass ihm jemand auf die Schulter klopfte. Es war der tamilische Junge aus Mr Ganesh Pais Laden.

«Rede nicht so viel! Du bist an der Reihe!»

Einige der Fahrradkulis kicherten, als wollten sie zu Chenayya sagen: Geschieht dir ganz recht.

Sehen Sie! Er funkelte den Englisch sprechenden Mann aus Madras an, als wollte er sagen: Wir haben nicht einmal Redefreiheit. Wenn wir unsere Stimme erheben, befiehlt man uns einfach, den Mund zu halten.

Merkwürdigerweise grinste der Mann aus Madras nicht. Er hatte den Kopf abgewandt, als schäme er sich.

Als Chenayya an diesem Tag den Lighthouse Hill hochgestrampelt war und den Anhänger über den Kamm gezogen hatte, überkam ihn nicht das übliche Glücksgefühl. «Ich komme nicht wirklich voran», dachte er. Jede Umdrehung des Rads arbeitete gegen ihn und ließ ihn langsamer werden. Auf jeder Radtour drehte er das Rad des Lebens zurück, zerquetschte Muskeln und Gewebe wieder zu dem Brei, der sie im Mutterleib gewesen waren. Er vernichtete sich selbst.

Mitten im Straßenverkehr hielt er plötzlich an und stieg vom Rad, besessen von dem einfachen und klaren Gedanken: «Ich kann so nicht weitermachen.»

*

Warum machst du nicht etwas anderes, zum Beispiel Fabrikarbeit? Irgendetwas, das dich weiterbringt?

Immerhin hast du doch jahrelang Sachen an Fabriktoren abgeliefert – die Frage ist nur, wie du hineinkommst.

Am nächsten Tag fuhr er zur Fabrik. Er sah Tausende von Männern, die sich dort zur Arbeit meldeten, und er dachte: Was für ein Idiot ich doch war, dass ich noch nicht einmal versucht habe, hier Arbeit zu finden.

Er setzte sich, und keiner der Wächter stellte ihm Fragen, denn sie glaubten, er warte auf eine Auslieferung.

Er wartete bis zum Mittag, und dann kam ein Mann heraus. Aus der Anzahl der ihm folgenden Leute schloss Chenayya, dass er der große Boss sein musste. Er rannte an dem Wächter vorbei und warf sich auf die Knie: «Sir! Ich will arbeiten!»

Der Mann starrte ihn an. Die Wächter eilten herbei, um Chenayya wegzuschleifen, doch der Boss sagte: «Ich habe zweitausend Arbeiter, aber kein Einziger *will* arbeiten, und hier liegt dieser Mann auf seinen Knien und bettelt um Arbeit. Das ist die Haltung, die wir brauchen, um unser Land voranzubringen.»

Er zeigte auf Chenayya.

«Du bekommst keine Festanstellung. Verstanden? Tagelohn.»

«Alles, alles, was Sie wollen.»

«Welche Arbeit kannst du tun?»

«Alles, alles, was Sie wollen.»

«Na gut, komm morgen wieder. Im Moment brauchen wir keinen Kuli.»

«Jawohl, Sir.»

Der große Boss zog eine Zigarettenschachtel hervor und steckte sich eine an.

«Hört euch an, was dieser Mann zu sagen hat», sagte er, als sich eine Gruppe anderer Männer, die ebenfalls rauchten, um ihn scharte.

Und Chenayya wiederholte, dass er unter jeder Bedingung für jeden Lohn jede Arbeit tun würde.

«Sag das noch mal!», befahl der große Boss, und noch eine

andere Gruppe von Männern trat näher und hörte, was Chenayya sagte.

Am Abend kehrte er zu Mr Ganesh Pais Laden zurück und rief den anderen Männern zu: «Ich habe eine richtige Arbeit gefunden, ihr Arschlöcher. Ich bin hier weg!»

Nur der tamilische Junge warnte ihn.

«Chenayya, warum wartest du nicht einen Tag ab und siehst, ob der andere Job gut ist? Dann kannst du hier immer noch kündigen.»

«Kommt nicht infrage, ich kündige!», schrie er und ging davon.

Am nächsten Morgen fand er sich bei Morgengrauen wieder am Fabriktor ein. «Ich will mit dem großen Boss sprechen», sagte er und rüttelte an den Gitterstäben des Tors, um auf sich aufmerksam zu machen. «Er hat mir gesagt, dass ich heute kommen soll.»

Der Wächter, der gerade die Zeitung las, sah ihn wütend an.

«Hau ab!»

«Erinnern Sie sich nicht an mich? Ich war –»

«Hau ab!»

Er wartete weiter vor dem Tor. Nach einer Stunde wurde es geöffnet, und ein Auto mit getönten Scheiben kam heraus. Er lief neben dem Auto her und hämmerte gegen die Scheiben. «Sir! Sir! Sir!» Ein Dutzend Hände ergriff ihn von hinten, er wurde zu Boden gerissen und getreten.

Als er abends zu Mr Pais Laden zurückkehrte, erwartete der tamilische Junge ihn bereits. «Ich habe dem Boss nicht gesagt, dass du gekündigt hast», sagte er.

An diesem Abend zogen die anderen Fahrradkulis Chenayya nicht auf. Einer gab ihm eine Schnapsflasche, die noch halb voll war.

*

Es regnete pausenlos. Er radelte durch den strömenden Regen, der auf die Straße prasselte. Er trug einen langen, weißen Plastikumhang am Körper wie ein Leichentuch. Es war mit einem schwarzen Tuch an seinem Kopf befestigt, sodass es wie ein arabischer Umhang oder ein Kaftan aussah.

Dies war die gefährlichste Jahreszeit für die Kulis. An Schlaglöchern auf der Straße musste er langsam fahren, damit sein Anhänger nicht umkippte.

Als er an einer Straßenkreuzung wartete, sah er zu seiner Linken ein fettes Kind auf dem Sitz einer Autorikscha. Der Regen machte ihn übermütig; er streckte dem Bürschchen die Zunge heraus. Der Junge machte das Gleiche, und das Spiel setzte sich eine Weile fort, bis der Autorikschafahrer den Jungen ausschimpfte und Chenayya finster anstarrte.

Der Schmerz in seinem Nacken überfiel ihn wieder. So kann es nicht weitergehen, dachte er.

Von der gegenüberliegenden Straßenseite kam ein anderer Fahrradkuli, ein ganz junger Kerl, und fuhr neben Chenayya her. «Ich muss schnell ausliefern und sofort zurück», sagte er. «Der Boss sagt, er verlässt sich darauf, dass ich in einer Stunde wieder da bin.» Er grinste, und Chenayya hätte gern seine Faust in dieses Grinsen gepflanzt. Gott, die Welt ist voller Idioten, dachte er und zählte bis zehn, um sich zu beruhigen. Wie glücklich dieser Mensch zu sein scheint, sich durch Überstunden zerstören zu dürfen. *Du Blödmann!*, wollte er rufen. *Du und alle anderen! Ihr Blödmänner!*

Er senkte den Kopf, und plötzlich erschien es ihm wie eine riesige Plackerei, den Anhänger zu ziehen.

«Du hast 'nen Platten!», schrie der Blödmann. «Du musst anhalten!» Er grinste und radelte weiter.

Ich soll anhalten?, dachte Chenayya. Nein, so was tut doch nur ein Blödmann. Ich nicht! Mit gesenktem Kopf trat er weiter in die Pedale und zwang den platten Reifen vorwärts: Beweg dich!

Die alten Räder und ungeölten Ketten rasselten, und langsam und lärmend bewegte sich der Anhänger.

*

Jetzt regnet es, dachte Chenayya, als er nachts in seinem Anhänger lag. Er hatte eine Plastikplane über sich gezogen, um sich vor dem Regen zu schützen. Das bedeutet, dass die Hälfte des Jahres vorbei ist. Es muss Juni oder Juli sein. Und ich muss jetzt fast dreißig sein.

Er zog die Plane weg und hob den Kopf, um den Nackenschmerz zu lindern. Er traute seinen Augen nicht: Selbst bei diesem Regen ließ irgendein Arschloch seinen Drachen steigen! Es war das Kind mit dem schwarzen Drachen. Als ob es den Himmel und die Blitze herausfordern wollte, von ihnen zerschmettert zu werden. Chenayya sah zu und vergaß die Schmerzen.

Am Morgen erschienen zwei Männer in Kakiuniformen in der Gasse: Autorikschafahrer. Sie kamen, um sich unterm Wasserhahn am Ende der Gasse die Hände zu waschen. Die Fahrradkulis machten ihnen instinktiv Platz und ließen die beiden Uniformierten durch. Während sie sich die Hände wuschen, hörte Chenayya, dass sich die Autorikschafahrer über einen Kollegen unterhielten, der von der Polizei verhaftet worden war, weil er einen Kunden geschlagen hatte.

«Warum nicht?», sagte der eine zum anderen. «Er hatte jedes Recht, den Mann zu schlagen. Ich hätte mir nur gewünscht, dass er Ernst gemacht und dieses Arschloch umgebracht hätte, bevor ihn die Polizei festgenommen hat.»

Nachdem er sich die Zähne geputzt hatte, ging Chenayya zum Losverkäufer. Am Tisch saß ein völlig fremder Junge und schaukelte fröhlich mit den Beinen.

«Was ist mit dem alten Mann?»

«Weg.»

«Wohin?»

«In die Politik.»

Der Junge erzählte, was mit dem alten Losverkäufer geschehen war. Er hatte sich dem Wahlkampf eines Kandidaten der Nationalistenpartei für die Kommunalwahl angeschlossen. Sein Kandidat würde vermutlich die Wahl gewinnen. Dann würde der Alte auf der Veranda vor dem Haus des Kandidaten sitzen, und jeder, der den Kandidaten sprechen wollte, müsste ihm erst einmal fünfzig Rupien geben.

«Das ist das Leben eines Politikers – der schnellste Weg zum Reichtum», sagte der Junge. Er ließ die bunten Papierlose durch seine Finger gleiten. «Was darf's denn sein, Onkel? Ein gelbes? Oder ein grünes?»

Chenayya wandte sich ab, ohne eines der bunten Lose gekauft zu haben.

Warum, dachte er nachts, bin nicht ich das – der Mann, der in die Politik geht, um reich zu werden? Er wollte nicht vergessen, was er da erfahren hatte, und kniff sich deshalb kräftig in den Knöchel.

*

Wieder kam ein Sonntag. Sein freier Tag. Chenayya erwachte, als es zu heiß wurde, putzte sich dann nachlässig die Zähne und schaute hoch, ob die Jungen wieder Drachen steigen ließen. Die anderen Fahrradkulis wollten sich den neuen Hoyka-Tempel ansehen, den der Parlamentarier eröffnet hatte – nur für Hoykas, mit eigenem Hoyka-Gott und eigenen Hoyka-Priestern.

«Kommst du nicht mit, Chenayya?», riefen die anderen ihm zu.

«Was hat denn je ein Gott für mich getan?», schrie er zurück.

Sie kicherten über seine Unverschämtheit.

Blödmänner, dachte er und streckte sich wieder in seinem Anhänger aus. Beten zu irgendeiner Statue in irgendeinem Tempel und glauben, dass sie das zu reichen Männern macht.

Blödmänner!

Er bedeckte sein Gesicht mit seinem Arm. Dann hörte er das Klimpern von Münzen.

«Komm mal rüber, Kamala!», rief er der Prostituierten zu, die an ihrem Stammplatz stand und mit den Münzen spielte.

Nachdem er sie sechsmal verspottet hatte, schnauzte sie ihn an: «Verpiss dich, oder ich ruf Bruder!»

Als sie den Platzhirsch erwähnte, der in diesem Stadtteil die Bordelle kontrollierte, seufzte Chenayya und drehte sich in seinem Anhänger um.

Vielleicht, dachte er, wird es Zeit, dass ich heirate.

Den Kontakt zu all seinen Verwandten hatte er völlig verloren, und eigentlich wollte er auch nicht heiraten. Kinder in die Welt setzen – in was für eine Zukunft? Das war das Blödsinnigste, was die anderen Kulis machten: sich fortzupflanzen, als wollten sie damit sagen, dass sie mit ihrem Schicksal zufrieden waren, dass sie glücklich waren, die Welt voller zu machen, diese Welt, die ihnen diese Aufgabe übertragen hatte.

Er war immer nur voller Wut, und wenn er heiraten würde, dachte er, würde seine Wut vielleicht vergehen.

Als er sich in seinem Anhänger umdrehte, bemerkte er die Schwellung an seinem Fuß. Er runzelte die Stirn und versuchte sich daran zu erinnern, wie er sich die zugezogen hatte.

Als er am nächsten Morgen von einer Tour zurückkam, machte er einen Umweg und fuhr mit seinem Anhänger zum Büro der Kongresspartei in der Umbrella Street. Er hockte sich auf die Veranda und wartete darauf, dass jemand herauskäme, der wichtig aussah.

Ein Schild, das draußen hing, zeigte Indira Gandhi mit erhobener Hand und der Parole: *Mutter Indira beschützt die Armen.*

Er grinste süffisant. Waren die denn total verrückt? Meinten die wirklich, dass irgendjemand glaubte, Politiker würden die Armen beschützen?

Aber dann dachte er: Vielleicht war diese Frau, diese Indira Gandhi, doch etwas Besonderes gewesen; vielleicht hatten sie recht. Am Ende war sie erschossen worden, oder? Das kam ihm wie ein Beweis dafür vor, dass sie den Leuten tatsächlich hatte helfen wollen. Plötzlich schien es so zu sein, dass es doch noch gutherzige Männer und Frauen auf der Welt gab – und er hatte das Gefühl, sich durch seine Verbitterung von ihnen abgeschnitten zu haben. Jetzt bereute er es, so grob mit dem Journalisten aus Madras umgegangen zu sein.

Ein Mann in lockerer weißer Kleidung erschien, gefolgt von zwei oder drei Schranzen. Chenayya eilte auf ihn zu und fiel, die Handflächen aneinandergelegt, vor ihm auf die Knie.

Wenn er während der folgenden Woche für eine Weile mal nicht ausliefern musste, fuhr er mit seinem Rad in der Stadt herum, hängte in allen moslemisch dominierten Straßen Plakate des Kongresskandidaten auf und rief: «Wählt die Kongresspartei – die Partei der Moslems! Besiegt die Nationalisten!»

Wochen vergingen. Die Wahlen fanden statt, das Ergebnis wurde bekannt gegeben. Chenayya fuhr zum Parteibüro, stellte sein Rad draußen ab, ging zum Pförtner und wollte den Kandidaten sprechen.

«Er ist jetzt ein viel beschäftigter Mann. Warte einen Moment hier draußen», sagte der Pförtner. Er legte Chenayya die Hand auf den Rücken. «Du hast wirklich viel dazu beigetragen, dass wir im Bunder so gut abgeschnitten haben, Chenayya. Die Nationalisten haben uns überall sonst geschlagen, aber du hast dafür gesorgt, dass die Moslems uns gewählt haben!»

Chenayya strahlte. Er wartete vor der Parteizentrale und sah zu, wie lauter Autos vorfuhren und reiche und wichtige Leute ausspuckten, die hineineilten, um mit dem Kandidaten zu sprechen. Er sah sie und dachte: Ich werde hier warten, um mir mein Geld von den Reichen abzuholen. Nicht viel. Nur fünf Rupien von jedem, der zum Kandidaten will. Das müsste reichen.

Sein Herz pochte vor Aufregung. Eine Stunde verging.

Chenayya beschloss, ins Wartezimmer zu gehen, um deutlich zu machen, dass auch er mit dem wichtigen Mann zu reden hatte, sobald er sich endlich zeigen würde. Im Wartezimmer gab es Bänke und Hocker. Ein Dutzend anderer Männer warteten. Chenayya sah einen leeren Stuhl und fragte sich, ob er sich setzen dürfe. Warum nicht? Hatte er nicht auch zum Sieg beigetragen?

Er wollte sich gerade setzen, als der Pförtner sagte: «Setz dich auf den Boden, Chenayya.»

Noch eine Stunde verging. Jeder im Wartezimmer wurde der Reihe nach aufgerufen, um mit dem großen Mann zu sprechen; nur Chenayya hockte immer noch draußen und wartete, den Kopf auf die Hände gestützt.

Schließlich kam der Pförtner mit einer Schachtel runder gelber Süßigkeiten zu ihm. «Nimm dir was.»

Chenayya nahm sich ein Stück, wollte es schon in den Mund stecken, legte es dann aber wieder zurück. «Ich will nichts Süßes.» Er wurde plötzlich laut. «Ich habe in der ganzen Stadt Plakate aufgehängt! Jetzt will ich mit dem großen Mann sprechen! Ich will einen Job in – !»

Der Pförtner ohrfeigte ihn.

Ich bin hier der größte Idiot, dachte Chenayya, als er wieder in seiner Gasse war. Die anderen Fahrer lagen laut schnarchend in ihren Anhängern. Es war schon spät in der Nacht, aber er war der Einzige, der nicht einschlafen konnte. *Ich bin der größte Idiot. Ich bin hier der allergrößte Blödmann.*

*

Auf dem Weg zu seiner ersten Lieferadresse gab es am nächsten Morgen wieder einen Verkehrsstau vor der Umbrella Street – den größten, den er je erlebt hatte.

Er bremste und spuckte alle paar Minuten auf die Straße, um die Langeweile zu vertreiben.

Als er endlich am Ziel war, stellte er fest, dass sein Kunde Ausländer war. Er bestand darauf, Chenayya beim Ausladen der Möbel zu helfen, was Chenayya völlig verwirrte. Der Ausländer sprach die ganze Zeit Englisch mit Chenayya, als rechnete er damit, dass jedermann in Kittur diese Sprache beherrschte.

Am Ende schüttelte er Chenayya die Hand und gab ihm einen Fünfzig-Rupien-Schein.

Chenayya geriet in Panik – woher sollte er jetzt Wechselgeld nehmen? Er versuchte, sich verständlich zu machen, aber der Europäer grinste nur und schloss die Tür.

Dann begriff er und verbeugte sich tief vor der geschlossenen Tür.

Als er mit zwei Flaschen Schnaps in die Gasse zurückkehrte, drängten sich die anderen Fahrer um ihn.

«Woher hast du denn das Geld dafür, Chenayya?»

«Geht euch nichts an.»

Er leerte eine Flasche. Dann leerte er die zweite. Dann ging er zum Schnapsladen und kaufte sich noch eine Flasche Fusel. Als er am nächsten Morgen aufwachte, stellte er fest, dass er sein ganzes Geld für Schnaps ausgegeben hatte.

Alles.

Er vergrub sein Gesicht in den Händen und weinte.

Bei einer Lieferung im Bahnhof ging er zum Wasserhahn und trank. In der Nähe hörte er ein paar Autorikschafahrer von dem Fahrer reden, der den Kunden geschlagen hatte.

«Ein Mann hat das Recht zu tun, was er tun muss», sagte einer. «Die Lage der Armen wird hier immer unerträglicher.»

Aber sie selbst waren ja gar nicht arm, dachte Chenayya, als er Wasser über seinen trockenen Unterarm laufen ließ. Sie wohnten in Häusern, ihre Fahrzeuge gehörten ihnen selbst. Man muss schon ziemlich reich geworden sein, dachte er, bevor man sich über die Armut beklagen kann. Wenn man richtig arm ist, hat man kein Recht, sich zu beklagen.

«Seht mal – so was wollen die Reichen dieser Stadt aus uns machen!», sagte der Autorikschafahrer, und Chenayya merkte, dass er mit dem Finger auf ihn zeigte. «Sie wollen uns um unser Geld betrügen, bis wir zu so was geworden sind!»

Er radelte vom Bahnhof weg, musste aber ständig an ihre Worte denken. Er konnte seine Gedanken nicht abschalten. Sie tropften wie ein Wasserhahn. Denk, denk, denk. Er kam an einem Gandhi-Denkmal vorbei und fing wieder zu denken an. Gandhi hatte sich wie ein armer Mann gekleidet – er war angezogen wie Chenayya. Aber was hatte Gandhi für die Armen getan?

Hat es Gandhi überhaupt gegeben?, fragte er sich. Diese Dinge – Indien, der Ganges, die Welt jenseits Indiens –, waren die überhaupt echt?

Wie sollte er das je wissen?

Es gab nur eine Gruppe Menschen, die noch tiefer stand als er. Die Bettler. Ein falscher Schritt, und er würde zu ihnen gehören, dachte er. Ein Unfall. Und er wäre ein Bettler. Wie kamen die anderen damit klar? Gar nicht. Sie dachten lieber erst gar nicht darüber nach.

Als Chenayya an diesem Abend an einer Kreuzung hielt, streckte ihm ein alter Bettler die Hände entgegen.

Er wandte sein Gesicht ab und fuhr über die Straße zurück zu Mr Ganesh Pais Laden.

*

Am nächsten Morgen fuhr er mit fünf übereinandergestapelten Kartons im Anhänger wieder über den Hügel und dachte:

Weil wir es zulassen. Weil wir es nicht wagen, mit dem Fünfzigtausend-Rupien-Bündel einfach abzuhauen. Weil wir wissen, dass uns dann andere arme Leute einfangen und vor den reichen Mann zerren. Wir Armen haben unser Gefängnis selbst erbaut.

Am Abend legte er sich erschöpft hin. Die anderen hatten ein Feuer gemacht. Einer würde kommen und ihm etwas Reis geben. Er war der fleißigste Arbeiter. Deshalb hatte der Boss verfügt, dass er regelmäßig zu essen bekommen sollte.

Er sah zwei kopulierende Hunde. In dem, was sie taten, war keine Leidenschaft. Sie erleichterten sich bloß. Mehr möchte ich jetzt auch nicht, dachte er. Vögeln. Aber statt zu vögeln, muss ich hier liegen und denken.

Die dicke Prostituierte saß draußen.

«Lass mich mal ran», sagte er.

Sie sah ihn nicht einmal an, als sie den Kopf schüttelte.

«Nur einmal. Ich bezahl dich beim nächsten Mal.»

«Verschwinde, oder ich ruf Bruder», sagte sie und meinte den Platzhirsch, dem das Bordell gehörte und der jeden Abend seinen Anteil bei den Frauen eintrieb. Chenayya gab auf. Er kaufte sich eine kleine Flasche Schnaps und trank.

Warum denke ich so viel? Die Gedanken sind wie Dornen in meinem Kopf. Ich möchte sie loswerden. Selbst wenn ich trinke, sind sie da. Ich wache nachts auf, meine Kehle brennt, und mein Kopf ist immer noch voller Gedanken.

Er lag wach in seinem Anhänger. Er war sich sicher, noch in seinen Träumen von den Reichen gejagt worden zu sein, weil er wütend und verschwitzt aufgewacht war. Dann hörte er aus der Nähe Koitusgeräusche. Er sah sich um. Ein anderer Fahrradkuli vögelte die Prostituierte. Direkt neben ihm. Warum nicht ich?, fragte er sich. Warum nicht ich? Er wusste, dass der andere kein Geld hatte, also machte sie es aus reiner Barmherzigkeit. Warum nicht ich?

Jeder Seufzer, jedes Grunzen des kopulierenden Paars war wie eine Züchtigung. Und Chenayya konnte es nicht mehr ertragen.

Er kletterte aus dem Anhänger, lief umher, bis er auf dem Boden einen Kuhfladen entdeckte, und er nahm eine Handvoll und bewarf das Paar mit der Scheiße. Ein Schrei ertönte. Er lief zu ihnen und schmierte der Hure Scheiße ins Gesicht. Er schob ihr seine mit Scheiße beschmierten Finger in den Mund und ließ sie dort, obwohl sie ihn biss. Je härter sie zubiss, desto mehr genoss er es, und er ließ seine Finger dort, bis sich die anderen Fahrer auf ihn stürzten und ihn wegzerrten.

*

Eines Tages führte ihn eine Liefertour aus der Stadt heraus nach Bajpe. Er brachte einen Türrahmen zu einer Baustelle.

«Früher gab es hier mal einen großen Wald», erzählte ihm einer der Bauarbeiter. «Und das ist davon übrig geblieben.» Er deutete auf einen grünen Klumpen in der Ferne.

Chenayya sah den Mann an. «Gibt es hier Arbeit für mich?», fragte er.

Auf dem Rückweg bog er von der Straße ab und fuhr zu dem grünen Fleckchen. Als er ankam, stellte er sein Rad ab und ging umher. Er sah einen hohen Felsen, stieg hinauf und blickte auf die Bäume um ihn herum. Er hatte Hunger, weil er den ganzen Tag noch nichts gegessen hatte, aber er fühlte sich gut. Ja, hier draußen könnte er leben. Wenn er nur ein kleines bisschen zu essen hätte, könnte er sich nichts Besseres vorstellen. Seine schmerzenden Muskeln würden zur Ruhe kommen. Er bettete den Kopf auf den Felsen und sah in den Himmel.

Er träumte von seiner Mutter. Dann erinnerte er sich daran, mit welcher Begeisterung er als Siebzehnjähriger aus seinem Dorf nach Kittur gekommen war. Am ersten Tag hatte ihn eine Cousine herumgeführt und ihm einige der Sehenswürdigkeiten gezeigt, und er erinnerte sich an ihre weiße Haut, die die Stadt gleich doppelt so schön gemacht hatte. Er hatte die Cousine nie wieder gesehen. Er erinnerte sich an das, was als Nächstes gekommen war. Der schreckliche Abstieg, das Leben, das mit jedem Tag in der Stadt kleiner und kleiner wurde. Ihm wurde jetzt klar, dass der erste Tag in einer Stadt der beste war: Man war bereits in dem Moment aus dem Paradies vertrieben, in dem man die Stadt betrat.

Ich könnte ein *Sanyasi* werden, dachte er. Nur Blätter und Kräuter essen und mit Sonnenaufgang und Sonnenuntergang leben. Der Wind frischte auf. Die Bäume um ihn herum rauschten, als kicherten sie über ihn.

Als er zurückradelte, war es schon Nacht. Um schneller zum Laden zu kommen, nahm er die Straße über den Lighthouse Hill.

Als er hinunterfuhr, sah er erst ein rotes und dann ein grünes Licht, befestigt an einer riesigen Silhouette, die sich die Straße entlangbewegte. Einen Augenblick später begriff er, dass es ein Elefant war.

Es war der gleiche Elefant, der ihm schon einmal begegnet war, nur dass jetzt rote und grüne Warnlichter mit Stricken an seinem Hinterteil festgeschnallt waren.

«Was soll das bedeuten?», rief er dem Treiber zu.

«Na ja», rief der Treiber zurück, «ich muss halt dafür sorgen, dass nachts niemand von hinten in uns reinfährt – sonst gibt's hier ja keine Straßenlampen.»

Chenayya legte den Kopf in den Nacken und lachte. Das war das Lustigste, das er je gesehen hatte: ein Elefant mit einer Ampel am Hintern.

«Sie haben mich nicht bezahlt», sagte der Treiber. Er band das Tier am Straßenrand an und plauderte mit Chenayya. Er hatte ein paar Erdnüsse, wollte sie nicht allein essen und freute sich, einige mit Chenayya teilen zu können.

«Sie haben mich gezwungen, ein Kind reiten zu lassen, und dafür haben sie mich nicht bezahlt. Du hättest sehen sollen, wie sie getrunken und getrunken haben. Aber die fünfzig Rupien, die ich verlangt habe, wollten sie mir nicht geben. Ich wollte doch nur fünfzig Rupien.» Der Führer tätschelte seinem Elefanten die Flanke. «Nach allem, was Rani für sie getan hat – »

«So ist die Welt nun mal», sagte Chenayya.

«Dann ist die Welt verkommen.» Der Treiber kaute noch ein paar Erdnüsse. «Eine verkommene Welt.» Er tätschelte seinem Elefanten die Flanke.

Chenayya sah sich das Tier genauer an.

Das Ungetüm blickte ihn aus den Augenwinkeln an. Die Augen schimmerten dunkel, fast so, als weinten sie. Auch das Tier schien sagen zu wollen: «So sollten die Dinge nicht sein.»

Der Treiber pisste gegen die Mauer, warf den Kopf in den Nacken, bog den Rücken nach hinten und atmete erleichtert aus, als ob es das Schönste wäre, was er den ganzen Tag getan hatte.

Chenayya wandte den Blick nicht von den traurigen, feuchten Augen des Elefanten ab. Es tut mir leid, dass ich über dich geflucht habe, Bruder, dachte er, gab dem Elefanten einen Klaps und sprach laut mit ihm.

Der Treiber stand an der Mauer, beobachtete, wie Chenayya mit dem Elefanten sprach, und eine dunkle Ahnung stieg in ihm auf.

*

Vor der Eisdiele leckten zwei Kinder an ihrem Eis am Stiel und starrten Chenayya an. Er lag, todmüde nach einem langen Arbeitstag, ausgestreckt auf seinem Anhänger.

«Könnt ihr mich nicht sehen?», wollte Chenayya durch den Verkehrslärm brüllen. Sein Magen knurrte. Er war müde und hungrig, und es würde noch eine ganze Stunde dauern, bis der tamilische Junge aus Mr Ganesh Pais Laden mit dem Essen käme.

Eines der Kinder auf der anderen Straßenseite wandte sich ab, als hätte es die Wut in den Augen des Fahrradkulis gespürt. Aber das andere, ein fetter, hellhäutiger Lümmel, rührte sich nicht, leckte mit der Zunge an seinem Eis und starrte Chenayya herablassend an.

Hast du überhaupt kein Schamgefühl, keinen Sinn für Anstand, du fettes Arschloch?

Er drehte sich in seinem Anhänger um und fing an, laut zu sprechen, um seine Nerven zu beruhigen. Sein Blick fiel auf die verrostete Säge, die hinten im Anhänger lag. «Was hält mich eigentlich davon ab», sagte er laut, «über die Straße zu gehen und den Jungen zu Kleinholz zu machen?»

Allein schon der Gedanke verlieh ihm ein Machtgefühl.

Ein Finger tippte ihm auf die Schulter. Wenn es das fette Arschloch mit seinem Eis ist, nehme ich die Säge und säge ihn in zwei Teile. Das schwöre ich bei Gott.

Es war der tamilische Verkäufer aus dem Laden.

«Du bist dran, Chenayya.»

Er schob den Anhänger zum Ladeneingang, wo ihm der Junge ein kleines, in Zeitungspapier eingewickeltes und mit weißem Band verschnürtes Päckchen gab.

«Das geht an die gleiche Adresse, an die du vor Kurzem den Fernsehtisch geliefert hast. Das Haus von Mrs Engineer. Wir haben vergessen, das Bonusgeschenk mitzuschicken, und sie hat sich beschwert.»

«Oh nein», knurrte er. «Die gibt überhaupt kein Trinkgeld. Das ist eine totale Fotze.»

«Du musst aber fahren, Chenayya. Du bist an der Reihe.»

Er radelte langsam hin. Vor jeder Kreuzung und jeder Ampel blickte er auf die Säge in seinem Anhänger.

Mrs Engineer öffnete höchstpersönlich. Sie sagte, sie sei gerade am Telefon. Er solle draußen warten.

«Das Essen im Lions Club macht so furchtbar dick», hörte er sie sagen. «Ich habe im letzten Jahr zehn Kilo zugenommen.»

Er blickte sich hastig um. In den Nachbarhäusern brannte nirgends Licht. Hinterm Haus schien es ein Nachtwächterhäuschen zu geben, aber das war auch dunkel.

Er nahm die Säge und ging hinein. Sie wandte ihm den Rücken zu. Im Spalt zwischen Bluse und Rock sah er ihr weißes Fleisch. Er roch den Duft ihres Körpers. Er kam näher.

Sie drehte sich um und bedeckte dann den Hörer mit der Hand. «Nicht hier rein, du Idiot! Leg es einfach auf den Boden und verschwinde!»

Er stand verwirrt da.

«Auf den Boden!», schrie sie ihn an. «Und dann raus!»

Er nickte, ließ die Säge auf den Boden fallen und lief nach draußen.

«Hey! Lass das nicht hier liegen! Oh, mein Gott!»

Er lief zurück, hob die Säge auf, verließ das Haus und bückte sich unter den Zweigen des Neembaums hindurch. Er warf die Säge laut scheppernd in den Anhänger. Das Bonusgeschenk. Wo war das noch? Er nahm schnell das Päckchen, lief ins Haus, legte es irgendwo ab und knallte die Tür zu.

Er hörte ein aufgeregtes Miauen. Auf einem Ast des Baumes saß eine Katze und sah ihn aufmerksam an. Er ging näher heran. Wie schön ihre Augen sind, dachte er. Wie Juwelen, die aus dem Thron gefallen sind, die Ahnung einer Welt voller Schönheit, von der er nichts wusste und zu der er keinen Zugang hatte. Er streckte die Hand nach der Katze aus, und sie kam zu ihm.

«Miez, Miez», sagte er und streichelte ihr Fell. Sie wand sich, schon wieder unruhig, in seinen Armen.

Ich hoffe nur, dass irgendwo ein armer Mann der Welt einen Schlag versetzt. Weil es keinen Gott gibt, der über uns wacht. Niemand kommt, um uns aus dem Gefängnis zu erlösen, in das wir uns selbst eingesperrt haben.

Das alles wollte er der Katze sagen. Vielleicht würde sie es dann einem anderen Fahrradkuli erzählen – dem, der mutig genug wäre, den Schlag zu führen.

Er saß an der Mauer, hielt immer noch die Katze im Arm und streichelte ihr Fell. Vielleicht kann ich dich mitnehmen, Kätzchen. Aber womit sollte er sie füttern? Wer würde sich um sie kümmern, wenn er nicht da wäre? Er ließ sie los. Er lehnte mit dem Rücken an der Mauer und sah zu, wie sie vorsichtig zu einem Auto lief und sich darunter verkroch. Er reckte den Kopf vor, um zu sehen, was sie da unten machte, als er von oben einen Schrei hörte. Es war Mrs Engineer, die ihm aus einem Fenster im ersten Stock ihrer Villa etwas zurief.

«Ich weiß, was du willst, du Gauner – ich kann deine Gedanken lesen! Von mir kriegst du keine einzige Rupie mehr! Mach, dass du wegkommst!»

Er spürte keine Wut mehr. Und er wusste, dass sie recht hatte. Er musste zurück zum Laden. Bald würde die Reihe wieder an ihm sein. Er stieg auf sein Fahrrad und trat entschlossen in die Pedale.

Im Stadtzentrum war Stau, und Chenayya musste wieder über den Lighthouse Hill. Auch hier herrschte starker Verkehr. Er bewegte sich stoßweise ein paar Zentimeter, und dann musste Chenayya wieder auf halber Strecke anhalten und den Fuß auf den Boden stemmen, damit der Anhänger nicht weiterrollte. Als die Hupen ertönten, erhob er sich vom Sitz und trat in die Pedale. Hinter ihm bewegten sich in einer langen Reihe Autos und Busse, als ob er den ganzen Verkehr an einer unsichtbaren Kette hinter sich herzöge.

VIERTER TAG (NACHMITTAG): DIE KREUZUNG COOL-WATER WELL

Der alte Brunnen Cool-Water Well trocknet angeblich nie aus, ist inzwischen aber überbaut, und auf dieser Fläche befindet sich ein Kreisverkehr. In der Gegend um den Brunnen liegen eine Reihe bürgerlicher Wohnviertel. Geschäftsleute aller Kasten – Bunts, Brahmanen und Katholiken – leben hier Seite an Seite. Die reichen Moslems wohnen jedoch weiterhin im Hafenviertel. Am Cool-Water Well liegt der exklusivste Club der Stadt, der Canara Club, der in einer großen weißen Villa, umgeben von gepflegtem Rasen, untergebracht ist. Hier ist das «Intellektuellenviertel»; dort findet man den Lions Club, den Rotary Club, eine Freimaurerloge, ein pädagogisches Zentrum der Baha'i, eine theosophische Gesellschaft und eine Niederlassung der Alliançe Française of Pondicherry. Unter den zahlreichen hier angesiedelten medizinischen Versorgungseinrichtungen zählen das Havelock Henry General Hospital und Dr. Shambhu Shetty's Zahnklinik HAPPY SMILE zu den bekanntesten. Die St. Agnes Girls' High School, Kitturs begehrteste Mädchenschule, liegt nicht weit von der Kreuzung entfernt. Die schickste Adresse der Gegend um die Cool-Water-Well-Kreuzung ist eine von Hibiskusbäumen gesäumte, unter dem Namen Rose Lane bekannte Straße. Mabroor Engineer, der reichste Mann der Stadt, und Anand Kumar, Kitturs Parlamentsabgeordneter, haben hier ihre Villen.

*

«Es ist eine Sache, ein bisschen Cannabis in ein Fladenbrot einzurollen und am Ende des Tages daran zu knabbern, um die Muskeln zu entspannen – das kann ich einem Mann verzeihen, keine Frage. Aber eine solche Droge wie *Smack* um sieben Uhr morgens zu rauchen und dann mit heraushängender Zunge in der Ecke zu liegen, lasse ich keinem meiner Leute auf der Baustelle durchgehen. Haben Sie mich verstanden? Oder soll ich das noch mal auf Tamilisch wiederholen oder in dem, was auch immer ihr Leute sprecht?»

«Ich habe Sie verstanden, Sir.»

«Was hast du gesagt? Was hast du gesagt, du Sohn einer ...?»

Soumya hielt ihren Bruder an der Hand und sah zu, wie der Vorarbeiter ihren Vater zusammenstauchte. Der Vorarbeiter war jung, viel jünger als ihr Vater – aber er trug eine Kakiuniform, die ihm die Baufirma verpasst hatte, und wirbelte in der linken Hand mit einem Rohrstock herum, und sie sah, dass die Arbeiter dem Vorarbeiter ruhig zuhörten, statt ihren Vater zu verteidigen. Er saß auf einem blauen Stuhl auf einem Erdhügel. An einem Holzpfosten, der neben dem Stuhl in den Boden gerammt war, hing eine laut summende Gaslampe. Hinter ihm lag die Baugrube um das halb abgerissene Haus; das Hausinnere war voller Schutt, das Dach fast vollständig eingebrochen, und die Fenster gähnten leer. Mit dem Stock, der Uniform und seinem im Schein der flackernden Paraffinlampe streng wirkenden Gesicht sah der Vorarbeiter aus wie ein Herrscher der Unterwelt am Tor zu seinem Königreich.

Die Bauarbeiter hatten sich vor seinem Erdhügel in einem Halbkreis versammelt. Soumyas Vater stand abseits der anderen und blickte verstohlen zu Soumyas Mutter hinüber, die ihr Schluchzen mit einem Zipfel ihres Saris dämpfte. Mit tränenerstickter Stimme sagte sie: «Ich hab ihm schon so oft gesagt, er soll die Drogen lassen. Ich hab ihm schon so oft –»

Soumya fragte sich, warum ihre Mutter sich unbedingt vor allen anderen über ihren Vater beklagen musste. Raju drückte ihre Hand.

«Warum hacken alle auf Papa rum?»

Sie erwiderte den Druck. Still.

Plötzlich stand der Vorarbeiter von seinem Stuhl auf, machte einen Schritt von seinem Erdhügel hinunter und hob seinen Stock über Soumyas Vater. «Sieh dich vor, ich sag's dir.» Er ließ den Stock niedersausen.

Soumya schloss die Augen und wandte das Gesicht ab.

Die Arbeiter waren in ihre Zelte zurückgekehrt, die verstreut auf dem freien Feld um das dunkle, halb abgerissene Haus herumstanden. Soumyas Vater lag abseits aller anderen auf seiner blauen Matratze; er schnarchte schon, die Hände über die Augen gelegt. Früher wäre sie zu ihm gegangen und hätte sich an seine Seite gekuschelt.

Soumya ging zu ihrem Vater. Sie zupfte ihn an seinem großen Zeh, aber er reagierte nicht. Sie ging zu ihrer Mutter, die Reis kochte, und legte sich neben sie.

Am Morgen weckten sie Hämmer und Vorschlaghämmer Bamm! Bamm! Bamm! Mit verquollenen Augen ging sie zum Haus hinüber. Oben, auf den Resten des Dachs, hockte ihr Vater auf einem der schwarzen Eisenträger und bearbeitete ihn mit einer Säge. Unter ihm schlugen zwei Männer mit Vorschlaghämmern auf die Wand ein; unter ihren Hieben stiegen Staubwolken auf und hüllten ihren Vater ein, während er weiter sägte. Soumyas Herz machte einen Sprung.

Sie lief zu ihrer Mutter und rief: «Papa arbeitet wieder!»

Ihre Mutter war bei den anderen Frauen. Sie kamen vom Haus und balancierten große Metallkübel auf den Köpfen, die bis oben hin mit Schutt gefüllt waren. «Pass auf, dass Raju nicht nass wird», sagte sie, als sie an Soumya vorbeiging.

Erst jetzt merkte Soumya, dass es nieselte.

Raju lag auf der Decke, auf der seine Mutter gelegen hatte. Sie weckte ihn und brachte ihn in eines der Zelte. Raju begann zu wimmern und sagte, er wolle weiterschlafen. Sie ging zu der blauen Matte. Ihr Vater hatte den Reis von gestern Abend nicht angerührt. Sie mischte den kalten Reis mit Regenwasser, zerstampfte ihn zu Brei und stopfte ihn Raju häppchenweise in den Mund. Er mochte das nicht, und biss sie bei jeder Portion in den Finger.

Der Regen wurde stärker, und sie hörte den Vorarbeiter brüllen: «Nicht nachlassen, ihr Söhne von Kahlköpfigen!»

Als es zu regnen aufhörte, wollte Raju geschaukelt werden. «Es fängt gleich wieder an zu regnen», sagte sie, aber er wollte unbedingt seinen Willen haben. Sie trug ihn auf den Armen zu der alten Schaukel an der Grundstücksmauer, setzte ihn auf den Lastwagenreifen, gab ihm Anschwung und rief: «Eins! Zwei!»

Während sie ihn anschubste, erschien vor ihr ein Mann.

Seine dunkle nasse Haut war mit weißem Staub überzogen, und sie brauchte einen Moment, um ihn zu erkennen.

«Schätzchen», sagte er, «du musst Papa einen Gefallen tun.»

Ihr Herz schlug so schnell, dass sie kein einziges Wort herausbrachte. Sie wollte nicht, dass er «Schätzchen» so sagte, wie er es jetzt sagte – als sei es nur ein Wort, nur Luft, die er ausatmete –, sondern wie früher, als es aus vollem Herzen gekommen und damit einhergegangen war, dass er sie in die Arme genommen, fest an seine Brust gedrückt und ihr verrückte Sachen ins Ohr geflüstert hatte.

Er redete auf die gleiche merkwürdige, langsame, undeutliche Art weiter und sagte ihr, was er von ihr wollte. Dann ging er wieder zum Haus zurück.

Sie lief zu Raju, der gerade dabei war, mit einer Glasscherbe, die er von der Baustelle gestohlen hatte, einen Regenwurm in kleine Stücke zu schneiden, und sagte: «Wir müssen gehen.»

Obwohl er bei diesem Gang höchst lästig sein würde, konnte sie Raju nicht allein lassen. Einmal hatte sie ihn allein gelassen, und da hatte er ein Stück Glas verschluckt.

«Wo gehen wir hin?», fragte er.

«Zum Hafen.»

«Warum?»

«Am Hafen gibt es einen Ort, einen Garten, wo Papas Freunde auf ihn warten. Papa kann da nicht hingehen, weil ihn sonst der Vorarbeiter wieder verprügelt. Du willst doch wohl nicht, dass der Vorarbeiter Papa vor allen Leuten schlägt, oder?»

«Nein», sagte Raju. «Und was machen wir in dem Garten, wenn wir da sind?»

«Wir geben Papas Freunden in diesem Garten zehn Rupien, und dann geben sie uns etwas, das Papa *unbedingt* braucht.»

«Was denn?»

Sie sagte es ihm.

Raju, der schon einen guten Sinn fürs Geld hatte, fragte: «Wie teuer ist das?»

«Er hat gesagt, zehn Rupien.»

«Hat er dir zehn Rupien gegeben?»

«Nein. Papa hat gesagt, dass wir die selbst besorgen müssen. Wir müssen betteln.»

Während die beiden die Rose Lane entlanggingen, hielt Soumya den Blick gesenkt. Einmal hatte sie fünf Rupien auf dem Boden gefunden – jawohl, fünf! Man weiß ja nie, was man an einem Ort findet, an dem reiche Leute wohnen.

Sie wichen auf die andere Straßenseite aus. Ein weißes Auto fuhr einen Moment langsamer, um einem Schlagloch auszuweichen, und sie rief dem Fahrer zu: «Wo geht es zum Hafen, Onkel?»

«Das ist weit von hier», rief er zurück. «Geht bis zur Hauptstraße und dann links.»

Die getönten Fenster im Fond des Wagens waren geschlossen, aber durchs Fahrerfenster erhaschte Soumya einen Blick auf die goldenen Armreifen an der Hand der Beifahrerin. Sie wollte ans Fenster klopfen. Aber sie erinnerte sich an die Anweisung, die der Vorarbeiter allen Kindern der Tagelöhner gegeben hatte: Kein Betteln auf der Rose Lane. Nur auf der Hauptstraße. Sie riss sich zusammen.

Sämtliche Häuser an der Rose Lane wurden abgebrochen und neu gebaut. Soumya fragte sich, warum die Leute diese schönen, großen, weiß gestrichenen Häuser abrissen. Vielleicht wurden Häuser nach einer Weile unbewohnbar? Wie Schuhe.

Als die Ampel an der Hauptstraße auf Rot sprang, ging sie von Autorikscha zu Autorikscha und hielt ihre offene Hand hin und schloss sie wieder.

«Onkel, haben Sie Mitleid, ich verhungere.»

Ihre Technik war routiniert. Sie hatte sie von ihrer Mutter gelernt. Es ging so: Beim Betteln hielt sie drei Sekunden lang Blickkontakt, und dann wanderten ihre Augen bereits zur nächsten Autorikscha weiter. «Mutter, ich habe Hunger» (sie strich sich über den Bauch), «gib mir etwas zu essen» (sie schloss die Finger und führte sie rasch zum Mund).

«Großer Bruder, ich habe Hunger.»

«Opa, nur eine ganz kleine Münze – »

Während sie die Straße abarbeitete, saß Raju auf dem Boden und sollte wimmern, sobald jemand vorbeikam, der gut gekleidet war. Sie versprach sich nicht viel von ihm, aber wenn er auf dem Boden saß, würde er zumindest keinen weiteren Ärger machen, keinen Katzen nachlaufen und keine streunenden Hunde streicheln, die vielleicht tollwütig waren.

Um die Mittagszeit füllte sich die Straße mit Autos. Wegen

des Regens waren die Wagenfenster hochgekurbelt, und sie musste beide Hände an die Scheiben legen und wie eine Katze kratzen, um auf sich aufmerksam zu machen. In einem Auto waren die Fenster heruntergekurbelt, und sie dachte, dass sie nun mehr Glück haben würde.

Eine Frau in einem der Autos hatte ihre Hände mit wunderschönem Goldmuster bemalt, und Soumya bestaunte sie. Sie hörte, wie die Frau mit den goldenen Händen zu jemand anderem im Auto sagte: «Heutzutage ist die ganze Stadt voller Bettler. So schlimm war es noch nie.»

Die andere Person beugte sich vor und starrte Soumya einen Augenblick lang an. «Die sind so dunkelhäutig … wo kommen die nur her?»

«Wer weiß?»

Erst fünf Paise. Nach einer Stunde Arbeit.

Dann versuchte sie, in den Bus zu steigen, als er vor der roten Ampel hielt, um dort zu betteln, aber der Schaffner sah sie kommen und stellte sich in die Tür. «Nichts da.»

«Warum nicht, Onkel?»

«Was glaubst du wohl, was ich bin? Ein reicher Mann wie Mr Engineer? Bettel anderswo, du Göre!»

Er starrte sie finster an und schwang sein rotes Trillerpfeifenband über dem Kopf wie eine Peitsche. Sie verzog sich hastig.

«Das war ein richtiger Schwanzlutscher», sagte sie zu Raju, der ihr etwas zeigte: eine Plastikverpackung mit runden Luftblasen, die man platzen lassen konnte.

Sie vergewisserte sich, dass der Busschaffner sie nicht sah, kniete sich hin und legte das Plastikstück direkt vor einen Vorderreifen. Raju kroch näher: «Nein, noch nicht ganz. Die Räder rollen daran vorbei», sagte er. «Schieb es etwas mehr nach rechts.»

Als der Bus anfuhr, rollten die Räder über die Plastikfolie, und die Luftblasen explodierten, und einige der Fahrgäste erschraken, und der Schaffner streckte den Kopf aus dem Fenster, um zu sehen, was los war. Die beiden Kinder liefen weg.

Wieder begann es zu regnen. Die beiden krochen unter einen Baum. Kokosnüsse krachten zu Boden, und ein Mann, der mit einem Regenschirm neben ihnen gestanden hatte, sprang wie ein Frosch beiseite, fluchte über den Baum und rannte weg. Sie kicherte, aber Raju hatte Angst, von den herunterfallenden Kokosnüssen getroffen zu werden.

Als es zu regnen aufhörte, entdeckte sie einen Zweig und zeichnete damit eine Karte der Stadt, so wie sie sie sich vorstellte, in die Erde. Hier war die Rose Lane. Hier war die Stelle, von wo sie hergekommen waren, immer noch in der Nähe der Rose Lane. Hier – lag der Hafen. Und hier – der Garten im Hafen, zu dem sie wollten.

«Verstehst du das alles?», fragte sie Raju. Er nickte, begeistert vom Stadtplan.

«Um zum Hafen zu kommen, müssen wir», sie zeichnete noch einen Pfeil, «durch das große Hotel.»

«Und dann?»

«Und dann gehen wir zu dem Garten im Hafen …»

«Und dann?»

«Da finden wir das, was wir für Papa holen sollen.»

«Und dann?»

In Wirklichkeit hatte sie keine Ahnung, ob das Hotel auf dem Weg zum Hafen lag oder nicht. Aber der Regen hatte die Fahrzeuge von der Straße vertrieben, und das Hotel war der einzige Ort, wo sie jetzt noch um Geld betteln konnten.

«Du musst die Touristen auf Englisch anbetteln», neckte sie Raju, als sie zum Hotel gingen. «Weißt du, was du auf Englisch sagen musst?»

Vor dem Hotel blieben sie stehen und sahen ein paar Krähen

zu, die in einer Pfütze badeten. Die Sonne schien aufs Wasser, und das schwarze Gefieder der Krähen glänzte, als sie sich die glitzernden Wassertropfen abschüttelten. Raju sagte, das sei das Schönste, was er je gesehen hätte.

Vor dem Hotel saß der Mann ohne Arme und Beine. Von der anderen Straßenseite schrie er ihnen Beschimpfungen zu.

«Haut ab, ihr Teufelsbrut! Ich hab euch doch gesagt, dass ihr euch hier nie mehr blicken lassen sollt!»

«Zur Hölle mit dir, du Monster!», schrien sie zurück. «Wir haben *dir* gesagt, dass du dich hier nicht mehr blicken lassen sollst!»

Er saß auf einem Holzbrett mit Rädern. Immer wenn ein Auto bei der Ampel vor dem Hotel abbremste, rollte er auf seinem Holzbrett heran und bettelte von einer Seite. Soumya bettelte auf der anderen Seite des Autos.

Raju saß auf dem Pflaster und gähnte.

«Warum müssen wir betteln? Papa arbeitet heute doch. Ich hab gesehen, wie er diese Dinger gesägt hat.» Er spreizte die Beine und fing an, unter seinem Hintern einen imaginären Balken durchzusägen.

«Sei still.»

Zwei Taxis näherten sich langsam der roten Ampel. Der Mann ohne Arme und Beine rollte auf seinem Holzbrett zum ersten Taxi. Sie rannte zum zweiten und streckte die Hand durchs offene Fenster hinein. Drinnen saß ein Ausländer. Er starrte sie mit offenem Mund an. Sie sah, wie seine Lippen ein perfektes rosa O bildeten.

«Hast du Geld gekriegt?», fragte Raju, als sie von dem Auto, in dem der weiße Mann saß, zurückkam.

«Nein. Steh auf», sagte sie und zog den Jungen auf die Füße.

Nachdem sie an zwei weiteren Ampeln vorbeigekommen waren, hatte Raju es allerdings herausgekriegt. Er zeigte auf ihre Faust, die sich um etwas schloss.

«Du hast von dem weißen Mann Geld gekriegt. Du hast das Geld!»

Sie ging zu einer Autorikscha, die am Straßenrand parkte. «Wie kommen wir zum Hafen?»

Der Fahrer gähnte. «Ich hab kein Geld. Hau ab.»

«Ich frage nicht nach Geld. Ich frage nach dem Weg zum Hafen.»

«Ich hab doch gesagt, dass ich dir nichts gebe!»

Sie spuckte ihm ins Gesicht. Dann packte sie Raju am Handgelenk, und die beiden rannten wie gestochen los.

Der nächste Autorikschafahrer, den sie fragten, war ein freundlicher Mann. «Das ist sehr, sehr weit. Warum nehmt ihr keinen Bus? Mit der Nummer 343 kommt ihr hin. Sonst braucht ihr ein paar Stunden, jedenfalls zu Fuß.»

«Wir haben kein Geld, Onkel.»

Er gab ihnen eine Rupienmünze und fragte: «Wo sind eure Eltern?»

Sie stiegen in einen Bus und zahlten beim Schaffner. «Wo wollt ihr aussteigen?», schrie er.

«Am Hafen.»

«Dieser Bus fährt nicht zum Hafen. Ihr müsst den 343er nehmen. Dies ist Nummer – »

Sie stiegen aus und gingen zu Fuß.

Sie waren jetzt in der Nähe des Cool-Water Well. Sie stießen auf den Jungen, der nur einen Arm und ein Bein hatte und wie immer hier arbeitete. Er hüpfte von Auto zu Auto und bettelte, bevor sie die Autos erreichen konnten. Jemand hatte ihm heute einen Rettich geschenkt, sodass er mit einem großen, weißen Rettich in der Hand bettelte; er klopfte damit gegen die Scheiben, um auf sich aufmerksam zu machen.

«Untersteht euch, hier zu betteln, ihr Arschlöcher!», schrie er sie an und schwang drohend den Rettich.

Die beiden streckten ihm die Zunge heraus und schrien: «Missgeburt! Widerliche Missgeburt!»

Nach einer Stunde begann Raju zu weinen und weigerte sich weiterzugehen. Also durchsuchte Soumya einen Abfalleimer nach Essbarem. Sie fand eine Schachtel mit zwei Keksen, und jeder aß einen.

Sie gingen noch ein Stückchen. Nach einer Weile blähten sich Rajus Nüstern.

«Ich kann das Meer riechen.»

Das konnte sie auch.

Sie gingen schneller. Am Straßenrand sahen sie einen Mann, der ein Schild in englischer Sprache malte. Auf dem Dach eines weißen Fiats kämpften zwei Katzen. Ein Pferdefuhrwerk, beladen mit gespaltenem Holz. Ein Elefant, der mit einer Ladung Neemblätter die Straße entlangtrottete. Ein Autowrack. Und eine tote Krähe, die auf dem Rücken lag und die Klauen steif an die Brust gezogen hatte; ihre Bauchdecke war geöffnet und wimmelte von schwarzen Ameisen.

Dann waren sie am Hafen.

Die Sonne ging über dem Meer unter, und sie liefen an den belebten Marktständen vorbei und suchten einen Garten.

«Hier am Hafen gibt es keine Gärten. Deswegen ist hier auch die Luft so schlecht», sagte ihnen ein alter Moslem, der Erdnüsse verkaufte. «Hier seid ihr falsch.»

Als er ihre niedergeschlagenen Gesichter sah, bot er ihnen eine Handvoll Erdnüsse zum Knabbern an.

Raju heulte. Er hatte Hunger … zum Teufel mit den Erdnüssen! Er stieß die Hand des Moslems beiseite, und der nannte ihn einen Teufel.

Das machte Raju so wütend, dass er seiner Schwester weglief, und sie rannte ihrem Bruder hinterher, bis er endlich stehen blieb.

«Guck mal!», kreischte er und zeigte mit dem Finger auf eine Reihe verstümmelter Männer mit verbundenen Gliedern, die vor einem Gebäude mit einer weißen Kuppel saßen.

Zaghaft gingen sie um die Leprakranken herum. Und dann sah sie einen Mann, der mit vor dem Gesicht verschränkten Händen und schwer atmend auf einer Bank lag. Sie näherte sich der Bank und sah, direkt am Ufer und eingezäunt von einer niedrigen Steinmauer, einen kleinen grünen Park, einen Garten.

Raju war jetzt still.

Als sie in den Park kamen, hörten sie Geschrei. Ein Polizist schlug auf einen sehr dunklen Mann ein. «Hast du die Schuhe gestohlen? Ja?»

Der dunkle Mann schüttelte den Kopf. Der Polizist schlug ihn noch härter. «Sohn einer Kahlköpfigen! Du nimmst diese Drogen, und dann stiehlst du, und du – Sohn einer Kahlköpfigen, du –!»

Drei weißhaarige Männer, die sich neben ihr in einem Gebüsch versteckten, machten Soumya mit Gesten verständlich, dass sie bei ihnen sicher sei. Sie schob Raju ins Gebüsch, und sie warteten dort, bis der Polizist verschwunden war.

Sie flüsterte den drei weißhaarigen Männern zu: «Ich bin die Tochter von Ramachandran, dem Mann, der die Häuser der reichen Leute in der Rose Lane abreißt.»

Keiner der drei kannte ihren Vater. «Was willst du, kleines Mädchen?»

Soumya sagte das Wort, so gut sie sich daran erinnern konnte: «... *Smack*.»

Einer der Männer, der ihr Anführer zu sein schien, runzelte die Stirn: «Sag das noch mal.»

Als sie das merkwürdige Wort wiederholte, nickte er. Er zog

eine aus Zeitungspapier gefaltete Tüte aus der Tasche und klopfte drauf: Wie gemahlener Kalk rieselte weißes Pulver heraus. Dann holte er eine Zigarette aus seiner Tasche, schlitzte sie auf, klopfte den Tabak heraus, füllte stattdessen das weiße Pulver hinein und stopfte sie wieder fest. Er hielt die Zigarette hoch und streckte Soumya die andere Hand hin.

«Zwölf Rupien.»

«Ich habe nur neun», sagte Soumya. «Sie müssen neun nehmen.»

«Zehn.»

Sie gab ihm das Geld und nahm die Zigarette. Ein schrecklicher Verdacht stieg in ihr auf.

«Wenn Sie mich berauben, wenn Sie mich betrügen, dann kommen Raju und ich mit meinem Papa zurück und verprügeln euch alle.»

Die drei Männer kauerten sich aneinander. Sie begannen zu zittern, und dann lachten sie alle. Irgendwas stimmte mit ihnen nicht. Sie fasste Raju am Handgelenk, und sie liefen davon.

Bilder der Szene, die kommen musste, gingen ihr flüchtig durch den Kopf. Sie würde Papa zeigen, was sie ihm von so weit her geholt hatte. «Schätzchen», würde er sagen – auf die Art, wie er es früher gesagt hatte – und sie fest an sich drücken, und sie würden vor lauter Liebe zueinander ganz außer sich sein.

Nach einer Weile brannte ihr linker Fuß, und sie bewegte die Zehen und starrte sie an. Raju bestand darauf, getragen zu werden. Sehr verständlich, dachte sie. Der kleine Bursche hatte sich heute wacker geschlagen.

Es begann wieder zu regnen. Raju weinte. Sie musste ihm dreimal damit drohen, ihn allein zu lassen. Einmal ließ sie ihn tatsächlich stehen und ging einen ganzen Block weiter, bis er ihr nachgelaufen kam und von einem riesigen Drachen erzählte, der ihn verfolgte.

Sie stiegen in einen Bus.

«Tickets!», rief der Fahrer, aber sie blinzelte ihm zu und sagte: «Bitte, lass uns umsonst mitfahren, großer Bruder. Bitte.»

Sein Gesicht wurde weich, und sie durften nach hinten durchgehen.

Als sie wieder in der Rose Lane ankamen, war es stockdunkel. Sie sahen, wie überall in den Villen die Lichter angingen. Der Vorarbeiter saß unter seiner Gaslaterne und redete mit einem der Arbeiter. Das Haus sah jetzt kleiner aus; sämtliche Querbalken waren abgesägt worden.

«Habt ihr etwa in dieser Gegend gebettelt?», brüllte der Vorarbeiter, als er die beiden sah.

«Nein, haben wir nicht.»

«Lügt mich nicht an! Ihr wart den ganzen Tag weg – und was habt ihr wohl gemacht? An der Rose Lane gebettelt!»

Voller Verachtung schürzte sie die Oberlippe.

«Warum fragen Sie uns nicht erst, ob wir hier gebettelt haben, bevor Sie uns beschuldigen?»

Der Vorarbeiter sah sie finster an, sagte jedoch nichts mehr. Die Logik des Mädchens hatte ihn besiegt.

Raju lief voraus und schrie nach seiner Mutter. Sie fanden ihre Mutter; sie schlief, allein in ihrem regennassen Sari. Raju lief zu ihr, schmiegte den Kopf an ihre Seite und rieb sich wie ein Kätzchen an ihrem Körper, um sich aufzuwärmen. Die schlafende Frau stöhnte und drehte sich auf die andere Seite. Mit einem Arm begann sie, Raju wegzuschieben.

«Amma», sagte er und schüttelte sie. «Amma! Ich hab Hunger! Soumya hat mir den ganzen Tag nichts zu essen gegeben! Sie hat mich die ganze Zeit laufen lassen, und dann musste ich in einen Bus steigen und in noch einen, und alles ohne Essen! Ein weißer Mann hat ihr hundert Rupien gegeben, aber sie hat mir nie was zu essen oder zu trinken gegeben.»

«Lüg nicht!», zischte Soumya. «Was ist mit den Keksen?»

Aber er schüttelte sie weiter. «Amma! Soumya hat mir den ganzen Tag nichts zu essen oder zu trinken gegeben.»

Die beiden Kinder fingen an zu rangeln. Dann tippte eine Hand Soumya leicht auf die Schulter.

«Schätzchen.»

Als er seinen Vater sah, begann Raju albern zu lächeln, wandte sich ab und lief wieder zu seiner Mutter. Soumya und ihr Vater gingen ein paar Schritte beiseite.

«Hast du es, Schätzchen? Hast du das Zeug?»

Sie atmete durch. «Hier», sagte sie und legte das Päckchen in seine Hände. Er hob es an die Nase, schnüffelte und schob es sich unters Hemd. Sie sah, wie er in seinen Sarong und in die Leistengegend griff. Er streckte die Hand aus. Sie wusste, endlich würde er sie liebkosen.

Er packte ihr Handgelenk. Seine Finger schnitten ihr ins Fleisch.

«Was ist mit den hundert Rupien, die der weiße Mann dir gegeben hat? Ich habe Raju gehört»

«Niemand hat mir hundert Rupien gegeben, Papa. Ich schwöre es. Raju lügt. Ich schwöre.»

«Lüg nicht! Wo sind die hundert Rupien?»

Er hob den Arm. Sie begann zu schreien.

Als sie sich schließlich neben ihre Mutter legen wollte, jammerte Raju immer noch, dass er den ganzen Tag nichts zu essen bekommen habe und gezwungen worden sei, von hier nach da und von da wieder nach hier zu laufen. Dann sah er die roten Striemen auf Gesicht und Hals seiner Schwester und wurde still. Sie sank zu Boden und schlief ein.

KITTUR: DIE FAKTEN

Gesamtbevölkerung (Volkszählung 1981): 193 432 Einwohner

Kasten- und Religionszugehörigkeit (in Prozent der Gesamtbevölkerung):

HINDUS:
Hohe Kasten:
Brahmanen:
Muttersprache Kannada: 4 Prozent
Muttersprache Konkani: 3 Prozent
Muttersprache Tulu: weniger als 1 Prozent
Bunts: 16 Prozent
Andere hohe Kasten: 1 Prozent

Niedere Kasten:
Hoykas: 24 Prozent
Verschiedene niedere Kasten und Stämme: 4 Prozent

DALITEN (früher auch Unberührbare genannt): 9 Prozent

MINDERHEITEN:
Moslems:
Sunniten: 14 Prozent
Schiiten: 1 Prozent
Ahmediya, Bohra, Ismaili: weniger als 1 Prozent

Katholiken: 14 Prozent
Protestanten (Anglikaner, Pfingstler, Zeugen Jehovas, Mormonen): 3 Prozent
Jainisten: 1 Prozent
Andere Religionen (einschließlich Parsen, Juden, Buddhisten, Brahmo Samaji und Baha'i): weniger als 1 Prozent

89 Einwohner geben an, keiner Religion oder Kaste anzugehören.

FÜNFTER TAG: VALENCIA (BIS ZUR ERSTEN KREUZUNG)

Das katholische Viertel Valencia beginnt an Pater Steins Homöopathischem Hospital, das nach einem deutschen Jesuitenmissionar benannt ist, der hier ein Hospiz gründete. Valencia ist das größte Stadtviertel Kitturs; die meisten Einwohner sind gebildet, haben Arbeit und besitzen Häuser. Die Handvoll Hindus und Moslems, die in Valencia Land erworben haben, sind nie mit Problemen konfrontiert worden, doch Protestanten, die hier leben wollten, wurden manchmal mit Steinwürfen und Sprechchören attackiert. Jeden Sonntagmorgen strömen Männer und Frauen im Sonntagsstaat in die Kathedrale Our Lady of Valencia zur Messe. An Heiligabend drängt sich praktisch die gesamte Bevölkerung zur Christmesse hinein. Weihnachts- und Kirchenlieder werden dann bis in die frühen Morgenstunden gesungen.

*

Wenn es darum ging, wie viel Leid man ertragen und welche Schrecken man erlebt hatte, ließ Jayamma, die Köchin des Rechtsanwalts, alle Welt wissen, dass ihr Leben in dieser Hinsicht unvergleichlich sei. In einem Zeitraum von zwölf Jahren hatte ihre liebe Mutter elf Kinder zur Welt gebracht. Neun davon waren Mädchen. Neun, jawohl! Wenn *das* kein Leid ist! Als Jayamma – als Nummer acht – geboren wurde, war die Milch in den Brüsten ihrer Mutter versiegt – man musste ihr Eselsmilch aus einer Plastikflasche geben. Eselsmilch, jawohl! Wenn *das* kein Leid ist! Ihr Vater konnte mit seinem gesparten Gold nur sechs Töchter unter die Haube bringen; die letzten drei mussten ihr Leben als alte Jungfern verbringen. Jawohl, ihr ganzes Leben. Seit vierzig Jahren hatte man Jayamma in diesen oder jenen Bus gesetzt und in diese oder jene Stadt geschickt, um in fremden Häusern zu putzen und zu kochen. Um fremde Kinder zu füttern und zu päppeln. Man sagte ihr nicht einmal, wohin sie als Nächstes kommen würde. Abends spielte sie noch mit ihrem Neffen, dem pummeligen kleinen Brijju, und was musste sie da aus dem Wohnzimmer hören? Dass ihre Schwägerin zu irgendeinem Fremden sagte: «Also abgemacht. Wenn sie hierbleibt, isst sie sich nur auf unsere Kosten durch. Sie tun uns wirklich einen Gefallen, das können Sie mir glauben.» Am nächsten Tag wurde Jayamma dann wieder in den Bus gesetzt. Monate vergingen, bis sie Brijju wiedersah. So verlief Jayammas Leben – Leid und Schrecken auf Raten. Wer hätte auf dieser Welt mehr Grund zur Klage gehabt?

Zumindest einer der Schrecken endete nun. Jayamma war im Begriff, das Haus des Rechtsanwalts zu verlassen.

Sie war eine kleine, gebeugte Person von Ende fünfzig mit silbern glänzendem vollen Haar, das Licht zu verströmen schien. Eine große, schwarze Warze über ihrer linken Augenbraue war von jener Art, die bei Kindern als gutes Omen gilt. Dunkle Tränensäcke, die wie Knoblauchzehen aussahen, lagen unter ihren Augen, die von chronischer Schlaflosigkeit und Sorge stets wässrig waren.

Sie hatte ihre Sachen gepackt: einen großen, braunen Koffer, denselben, mit dem sie gekommen war. Sonst nichts. Dem Rechtsanwalt war nicht ein einziger Paisa gestohlen worden, obwohl das Haus manchmal höchst unordentlich war und sich eine Gelegenheit dazu leicht hätte ergeben können. Aber sie war ehrlich gewesen. Sie trug den Koffer zur vorderen Veranda und wartete auf den grünen Ambassador des Rechtsanwalts. Er hatte versprochen, sie an der Bushaltestelle abzusetzen.

«Auf Wiedersehen, Jayamma. Wollen Sie uns denn wirklich verlassen?»

Shaila, das kleine Dienstmädchen aus einer niederen Kaste im Haushalt des Rechtsanwalts und während der vergangenen acht Monate Jayammas schlimmste Peinigerin, grinste. Obwohl sie zwölf und im nächsten Jahr heiratsfähig war, sah sie erst wie sieben oder acht aus. Ihr dunkles Gesicht war mit Johnsons & Johnson's Babypuder bedeckt, und sie klimperte spöttisch mit den Wimpern.

«Du Dämon aus einer niederen Kaste!», zischte Jayamma. «Benimm dich anständig!»

Mit einstündiger Verspätung fuhr der Wagen des Rechtsanwalts in die Garage.

«Wissen Sie es noch gar nicht?», sagte er, als Jayamma mit ihrem Koffer auf ihn zukam. «Ich habe Ihrer Schwägerin gesagt, dass wir Sie noch etwas länger gebrauchen können, und sie war einverstanden. Ich dachte, das hätte man Ihnen gesagt.»

Er schlug die Wagentür zu. Dann ging er, um sein Bad zu nehmen, und Jayamma trug ihren alten, braunen Koffer wieder in die Küche und begann, das Abendessen vorzubereiten.

*

«Ich werde das Haus des Rechtsanwalts wohl nie verlassen, nicht wahr, Krishna, höchster Herr?»

Am nächsten Morgen stand die alte Frau in der Küche am Gasherd und rührte in einem Linseneintopf. Während der Arbeit sog sie zischend Luft ein, als ob ihre Zunge brannte.

«Seit vierzig Jahren habe ich bei guten Brahmanen gelebt, Krishna, höchster Herr: Häuser, in denen sogar die Eidechsen und Kröten in ihren früheren Leben Brahmanen gewesen waren. Und jetzt sieh, wohin mich das geführt hat. Ich sitze zwischen Christen und Fleischfressern in dieser fremden Stadt fest, und jedes Mal, wenn ich glaube, ich kann jetzt gehen, sagt mir meine Schwägerin, dass ich noch bleiben soll ...»

Sie wischte sich den Schweiß von der Stirn und fragte nun: Was hatte sie in ihrem früheren Leben getan – war sie eine Mörderin gewesen, eine Ehebrecherin, eine Kinderfresserin, eine Person, die zu Heiligen und Weisen unverschämt gewesen war –, dass das Schicksal sie hierher verschlagen hatte, ins Haus des Rechtsanwalts, wo sie mit einer Niedrigkastigen leben musste?

Sie schmorte Zwiebeln, hackte Koriander, warf alles in die Brühe und rührte rotes Currypulver und Natriumglutamat aus kleinen Plastikpackungen dazu.

«Hai! Hai!»

Jayamma erschrak und ließ die Schöpfkelle in die Brühe fallen. Sie ging zum Fenstergitter, das an der Rückseite des Hauses angebracht war, und spähte hindurch.

Shaila stand an der Außenmauer des Grundstücks und klatschte in die Hände, während nebenan, im Hinterhof des christlichen Nachbarn, die dicklippige Rosie mit einem Hackbeil in der Hand einen Hahn verfolgte. Jayamma schob langsam den Türriegel auf und schlich in den Hof, um besser zusehen zu können. «Hai! Hai! Hai!», juchzte Shaila, als der Hahn krächzte und krähte und auf das grüne Netz über dem Brunnen hüpfte, wo Rosie das arme Tier endlich erwischte und ihm in den Hals zu hacken begann. Dem Hahn hing die Zunge heraus, und die Augen quollen ihm fast aus dem Kopf. «Hai! Hai! Hai!»

Jayamma lief durch die Küche in den dunklen Andachtsraum und schloss hinter sich die Tür ab. «Krishna ... Krishna, höchster Herr ...»

Der Andachtsraum diente zugleich als Vorratskammer für

Reis und auch als Jayammas Zimmer. Der Raum war zweieinhalb Quadratmeter groß. Die Lücke zwischen dem Schrein und den Reissäcken war gerade groß genug, um sich abends zum Schlafen hineinzuzwängen; mehr hatte Jayamma vom Rechtsanwalt auch gar nicht verlangt. (Den Vorschlag des Rechtsanwalts, sich mit der Niedrigkastigen ein Zimmer in der Dienstbotenwohnung zu teilen, hatte sie rundheraus abgelehnt.)

Sie griff in den Gebetsschrein, nahm eine kleine schwarze Schachtel heraus und hob behutsam den Deckel. In der Schachtel lag das silberne Bildnis eines Kindgotts – krabbelnd, nackt, mit glänzendem Popo –, des Gotts Krishna, Jayammas einzigem Freund und Beschützer.

«Krishna, Krishna», sang sie leise, nahm den Babygott wieder in die Hände und strich mit den Fingern über dessen Silberpopo. «Du siehst, was um mich herum geschieht – einer hoch geborenen Brahmanin!»

Sie setzte sich auf einen der drei Reissäcke, die an der Wand des Andachtsraums lehnten und von DDT umgeben waren. Auf dem Reissack schlug sie die Beine übereinander, lehnte den Kopf an die Wand und atmete tief das Insektizid ein – ein merkwürdiges, entspannendes, seltsam süchtig machendes Aroma. Sie seufzte und wischte sich die Stirn mit dem Zipfel ihres zinnoberroten Saris ab. Sonnenflecken, die von draußen zwischen den Blättern der Bananenbäume hindurch ins Haus fielen, tanzten an der Decke des kleinen Raums.

Jayamma schloss die Augen. Der Geruch des DDT machte sie schläfrig. Ihr Körper entspannte sich, ihre Glieder lockerten sich, und nach wenigen Sekunden war sie eingeschlafen.

Sie erwachte, als der kleine, dicke Karthik, der Sohn des Rechtsanwalts, ihr mit einer Taschenlampe ins Gesicht leuchtete. Das war seine Methode, sie aus einem Nickerchen zu reißen.

«Ich hab Hunger», sagte er. «Ist irgendwas fertig?»

«Bruder!» Die alte Frau sprang mit einem Satz auf. «Im Hof herrscht schwarze Magie! Shaila und Rosie haben einen Hahn geschlachtet – und sie treiben schwarze Magie.»

Der Junge knipste die Taschenlampe aus. Er sah sie skeptisch an.

«Was redest du denn da, du alte Hexe?»

«Komm.» Die Augen der alten Köchin waren aufgerissen vor Erregung. «Komm!»

Sie führte den kleinen Herrn durch den langen Flur in die Dienstbotenwohnung.

Sie blieben vor dem Fenstergitter stehen, durch das sie auf den Hof blicken konnten. Da wuchsen kleine Kokospalmen, eine Wäscheleine war gespannt und es gab eine schwarze Mauer, hinter der das Grundstück des christlichen Nachbarn begann. Niemand war zu sehen. Eine kräftige Windböe schüttelte die Bäume, und ein loses Blatt Papier tanzte wie ein Derwisch über den Hof. Der Junge sah, wie die weißen Bettlaken auf der Wäscheleine gespenstisch wehten. Sie hegten wohl den gleichen Verdacht wie die Köchin.

Jayamma gab Karthik durch eine Geste zu verstehen, ganz, ganz still zu sein. Sie drückte gegen die Tür zur Dienstbotenwohnung. Sie war verriegelt.

Als die alte Frau sie aufschloss, wehte Ihnen ein Gestank nach Haaröl und Babypuder entgegen, und der Junge hielt sich die Nase zu.

Jayamma deutete auf den Fußboden.

Mit weißer Kreide war ein Dreieck in ein Quadrat aus roter Kreide gemalt, und getrocknete Kokosnussstücke lagen auf den Eckpunkten des Dreiecks. Verwelkte Blumen, die allmählich schwarz wurden, lagen in einem Kreis verstreut. In seiner Mitte glänzte eine blaue Glasmurmel.

«Das ist schwarze Magie», sagte sie, und der Junge nickte.

«Spione! Spione!», schrie Shaila, die jetzt in der Tür des Dienstbotenzimmers stand. Sie zeigte mit dem Finger auf Jayamma. «Du – du alte Hexe! Hab ich dir nicht gesagt, dass du nie wieder in meinem Zimmer rumschnüffeln sollst?»

Das Gesicht der alten Dame zuckte.

«Bruder!», rief sie. «Hast du gehört, wie diese Niederkastige mit uns Brahmanen spricht?»

Karthik drohte dem Mädchen mit der Faust. «Hey! Das ist mein Haus, und ich kann hingehen, wo immer ich will. Hast du verstanden?»

Shaila sah ihn finster an. «Denk bloß nicht, dass du mich wie ein Tier behandeln kannst, ja ...»

Dreimaliges lautes Hupen beendete den Streit. Shaila eilte hinaus, um das Tor zu öffnen. Der Junge lief in sein Zimmer und schlug ein Schulbuch auf. Jayamma rannte im Esszimmer herum und deckte in Panik den Tisch mit Edelstahltellern.

Der Hausherr streifte sich in der Diele die Schuhe ab und warf sie in Richtung des Schuhregals. Shaila würde sie später ordentlich hinstellen müssen. Er wusch sich schnell in seinem eigenen Badezimmer und betrat das Esszimmer – ein großer, schnurrbärtiger Mann, der sich im Stil einer längst vergangenen Epoche lange Koteletten hatte wachsen lassen. Abgesehen von der Schnur der Brahmanen, die er um seinen schwabbeligen Körper schlang, erschien er zum Abendessen stets mit nacktem Oberkörper. Er aß schnell und wortlos und hielt nur einmal inne, um in eine Ecke der Zimmerdecke zu starren. Im Haus herrschte, im Takt der Kaubewegungen seines Herrn, wieder Ordnung. Jayamma servierte. Karthik aß mit seinem Vater. In der Garage spritzte Shaila den grünen Ambassador des Hausherrn ab und wischte ihn mit einem Lappen ab.

Im Fernsehzimmer las der Rechtsanwalt eine Stunde lang die

Zeitung, und dann schlurfte der Junge herein und suchte in dem Chaos aus Zeitungen und Büchern auf dem Sandelholztisch in der Mitte des Zimmers nach der schwarzen Fernbedienung. Jayamma und Shaila drängten sich sofort ins Zimmer, hockten sich in eine Ecke und warteten darauf, dass der Fernseher angeschaltet wurde.

Um zehn Uhr erloschen im Haus alle Lichter. Der Hausherr und Karthik schliefen in ihren Zimmern.

In der Dunkelheit der Dienstbotenwohnung erklang immer noch ein boshaftes Gezischel durch die Wände: «Hexe! Hexe! Hexe einer niederen Kaste, die schwarze Magie treibt!»

«Brahmanenhexe! Verrückte, alte Brahmanenhexe!»

Dem folgte eine Woche ununterbrochenen Streits. Immer wenn Shaila an der Küche vorbeikam, beschwor die alte brahmanische Köchin tausendfach Rachegötter auf das ölige Haupt der Niederkastigen herab.

«Was sind das nur für Zeiten, in denen sich Brahmanen niederkastige Mädchen in den Haushalt holen?», knurrte sie, wenn sie morgens die Linsen umrührte. «Wie tief sind heutzutage die Gesetze der Kasten und Religion gesunken, o Krishna?»

«Redest du wieder mit dir selbst, alte Jungfer?» Das Mädchen steckte den Kopf zur Küche herein. Jayamma warf eine ungeschälte Zwiebel nach ihr.

Mittagessen. Waffenstillstand. Das Mädchen stellte ihren Stahlteller vor dem Wohnzimmer der Dienstbotenwohnung auf den Boden und hockte sich hin, während Jayamma eine großzügige Portion Linsensuppe über den weißen Haufen Reis auf dem Teller des Mädchens goss. Sie würde niemanden verhungern lassen, grummelte sie beim Servieren, nicht einmal einen erklärten Feind. Ganz recht: nicht einmal einen erklärten Feind. Das war nicht die feine, brahmanische Art.

Nach dem Mittagessen setzte sie ihre Brille auf und breitete direkt vor der Dienstbotenwohnung eine Zeitung aus. Während sie ständig Luft einsog, las sie langsam und laut, setzte Buchstaben zu Wörtern und Wörter zu Sätzen zusammen. Als Shaila vorbeikam, schmiss sie ihr die Zeitung ins Gesicht.

«Hier – du kannst doch wohl lesen und schreiben, oder? Hier, lies die Zeitung!»

Das Mädchen schäumte vor Wut. Sie ging wieder in die Dienstbotenwohnung und knallte die Tür zu.

«Glaubst du etwa, dass ich vergessen habe, wie du den Rechtsanwalt rumgekriegt hast, du kleine Unterkastige? Er ist ein gutherziger Mann, deshalb bist du eines Abends mit deinem einfältigen Unterkastengesicht zu ihm gegangen und hast gesagt: Sir, ich kann nicht lesen. Ich kann nicht schreiben. Ich möchte aber lesen können. Ich möchte schreiben können. Ist er da nicht sofort zu Shenoys Buchladen in der Umbrella Street gefahren und hat dir teure Bücher und Übungshefte gekauft? Und wofür das alles? War es jemals vorgesehen, dass die unteren Kasten lesen und schreiben sollten?» Jayamma herrschte die geschlossene Tür an. «War das nicht alles nur eine Falle für den Rechtsanwalt?»

Natürlich hatte das Mädchen längst jedes Interesse an den Büchern verloren. Sie lagen auf einem Haufen in einer Zimmerecke, und als sie eines Tages mit der dicklippigen Christin von nebenan tratschte, verkaufte Jayamma sie alle an den moslemischen Altpapierhändler. Ha! Der hatte sie's aber gezeigt!

Als Jayamma die Geschichte des berüchtigten Lese- und Schreibbetrugs erzählte, wurde die Tür zur Dienstbotenwohnung geöffnet. Shaila streckte den Kopf heraus und schrie Jayamma an, so laut sie konnte.

An diesem Abend ergriff der Rechtsanwalt beim Essen das Wort: «Wie ich höre, hat es in dieser Woche im Haus täglich die eine oder andere Verstimmung gegeben ... Es ist wichtig, dass hier Ruhe herrscht. Karthik muss sich auf seine Prüfungen vorbereiten.»

Jayamma, die eben den Linseneintopf abtragen wollte und den Zipfel ihres Saris als Topflappen benutzte, stellte den Eintopf wieder auf dem Tisch ab.

«Nicht ich mache diesen Lärm, Herr – sondern dieses Hoyka-Mädchen! Sie weiß nichts von unserer brahmanischen Lebensart.»

«Sie mag eine Hoyka sein», der Rechtsanwalt leckte sich die Reiskörner von den Fingern, «aber sie ist sauber und arbeitet gut.»

Als sie nach dem Essen den Tisch abräumte, zitterte Jayamma vor Wut über den Tadel.

Erst als die Lichter im Haus erloschen waren und sie, umgeben von den vertrauten Gerüchen des Insektizids, im Andachtsraum lag und die kleine, schwarze Schachtel geöffnet hatte, beruhigte sie sich wieder. Der Kindgott lächelte ihr zu.

O ja, wenn es um Leid und Schrecken ging, o Krishna, wer hätte da mehr durchgemacht als Jayamma? Sie erzählte dem geduldigen Gott die Geschichte, wie sie nach Kittur gekommen war; wie ihre Schwägerin ihr befohlen hatte – «Jayamma, du musst uns verlassen, die Frau des Rechtsanwalts ist in einem Krankenhaus in Bangalore, jemand muss sich um den kleinen Karthik kümmern» –, und es sollte nur für ein oder zwei Monate sein. Inzwischen waren es acht Monate, seit sie ihren kleinen Neffen Brijju nicht mehr gesehen oder auf dem Arm gehalten oder mit ihm Kricket gespielt hatte. Oh ja, *das* war wahres Leid, Baby Krishna.

Am nächsten Morgen ließ sie die Schöpfkelle wieder in die Linsen fallen. Karthik hatte sie von hinten in die Taille gestupst.

Sie folgte ihm aus der Küche und in das Dienstbotenzimmer.

Sie beobachtete den Jungen, als er sich das Diagramm auf dem Fußboden und die blaue Murmel in der Mitte ansah.

In seinen Augen sah die alte Dienerin das Funkeln – das besitzergreifende Glänzen der Herren, das sie während der vergangenen vierzig Jahre schon so oft gesehen hatte.

«Schau dir das mal an», sagte Karthik. «Das Mädchen hat Nerven, so ein Ding in meinem Haus zu zeichnen ...»

Die beiden hockten sich vor dem gelben Gitter auf den Boden und beobachteten, wie Shaila sich an der Außenmauer des Grundstücks dem Haus des Christen näherte. Ein breiter Brunnen, der mit grünem Netz bedeckt war, wirkte wie ein Auswuchs an der Rückseite des Hauses. Hennen und Hähne, die von der Mauer verdeckt waren, liefen um den Brunnen herum. Rosie stand an der Mauer. Shaila unterhielt sich eine Weile mit der Christin. Es war ein heller, flimmernder Nachmittag. Während das Licht hervorbrach und in kurzen Intervallen wieder verschwand, leuchteten die schimmernden, grünen Baldachine der Kokospalmen auf und verdämmerten dann wieder wie ein Feuerwerk.

Nachdem Rosie gegangen war, lief das Mädchen ziellos umher. Sie sahen, wie sie sich bei den Jasminbeeten bückte, ein paar Blumen abriss und sie sich ins Haar steckte. Nach einer Weile sah Jayamma, wie Karthik anfing, sich ausführlich und genüsslich das Bein zu kratzen – wie ein Bär, der sich die Flanke an einem Baumstamm reibt. Seine kratzenden Finger bewegten sich von den Oberschenkeln zu seinen Lenden hinauf. Jayamma sah das mit einem Anflug von Ekel. Was würde wohl die Mutter des Jungen sagen, wenn sie sehen könnte, was er hier gerade trieb?

Das Mädchen ging an der Wäscheleine entlang. Die zum Trocknen aufgehängten dünnen Baumwolllaken strahlten weiß wie Kinoleinwände, als das Licht durch die Wolken brach. In einem der grell leuchtenden Laken hinterließ das Mädchen eine runde, dunkle Ausbuchtung, wie etwas in einer Gebärmutter. Hinter dem weißen Laken erhob sich ein klagender Laut. Sie hatte angefangen zu singen:

Ein Stern erzählt flüsternd
Von der Sehnsucht meines Herzens
Dich noch einmal zu sehen
Mein Kind, mein Liebling, mein König ...

«Ich kenne dieses Wiegenlied ... die Frau meines Bruders singt es Brijju vor ... meinem kleinen Neffen ...»

«Still! Sie könnte dich hören.»

Shaila tauchte wieder hinter den Bettlaken auf. Sie schlenderte zum äußersten Ende des Gartens, wo sich Neembäume unter die Kokospalmen mischten.

«Ich frage mich, ob sie oft an ihre Mutter und ihre Schwestern denkt ...», murmelte Jayamma. «Was ist das nur für ein Leben für so ein Mädchen, getrennt von ihrer Familie?»

«Ich hab keine Lust mehr zu warten», murrte Karthik.

«Warte, Bruder!»

Aber er war schon wieder im Dienstbotenzimmer. Ein Triumphgeheul: Karthik kam mit der Murmel wieder heraus.

*

Abends saß Jayamma auf der Küchenschwelle und siebte Reis. Die Brille war ihr auf die Nase heruntergerutscht, und sie runzelte die Stirn. Sie wandte sich der Dienstbotenwohnung zu, die von innen verriegelt war, und aus der ein Schluchzen drang.

«Hör auf zu weinen», schrie Jayamma. «Du musst stark sein. Diener wie wir, die für andere arbeiten, müssen lernen, stark zu sein.»

Shaila schluckte die Tränen hörbar herunter und rief durch die Tür: «Halt den Mund, du selbstmitleidige, alte Hexe! Du hast Karthik gesagt, dass ich schwarze Magie betreibe!»

«Mach mir bloß nicht solche Vorwürfe! Ich hab ihm nie gesagt, dass du schwarze Magie betreibst!»

«Lügnerin! Lügnerin!»

«Nenn mich nicht Lügnerin, du Hoyka! Warum malst du denn Dreiecke auf den Boden, wenn du nicht schwarze Magie treiben willst? Du kannst mir gar nichts vormachen!»

«Verstehst du denn nicht, dass die Dreiecke nur ein Spiel sind? Bist du verrückt geworden, du alte Hexe?»

Jayamma knallte das Sieb auf den Boden. Die Reiskörner wurden auf der ganzen Schwelle verstreut. Sie ging in den Andachtsraum und schloss die Tür.

Als sie erwachte, hörte sie einen von Schluchzern unterbrochenen Monolog. Er kam aus der Dienstbotenwohnung und war so laut, dass er durch die Wand des Andachtsraums drang.

«Ich will nicht hier sein ... ich wollte nie meine Freunde und unsere Felder und unsere Kühe verlassen, um hierherzukommen. Aber meine Mutter hat gesagt: ‹Du musst in die Stadt gehen und beim Rechtsanwalt Panchinalli arbeiten. Wie willst du sonst je eine goldene Halskette bekommen? Und wer wird dich ohne eine goldene Halskette heiraten?› Aber seitdem ich hier bin, habe ich noch keine goldene Halskette gesehen – nur Leid, Leid, Leid!»

Sofort schrie Jayamma die Wand an: «Leid, Leid, Leid – hört, hört, sie redet wie eine alte Frau! Das ist doch gar nichts, dein bisschen Pech. *Ich* habe echtes Leid erlebt!»

Das Schluchzen verebbte. Jayamma erzählte der Unterkastigen von einigen *ihrer* Leiden. Zum Abendessen kam Jayamma mit der Reisschüssel zum Wohnraum der Diener. Sie hämmerte gegen die Tür, aber Shaila öffnete nicht.

«Sieh an, sieh an, was für ein hochmütiges, kleines Fräulein!»

Sie hämmerte weiter gegen die Tür, bis sie geöffnet wurde. Dann servierte sie dem Mädchen Reis und Linseneintopf und achtete darauf, dass sie auch aß.

Am nächsten Morgen saßen die beiden Dienerinnen zusammen auf der Schwelle.

«Sag mal, Jayamma, was gibt's Neues in der Welt?»

Shaila strahlte. Blumen im Haar und Johnson und Johnson's Babypuder im Gesicht. Jayamma blickte verächtlich von der Zeitung auf.

«Ach, warum fragst du mich? Du kannst doch selbst lesen und schreiben, nicht wahr?»

«Ach, komm schon, Jayamma, du weißt doch, dass wir niederen Kasten für solche Sachen nicht bestimmt sind ...» Das kleine Mädchen lächelte liebenswürdig. «Wenn ihr Brahmanen uns nichts vorlest, wie sollen wir dann etwas lernen ...»

«Setz dich wieder hin», sagte die alte Frau hochnäsig. Sie blätterte langsam die Seiten um und las die Nachrichten vor, die sie selbst interessierten.

«Hier steht, dass ein heiliger Mann im Distrikt Tumkur die Kunst beherrscht, durch reine Willenskraft zu fliegen, und sechs Meter hoch in die Luft steigen *und* auch wieder landen kann.»

«Wirklich?» Das Mädchen war skeptisch. «Hat denn jemand gesehen, wie er das macht, oder glauben sie ihm das einfach nur?»

«Natürlich hat man es gesehen!», berichtete Jayamma und tippte zum Beweis auf die Zeitungsmeldung. «Hast du noch nie Zauberei gesehen?»

Shaila kicherte hysterisch. Dann lief sie in den Hof und rannte zu den Kokospalmen. Und dann hörte Jayamma sie wieder singen.

Sie wartete, bis Shaila zum Haus zurückkam, und sagte: «Was soll denn dein Mann von dir denken, wenn du wie eine Wilde aussiehst? Deine Haare sind das reinste Chaos.»

Also setzte sich das Mädchen auf die Schwelle, und Jayamma ölte und kämmte ihr die Haare zu glänzenden, schwarzen Strähnen, die das Herz eines jeden Mannes entflammen mussten.

Um acht gingen die alte Dame und das Mädchen gemeinsam zum Fernsehen. Sie sahen bis zehn zu, und als Karthik den Fernseher ausschaltete, gingen sie in ihre Zimmer.

Mitten in der Nacht wachte Shaila auf, als die Tür zu ihrem Zimmer aufgestoßen wurde.

«Schwester ...»

Im Dunkeln sah Shaila einen Kopf mit silbernem Haar im Türspalt.

«Schwester ... lass mich hier schlafen ... vor der Vorratskammer sind Geister, jawohl ...»

Jayamma atmete schwer und schwitzte heftig, als sie beinahe auf allen vieren ins Dienstbotenzimmer kroch. Sie lehnte sich an eine Wand und ließ den Kopf zwischen die Knie sinken. Das Mädchen ging nach draußen, um nachzuschauen, was in der Vorratskammer vor sich ging. Kichernd kam sie zurück.

«Jayamma ... das sind doch keine Geister, das sind nur zwei Katzen im Haus der Christen, die sich balgen ... sonst weiter nichts ...»

Aber die alte Dame war bereits eingeschlafen, und ihr silbernes Haar floss über den Fußboden.

Seitdem schlief Jayamma immer in Shailas Zimmer, wenn sie die beiden fauchenden Katzendämonen vor ihrem Zimmer hörte.

*

Es war am Tag vor dem Navarathri-Fest. Immer noch kein Wort vom Rechtsanwalt oder von zu Hause, wann sie zurückkehren konnte. Der Preis für flüssigen Rohrzucker war wieder gestiegen. Der für Kerosin auch. Jayamma las in der Zeitung, dass es einem heiligen Mann in Kerala gelungen war, in einem Hain von Baum zu Baum zu fliegen – aber nur, wenn es sich um Betelpalmen handelte. Fürs nächste Jahr wurde eine partielle Sonnenfinsternis angekündigt, und das konnte das Ende der Welt bedeuten.

V.P. Singh, ein Minister im Kabinett, hatte den Premierminister der Korruption bezichtigt. Die Regierung konnte jeden Tag gestürzt werden, und in Delhi würde Chaos ausbrechen.

An diesem Abend schlug Jayamma dem Rechtsanwalt nach dem Essen vor, dass sie Karthik am heiligen Tag in den Kittamma-Devi-Tempel am Bahnhof mitnehmen könnte.

«Er sollte nicht aufhören, regelmäßig zu beten, nachdem seine Mutter nun nicht mehr ist, nicht wahr?», sagte sie zaghaft.

«Das ist eine gute Idee ...» Der Rechtsanwalt griff zu seiner Zeitung.

Jayamma holte tief Luft, um sich Mut zu machen.

«Wenn Sie mir vielleicht ein paar Rupien für die Rikscha geben könnten ...»

Sie klopfte an die Zimmertür des kleinen Mädchens und öffnete triumphierend die Hand.

«Fünf Rupien! Der Rechtsanwalt hat mir fünf Rupien gegeben!»

Im Waschraum nahm Jayamma ein ausgiebiges Bad und seifte sich gründlich mit Sandelholzseife ein. Sie tauschte den zinnoberroten Sari gegen den violetten, ging zum Zimmer des Jungen, genoss den Duft ihrer eigenen Haut und kam sich sehr bedeutend vor.

«Zieh dich an, Bruder – sonst verpassen wir die Fünf-Uhr-Zeremonie.»

Der Junge lag auf dem Bett und drückte auf den Knöpfen

eines kleinen Gameboys herum, den er in der Hand hielt – Biep! Biep! Biep!

«Ich geh nicht.»

«Bruder – es ist ein Tempel! Wir sollten wirklich gehen!»

«Nein.»

«Bruder ... Was würde deine Mutter dazu sagen ...?»

Der Junge legte das Spielzeug für einen Moment beiseite. Er kam zur Zimmertür und schlug sie Jayamma vor der Nase zu.

Sie lag in der Vorratskammer und suchte Trost in den Schwaden des Insektizids und dem Anblick des Silberpopos von Baby Krishna. Die Tür öffnete sich einen Spalt. Ein kleines schwarzes Gesicht, bedeckt mit Johnson und Johnson's Babypuder, lächelte ihr entgegen.

«Jayamma – Jayamma – nimm mich stattdessen mit zum Tempel ...»

Die beiden saßen schweigend in der Autorikscha.

«Warte hier», sagte Jayamma am Tempeleingang. Von ihrem eigenen Geld kaufte sie für fünfzig Paise ein paar Blumen.

«Hier», sie wies das Mädchen an, das Körbchen in die Hände der Priester zu legen, sobald sie im Tempel waren.

Eine Menge von Gläubigen hatte sich um den Lingam aus Silber versammelt. Kleine Jungen sprangen hoch, um an die Tempelschellen, die um die Gottheit herum angebracht waren, zu schlagen. Sie schafften es nicht, aber dann hoben ihre Väter sie hoch. Jayamma sah, wie Shaila hochsprang, um eine Schelle zu erwischen.

«Soll ich dich hochheben?»

Um fünf begann die Zeremonie. Eine Bronzeschale, Flammen züngelten aus Kampfergefäßen. Zwei Frauen bliesen auf riesigen Muschelhörnern. Ein Messinggong wurde geschlagen, schneller und immer schneller. Dann erschien einer der Brahmanen mit einer Kupferschale, die an einer Seite angezündet war, und

Jayamma ließ eine Münze hineinfallen, während das Mädchen die Handflächen nach der heiligen Flamme ausstreckte.

Die beiden saßen auf der Tempelterrasse, an deren Wänden die großen Trommeln hingen, die bei Hochzeiten geschlagen werden. Jayamma kommentierte den schockierenden Anblick einer Frau, die sich in einer ärmellosen Bluse dem Tempeltor näherte. Shaila fand den ärmellosen Stil aber recht «sportlich». Ein schreiendes Kind wurde von seinem Vater durchs Tempeltor gezerrt. Es beruhigte sich, als Jayamma und Shaila beide begannen, es zu tätscheln.

Die beiden Dienerinnen verließen den Tempel nur widerstrebend. Aus einem Baum stieg ein Schwarm Vögel auf, als die beiden auf eine Rikscha warteten. Bei Sonnenuntergang türmten sich weiß leuchtende Wolkengebirge wie militärische Ehrenzeichen übereinander. Jayamma geriet mit dem Rikschafahrer über den Preis für die Heimfahrt in Streit, und Shaila kicherte die ganze Zeit vor sich hin, was die alte Frau und den Rikschafahrer gleichermaßen in Rage versetzte.

*

«Jayamma – weißt du schon das Neueste?»

Die alte Dame blickte von der Zeitung auf, die ausgebreitet auf der Schwelle lag. Sie setzte die Brille ab und blinzelte das Mädchen an.

«Über den Preis für Rohrzucker?»

«Nein, das nicht.»

«Über den Mann in Kasargod, der ein Baby geboren hat?»

«Nein, das auch nicht.» Das Mädchen grinste schüchtern. «Ich heirate.»

Jayamma öffnete die Lippen. Sie ließ den Kopf sinken, nahm die Brille ab und rieb sich die Augen.

«Wann?»

«Nächsten Monat. Es ist schon alles arrangiert. Der Rechtsanwalt hat es mir gestern gesagt. Er wird meine goldene Halskette direkt in mein Dorf schicken.»

«Und jetzt kommst du dir wohl wie eine Königin vor, was?», schnauzte Jayamma sie an. «Weil du mit irgendeinem Dorftrottel verkuppelt wirst.»

Sie sah, wie Shaila zur Gartenmauer lief, um dem dicklippigen Christenmädchen die gute Nachricht zu erzählen. «Ich heirate, ich heirate», sang das Mädchen den ganzen Tag lieblich vor sich hin.

Aus der Küche rief Jayamma sie zur Ordnung: «Glaubst du etwa, es sei eine tolle Sache, verheiratet zu sein? Weißt du denn nicht, wie es meiner Schwester Ambika ergangen ist?»

Aber das Mädchen war zu sehr mit sich selbst beschäftigt, um zuzuhören. Sie sang nur den ganzen Tag: «Ich heirate, ich heirate!»

Also bekam am Abend Baby Krishna die Geschichte der unglücklichen Ambika zu hören, die für ihre Sünden in einem früheren Leben bestraft worden war:

Ambika, die sechste Tochter, die als Letzte verheiratet wurde, war die Schönheit der Familie. Ein reicher Arzt wollte sie für seinen Sohn. Eine hervorragende Nachricht! Als der Bräutigam sich bei Ambika vorstellte, musste er sich wiederholt ins Bad zurückziehen. «Seht nur, wie schüchtern er ist», kicherten die Frauen. In der Hochzeitsnacht drehte er Ambika den Rücken zu. Er hustete die ganze Nacht lang. Morgens entdeckte sie Blut auf dem Laken. Er informierte sie, dass sie einen Mann mit Tuberkulose im fortgeschrittenen Stadium geheiratet hatte. Er hatte ihr gegenüber ehrlich sein wollen, aber seine Mutter hatte es nicht zugelassen. «Jemand hat deine Familie mit schwarzer Magie verhext, du bemitleidenswertes Mädchen», sagte er, während sein Körper von Hustenanfällen geschüttelt wurde. Einen

Monat später lag er tot in einem Krankenhausbett. Seine Mutter erzählte dem ganzen Dorf, dass das Mädchen und alle seine Schwestern verhext seien; und niemand heiratete jemals wieder eines der anderen Kinder.

«Und das ist der wahre Grund, warum ich Jungfrau geblieben bin», ließ Jayamma den kleinen Krishna wissen. «Und dabei hatte ich so volles Haar, so eine goldene Haut und galt als Schönheit. Wusstest du das schon?» Sie hob die Augenbrauen theatralisch wie eine Filmschauspielerin, weil sie irgendwie das Gefühl hatte, dass der kleine Gott ihr nicht recht glaubte. «Manchmal danke ich meinen Sternen, dass ich nicht geheiratet habe. Was, wenn auch ich betrogen worden wäre wie Ambika? Lieber eine alte Jungfer als immer eine Witwe ... Und trotzdem kann die kleine Unterkastige nicht aufhören, den ganzen Morgen lang davon zu singen ...» Jayamma lag im Dunkeln und imitierte zur Erbauung des Kindgotts die Stimme der kleinen Unterkastigen: «Ich heirate, ich heirate ...»

Es kam der Tag, an dem Shaila abreiste. Der Rechtsanwalt sagte, er würde das Mädchen höchstpersönlich in seinem grünen Ambassador nach Hause kutschieren.

«Ich gehe jetzt, *Jayamma*.»

Die alte Dame saß auf der Schwelle und bürstete sich ihr silbernes Haar. Sie hatte das Gefühl, dass Shaila ihren Namen mit Absicht besonders gehässig aussprach. «Ich gehe, um zu heiraten.» Die alte Dame kämmte weiter ihr Haar. «Du schreibst mir doch manchmal, nicht wahr, Jayamma? Ihr Brahmanen seid doch so gute Briefschreiber, die besten der besten ...»

Jayamma warf den Plastikkamm in eine Ecke der Vorratskammer. «Zur Hölle mit dir, du kleiner, unterkastiger Abschaum!»

Wochen vergingen. Jetzt musste sie auch noch die Arbeit des Mädchens machen. Wenn das Essen serviert und der Abwasch erledigt war, war sie fix und fertig. Der Rechtsanwalt machte keine Anstalten, ein neues Dienstmädchen einzustellen. Sie begriff, dass es von jetzt an ihre Aufgabe war, auch noch die Arbeit einer Unterkastigen zu verrichten.

*

Abends streifte sie nun gern durch den Hof, ihr langes silbernes Haar trug sie offen. Eines Abends winkte ihr Rosie, das dicklippige Christenmädchen, zu.

«Was ist denn eigentlich mit Shaila? Hat sie geheiratet?»

Jayamma war so verwirrt, dass sie nur grinsen konnte.

Sie begann, Rosie zu beobachten. Wie sorglos diese Christen doch waren – aßen, was sie wollten, heirateten und ließen sich wieder scheiden, wann immer ihnen danach war.

Eines Abends kehrten die beiden Dämonen zurück. Minutenlang lag sie wie gelähmt da und lauschte dem Kreischen der beiden Geister, die ihr wieder einmal in Katzengestalt erschienen waren. Sie drückte die Figur des Baby Krishnas an sich und rieb seinen Silberpopo, während sie auf einem von DDT-Ringen umgebenen Reissack saß. Sie begann zu singen:

Ein Stern erzählt flüsternd
Von der Sehnsucht meines Herzens
Dich noch einmal zu sehen
Mein Kind, mein Liebling, mein König …

Am nächsten Abend sprach sie der Rechtsanwalt beim Essen an. Er hatte einen Brief von Shailas Mutter erhalten.

«Sie haben gesagt, dass sie mit der Größe der goldenen Halskette nicht zufrieden sind. Und dafür habe ich nun zweitausend Rupien ausgegeben! Verstehst du das?»

«Manche Menschen sind eben nie zufrieden, Herr … was kann man da machen?»

Er kratzte sich mit der linken Hand die nackte Brust und rülpste laut. «In diesem Leben ist ein Mann stets der Diener seiner Diener.»

An diesem Abend konnte sie vor Angst nicht einschlafen. Was, wenn der Rechtsanwalt auch sie um ihren Lohn betrügen würde?

«Für dich!» Eines Morgens warf Karthik einen Brief auf das Reissieb. Jayamma schüttelte die Reiskörner vom Umschlag und riss ihn mit zitternden Fingern auf. Nur eine einzige Person auf der Welt schrieb ihr Briefe – ihre Schwägerin aus Salt Market Village. Sie breitete den Brief auf dem Boden aus und setzte die Wörter nacheinander zusammen.

«Der Rechtsanwalt hat uns wissen lassen, dass er die Absicht hat, nach Bangalore zu ziehen. Du wirst natürlich zu uns zurückgeschickt. Rechne hier mit keinem langen Aufenthalt. Wir suchen bereits nach einem anderen Haushalt, in dem du arbeiten kannst.»

Sie faltete den Brief langsam zusammen und schob ihn in ihren Sari. Es war wie ein Schlag ins Gesicht. Der Rechtsanwalt hatte es nicht für nötig befunden, ihr diese Neuigkeit persönlich mitzuteilen. «Na gut, sei's drum, wer bin ich denn schon für ihn? Nur eine Dienerin.»

Eine Woche später kam er in die Vorratskammer und blieb an der Schwelle stehen, während Jayamma sich hastig erhob und versuchte, ihr Haar zu richten. «Dein Geld ist bereits an deine Schwägerin in Salt Market Village geschickt worden», sagte er.

Wo auch immer Jayamma arbeitete, war dies das übliche Verfahren gewesen. Ihr Gehalt wurde ihr nie direkt ausgezahlt.

Der Rechtsanwalt machte eine Pause.

«Der Junge braucht jemanden, der sich um ihn kümmert … ich habe Verwandte in Bangalore …»

«Ich wünsche Ihnen und Herrn Karthik nur das Beste», sagte sie und verbeugte sich mit gelassener Würde vor ihm.

Am nächsten Sonntag packte sie ihre Habseligkeiten des vergangenen Jahres in den gleichen braunen Koffer, mit dem sie ins Haus gekommen war. Das einzig Traurige war der Abschied von Baby Krishna.

Der Rechtsanwalt fuhr sie nicht zur Bushaltestelle; sie musste zu Fuß gehen. Der Bus würde nicht vor vier Uhr fahren, und sie ging zwischen den Kleidungsstücken, die an der Wäscheleine hin und her schwangen, noch einmal durch den Garten. Sie dachte an Shaila – das Mädchen war auf diesem Hof mit offenen Haaren herumgelaufen wie eine unerzogene Göre. Und jetzt war sie eine verheiratete Frau, eine Hausherrin. Jeder veränderte sich und kam im Leben voran, dachte sie. Nur ich bleibe immer die Gleiche, eine alte Jungfer. Mit einem trübsinnigen Gedanken wandte sie sich dem Haus zu: «Das ist das letzte Mal, dass ich dieses Haus sehe, in dem ich mehr als ein Jahr meines Lebens verbracht habe.»

Sie dachte an all die Häuser, in die man sie in den vergangenen vierzig Jahren geschickt hatte, um die Kinder anderer Leute zu päppeln. Aus der Zeit in diesen Häusern hatte sie nichts mitnehmen können; sie war immer noch unverheiratet, kinderlos und mittellos. Wie ein Glas, aus dem klares Wasser getrunken worden war, hatten die vergangenen Jahre keine Spuren in ihrem Leben hinterlassen – nur dass ihr Körper alt und ihre Augen schwach geworden waren und die Kniegelenke schmerzten. Für mich wird sich bis zu meinem Tod nichts mehr ändern, dachte die alte Jayamma.

Doch plötzlich war ihr Trübsinn wie weggeblasen. Sie hatte einen blauen Gummiball entdeckt, der halb versteckt hinter einer Hibiskuspflanze im Garten lag. Er sah wie einer der Bälle aus, mit denen Karthik Kricket spielte. Hatte er ihn hier draußen liegen lassen, weil er kaputt war? Jayamma hielt ihn sich dicht vor die Nase, um ihn genau zu untersuchen. Obwohl sie nirgends ein Loch entdeckte, spürte sie ein kitzelndes Luftzischen auf der Haut, als sie den Ball dicht an ihrer Wange zusammendrückte.

Mit dem wachsamen Instinkt einer Dienerin sah sich die alte Köchin im Garten um. Sie holte tief Luft und warf den blauen Ball gegen die Hauswand; er prallte ab und sprang sofort zu ihr zurück.

Noch gut genug!

Jayamma drehte den Ball hin und her und untersuchte seine Oberfläche – verblichen, aber immer noch mit einem schönen, blauen Schimmer. Sie schnüffelte daran. Das wäre genau das Richtige!

Sie ging zu Karthik, der in seinem Zimmer auf dem Bett lag. Biep! Biep! Biep! Sie bemerkte, wie sehr er seiner Mutter, die sie von Fotos her kannte, ähnelte, wenn er, konzentriert auf sein Spiel, die Stirn runzelte. Das Mal auf seiner Stirn war wie ein Lesezeichen, das seine tote Mutter dort hinterlassen hatte.

«Bruder ...»

«Hm?»

«Ich reise heute zum Haus meines Bruders zurück ... ich kehre in mein Dorf zurück. Ich komme nicht wieder.»

«Hm.»

«Möge der Segen deiner lieben Mutter dich stets begleiten.»

«Hm.»

«Bruder ...»

«Was ist denn?» Seine Stimme klang gereizt. «Warum gehst du mir dauernd auf die Nerven?»

«Bruder ... der blaue Ball da draußen im Garten, der mit dem Loch drin, den brauchst du doch nicht mehr, nicht wahr?»

«Was für ein Ball?»

«Darf ich den für meinen kleinen Brijju mitnehmen? Er spielt so gern Kricket, aber manchmal ist nicht genug Geld für einen Ball da …»

«Nein.»

Der Junge blickte nicht auf. Er drückte auf den Knöpfen seines Gameboys herum.

Biep!

Biep!

Biep!

«Bruder … ihr habt dem unterkastigen Mädchen eine goldene Halskette geschenkt … kannst du mir da nicht wenigstens den blauen Ball für Brijju geben?»

Biep!

Biep!

Biep!

Jayamma dachte mit Schrecken an all das Essen, das sie dieser fetten Kreatur verabreicht hatte, und dass der Schweiß, der in der Hitze der kleinen Küche von ihrer Stirn in den Linseneintopf getropft war, ihn genährt hatte, bis er nun rund und plump geworden war wie eines der Tiere, die im Hof eines christlichen Hauses gehalten wurden. Auf einmal hatte sie die Vision, wie sie diesen kleinen fetten Jungen mit einem Hackmesser jagte. Sie sah, wie sie ihn an den Haaren fasste und das Messer über seinem gebeugten Kopf hob. Zack! Sie schlug zu – seine Zunge quoll heraus, seine Gesichtszüge entgleisten, und er war …

Die alte Dame schauderte.

«Du bist ein Kind ohne Mutter und ein Brahmane. Ich möchte nicht schlecht von dir denken … leb wohl, Bruder …»

Sie ging mit ihrem braunen Koffer in den Garten und warf einen letzten Blick auf den Ball. Sie ging zum Tor und hielt inne. Ihre Augen füllten sich mit den Tränen der Rechtschaffenen. Zwischen den Bäumen hindurch fiel Sonnenlicht auf sie und verspottete sie.

In diesem Moment kam Rosie aus dem christlichen Haus. Sie blieb stehen und sah den Koffer in Jayammas Hand. Sie sagte etwas. Zuerst verstand Jayamma kein Wort, doch dann erklang die christliche Botschaft laut und klar in ihrem Herzen.

Nimm dir den Ball, du blöde Brahmanin!

Schwankende Kokospalmen rauschten an ihr vorbei. Jayamma saß im Bus nach Salt Market Village neben einer Frau, die aus der heiligen Stadt Benares zurückkehrte. Jayamma konnte sich nicht auf die Geschichten konzentrieren, die ihr die heilige Frau über die großen Tempel, die sie gesehen hatte, erzählte ... Ihre Gedanken drehten sich nur um das kleine Ding, das sie an ihrem Bauch im Sari verbarg ... den blauen Ball mit dem kleinen Loch ... den sie gerade gestohlen hatte ... Sie konnte es nicht fassen, dass sie, Jayamma, die Tochter eines guten Brahmanen aus Salt Market Village, so etwas getan hatte!

Nach einer Weile schlief die heilige Frau neben ihr ein. Ihr Schnarchen ließ Jayamma um ihr Seelenheil fürchten. Was würden die Götter mit ihr machen, fragte sie sich, während der Bus die Schotterstraße entlangknatterte, was würde sie wohl im nächsten Leben sein? Eine Kakerlake, ein Silberfischchen, das in alten Büchern lebte, ein Regenwurm, eine Made in einem Kuhfladen oder etwas noch Schmutzigeres?

Dann kam ihr ein merkwürdiger Gedanke: Wenn sie in ihrem Leben nur häufig genug sündigen würde, dann würde sie im nächsten Leben vielleicht als Christin wiedergeboren ...

Der Gedanke erfüllte sie mit Freude, und sie schlief beinahe augenblicklich ein.

FÜNFTER TAG (ABEND): DIE KATHEDRALE OUR LADY OF VALENCIA

Es ist nicht ohne Weiteres erklärbar, warum die Kathedrale Our Lady of Valencia trotz vieler Versuche, gerade in den letzten Jahren, und trotz des vielen Geldes, das in Kuwait arbeitende Bürger gespendet haben, immer noch unvollendet ist. Die ursprüngliche Barockarchitektur aus dem Jahr 1691 wurde 1890 vollständig saniert. Lediglich ein Glockenturm wurde nicht zu Ende gebaut und ist bis auf den heutigen Tag unvollendet. Seit 1981 ist der Nordturm fast ständig eingerüstet. Die Arbeiten werden von heute auf morgen begonnen, dann jedoch wegen fehlender Gelder oder des Todes eines bedeutenden Priesters plötzlich wieder eingestellt. Die Kathedrale gilt jedoch selbst in ihrem unfertigen Zustand als wichtigste Touristenattraktion Kitturs. Von besonderem Interesse sind die auf die Decke der Hauptkapelle gemalten Fresken des auf wundersame Weise unversehrten Leichnams des heiligen Franziskus Xavier und das kolossale Wandgemälde «Eine Allegorie Europas, die Wissenschaft und Aufklärung nach Ostindien bringt» hinter dem Altar.

*

George D'Souza, der Moskitomann, hatte sich eine Prinzessin geangelt. Den Beweis für diese Behauptung wollte er bei Sonnenuntergang liefern, wenn die Arbeit an der Kathedrale ruhte. Bis dahin wollte George nur an seiner Wassermelone nuckeln, gegenüber seinen Freunden Anspielungen machen und grinsen.

Er saß auf einem pyramidenförmigen Haufen aus Granitsteinen auf dem Platz vor der Kathedrale und hatte seinen Kanister, den er auf dem Rücken trug, und die Sprühpistole neben sich abgelegt.

Zementmischmaschinen lärmten auf beiden Seiten der Kathedrale, vermischten Granitgranulat mit Erde und spuckten schwarzen Mörtel auf einen Haufen. Auf einem Gerüst wurden Ziegel und Zement zur Spitze des nördlichen Glockenturms gehievt. Georges Freunde Guru und Michael gossen aus Ein-Liter-Plastikflaschen Wasser in den Zementmischer. Während das Wasser aus den Maschinen in die rote Erde des Platzes lief, strömten blutrote Bäche von der Kathedrale hinab, als wäre sie ein Herz, das man zum Trocknen auf ein Stück Zeitungspapier gelegt hatte.

Als er seine Melone gegessen hatte, rauchte George eine Bidi nach der anderen. Er schloss die Augen, und sofort fingen Kinder der Bauarbeiter damit an, sich gegenseitig mit Pestiziden zu bespritzen. Er jagte sie eine Weile herum, kehrte dann wieder zur Steinpyramide zurück und setzte sich darauf.

Er war ein kleiner, drahtiger, dunkler Kerl, der um die vierzig zu sein schien – da körperliche Arbeit jedoch den Alterungsprozess beschleunigt, mochte er auch jünger sein, vielleicht erst Ende zwanzig. Unter dem linken Auge hatte er eine lange Narbe, und sein pockennarbiges Gesicht zeugte von unlängst ausgestandenen Windpocken. Seine Oberarme waren lang und sehnig: Er hatte nicht diese schimmernden, hervorquellenden Muskeln, die man sich in teuren Fitnessstudios antrainiert, sondern die aus schierer Not geformten Sehnen der hart arbeitenden armen Leute, steinhart und tief gefurcht davon, dass sie ihr Leben lang für andere Leute Dinge schleppen müssen.

Bei Sonnenuntergang wurde vor Georges Steinpyramide Feuerholz aufgeschichtet und angezündet und Reis und Fischcurry in einem schwarzen Topf gekocht. Ein Kofferradio wurde angestellt. Moskitos summten. Vier Männer saßen mit glänzenden Gesichtern ums Feuer und rauchten Bidis. Bei George waren seine alten Kollegen – Guru, James und Vinay. Bevor er entlassen worden war, hatten sie mit ihm zusammen auf der Baustelle gearbeitet.

Er zog sein grünes Notizbuch aus der Tasche und schlug es in der Mitte auf, wo er etwas aufbewahrte, das so rosa aussah wie die Zunge eines Tiers, das er erlegt und gehäutet hatte.

Es war ein Zwanzig-Rupien-Schein. Staunend betastete Vinay das Ding, und nachdem Guru es ihm vorsichtig entwunden hatte, konnte er die Augen noch immer nicht davon abwenden.

«Das hast du dafür gekriegt, dass du in ihrem Haus Pestizide versprüht hast?»

«Nein, nein, nein. Sie hat gesehen, wie ich gesprüht habe, und das hat sie wohl beeindruckt, denn sie hat mich dann gebeten, noch ein paar Gartenarbeiten zu machen.»

«Hat sie denn keinen eigenen Gärtner, wenn sie so reich ist?»

«Doch, hat sie – aber der Kerl ist dauernd besoffen. Also hab ich seine Arbeit gemacht.»

George ging ins Detail: den abgestorbenen Baumstamm aus der Abwasserrinne im Garten ziehen und ein paar Meter entfernt wieder ablegen, den Schlamm aus dem Gully entfernen, weil da die Moskitos drin brüteten. Und dann mit einer riesigen Schere die Hecken im Vorgarten beschneiden.

«Sonst nichts?» Vinay klappte der Unterkiefer runter. «Zwanzig Rupien für so was?»

Geradezu boshaft verschwenderisch blies George Rauch in die Luft. Den Zwanzig-Rupien-Schein schob er wieder ins Notizbuch und das Notizbuch wieder in seine Tasche.

«Deshalb sag ich ja: Sie ist meine Prinzessin.»

«Den Reichen gehört die ganze Welt», sagte Vinay mit einem Seufzer, der teils rebellisch und teils fatalistisch klang. «Was bedeuten denen schon zwanzig Rupien?»

Guru, der Hindu war, sagte normalerweise nicht viel und galt unter seinen Freunden als «Denker». Er war sogar schon mal in Bombay gewesen und konnte englische Schilder lesen.

«Soll ich euch mal was über die Reichen erzählen? Soll ich euch mal was über die Reichen erzählen?»

«Na gut, schieß los.»

«Dann erzähle ich euch mal was über die Reichen. Im Oberoi Hotel am Nariman Point in Bombay gibt's ein Gericht, das heißt ‹Beef Vindaloo› und kostet fünfhundert Rupien.»

«Unmöglich!»

«Doch, fünfhundert! Es stand am Sonntag in der englischen Zeitung. Jetzt wisst ihr was über die Reichen.»

«Und was passiert, wenn man das Gericht bestellt und dann merkt, dass man einen Fehler gemacht hat, weil es einem nicht schmeckt? Kriegt man dann sein Geld zurück?»

«Nein, aber wenn man reich ist, spielt das ja auch keine Rolle. Wisst ihr, was der größte Unterschied ist zwischen reich sein und so sein wie wir? Die Reichen können sich Fehler über Fehler erlauben. Aber wenn wir nur einen einzigen Fehler machen, dann war's das für uns.»

Nach dem Essen lud George alle anderen zu Drinks in der Arrakkneipe ein. Seitdem er von der Baustelle geflogen war, hatte er auf ihre Kosten gegessen und getrunken. Den Job als Moskitomann, den Guru ihm vermittelt hatte, weil er irgendjemanden in der Stadtverwaltung kannte, machte er nur einmal pro Woche.

«Nächsten Sonntag», sagte Vinay, als sie um Mitternacht sturzbetrunken aus der Arrakkneipe kamen, «komm ich mit und guck mir deine Scheißprinzessin an.»

«Ich verrate euch aber nicht, wo sie wohnt», schrie George. «Sie ist mein Geheimnis.»

Die anderen waren zwar verärgert, hakten aber nicht weiter nach. Sie waren heilfroh, dass George gute Laune hatte; das kam selten genug vor, weil er ein verbitterter Mann war.

In den Zelten hinter dem Bauplatz an der Kathedrale gingen sie schlafen. Weil September war, bestand immer noch die Gefahr, dass es regnen würde, aber George schlief draußen, sah zu den Sternen auf und dachte an die großzügige Frau, die diesen Tag für ihn zu einem Glückstag gemacht hatte.

*

Am folgenden Sonntag schulterte George seinen Kanister, verband die Spritzpistole mit einer der Düsen und marschierte nach Valencia hinein. Unterwegs blieb er an jedem Haus stehen, und wo auch immer er einen Gully, eine Pfütze oder ein Abwasserloch sah, feuerte er seine Pistole ab: Pffft ... Pffft ...

Er entfernte sich einen halben Kilometer von der Kathedrale und bog dann links ab in eine der Gassen, die von Valencia aus bergab führen. Dann folgte er der Straße nach unten und feuerte mit seiner Pistole in jeden Gully am Straßenrand: Pffft ... Pffft ... Pffft ...

Der Regen hatte aufgehört, und so rauschten von der Hauptstraße jetzt keine Schlammbäche mehr zu Tal, aber von den blinkenden Zweigen der Bäume und den Dachschrägen der Häuser tropfte es immer noch auf die Straße, wo die lockeren Steine das Wasser in glitzernde Bäche teilten, die mit leiser Musik in die Gullys gluckerten. Dicke grüne Moospolster bedeckten die Gullys wie ein Überzug aus Galle, Gräser sprossen aus dem Untergrund, und kleine, sumpfige Pfützen abgestandenen Wassers funkelten in Ecken und Winkeln wie flüssige Smaragde.

Ein Dutzend Frauen in farbenprächtigen Saris, jede mit einem grünen oder violetten Stirnband um den Kopf, mähten an den Straßenrändern das Gras. Während sie fremde, tamilische Lieder sangen und sich dazu im Rhythmus bewegten, schufteten die Wanderarbeiter in den Abwassergräben, kratzten das Moos weg und rissen die Gräser zwischen den Steinen mit solcher Gewalt aus, als würden sie sie Kindern aus den Händen reißen, während andere mit bloßen Händen den schwarzen Dreck aus den Gullys gruben und zu triefenden Haufen schichteten.

Er blickte verächtlich auf sie herab, aber dann dachte er: Aber ich bin doch selbst auf das Niveau dieser Leute herabgesunken!

Er wurde trübsinnig, sprayte ziellos herum und ließ sogar absichtlich einige Pfützen aus.

Langsam, aber sicher näherte er sich 10 A und merkte, dass er vor dem Haus seiner Prinzessin angekommen war. Er öffnete die rote Gartenpforte und ging hinein.

Die Fenster waren geschlossen. Aber nah am Haus konnte er hören, dass drinnen Wasser rauschte. Sie duscht mitten am Tag, dachte er. Reiche Frauen können so etwas machen.

Als er in der vorigen Woche der Frau begegnet war, hatte er sofort vermutet, dass ihr Mann fort war. Nach einer Weile merkte man das den Frauen, deren Männer in der Golfregion arbeiteten, einfach an: Dass sie seit längerer Zeit keinen Mann mehr um sich hatten, strahlten sie gewissermaßen aus. Ihr Mann hatte sie während seiner Abwesenheit gut versorgt. Der einzige Wagen mit Chauffeur in ganz Valencia, ein weißer Ambassador, stand in der Einfahrt, und die einzige Klimaanlage in der ganzen Straße ragte surrend aus ihrem Schlafzimmer und ließ Wasser in die Jasminbeete im Garten tropfen.

Der Fahrer des weißen Ambassadors war nirgends zu sehen.

Der sitzt wohl wieder irgendwo und trinkt sich einen, dachte

George. Beim letzten Mal hatte er irgendwo hinterm Haus eine alte Köchin gesehen. Eine alte Dame und einen versoffenen Chauffeur – mehr Gesellschaft hatte die Herrin nicht in diesem Haus.

Eine Abflussrinne führte vom Garten in den Hinterhof, und er folgte ihrem Verlauf und sprühte: Pffft ... Pffft ... Die Rinne war schon wieder verstopft. Er beugte sich über den Schlamm und Schmutz in der Rinne, hielt seine Pistole gewissenhaft in verschiedene Winkel und machte gelegentlich eine Pause, um sein Werk zu kontrollieren. Er presste die Mündung der Spritzpistole gegen den Rinnenrand. Das Spraygeräusch hörte auf. Weißer Schaum wie von einer Schlange, die man auf Glas beißen lässt, damit sie ihr Gift absondert, quoll über die Moskitolarven. Dann drehte er einen Knopf an der Spritzpistole fest, schob sie in eine Halterung an seinem Kanister und machte sich mit dem Kontrollbuch, das sie abzeichnen musste, auf die Suche nach ihr.

«Hey!» Eine Frau spähte aus einem Fenster. «Wer sind Sie?»

«Ich bin der Moskitomann. Ich war letzte Woche schon mal da.»

Das Fenster wurde geschlossen. Aus verschiedenen Teilen des Hauses drangen Geräusche; Türen wurden geöffnet, zugeschlagen und verschlossen, und dann stand sie wieder vor ihm – seine Prinzessin. Mrs Gomes, die Dame des Hauses 10 A, war eine große Frau, die auf die vierzig zuging. Sie hatte hellroten Lippenstift aufgelegt und trug ein Kleid westlichen Zuschnitts, das neun Zehntel ihrer Arme bis zur Schulter entblößte. Unter den drei Gattungen von Frauen auf dieser Welt – «traditionell», «modern» und «berufstätig» – zählte Mrs Gomes augenscheinlich zum Stamm der «modernen».

«Sie haben letztes Mal keine gute Arbeit geleistet», sagte sie und hielt ihm ihre Hände hin, auf denen rote Quaddeln zu sehen waren. Dann trat sie zurück, lüftete den Saum ihres langen grünen Kleids und ließ ihre geschundenen Fußgelenke sehen. «Ihr Sprühen hat nichts gebracht.»

Ihm wurde heiß vor Scham, aber er wagte es auch nicht, den Blick von dem abzuwenden, was ihm da geboten wurde.

«Das Problem ist nicht mein Sprühen, sondern Ihr Garten», erwiderte er. «Die Rinne ist schon wieder von einem Ast verstopft, und ich glaube, da blockiert auch irgendein totes Tier, vielleicht ein Mungo, den Abfluss. Deshalb brüten da immer noch Moskitos. Kommen Sie mit, und sehen Sie es sich an, wenn Sie mir nicht glauben», schlug er vor.

Sie schüttelte den Kopf. «Der Garten ist völlig verkommen. Da halte ich mich nie auf.»

«Ich räume da gründlich auf», sagte er. «Das wirkt gegen die Moskitos besser als meine Spritzpistole.»

Sie runzelte die Stirn. «Wie viel verlangen Sie dafür?»

Weil ihn ihr Ton ärgerte, sagte er: «Gar nichts.»

Er ging in den Garten, stieg in die Rinne und fing an, den Dreck wegzumachen. Diese Leute denken, sie können unsereinen wie Vieh kaufen! Wie viel verlangen Sie dafür? Wie viel hierfür?

Eine halbe Stunde später klingelte er mit schmutzigen, schwarzen Händen. Nach ein paar Sekunden hörte er sie rufen: «Kommen Sie hierher!»

Er folgte der Stimme zu einem geschlossenen Fenster.

«Machen Sie's auf!»

Er schob seine geschwärzten Hände in einen kleinen Spalt zwischen den beiden Holzläden vor dem Fenster und zog sie auf. Mrs Gomes las in ihrem Bett.

Er steckte seinen Stift ins Kontrollbuch und hielt es ihr hin.

«Was soll ich denn mit dem Buch?», fragte sie. Der Duft frisch gewaschenen Haars wehte ihr voraus, als sie ans Fenster trat.

Er deutete mit seinem dreckigen Daumen auf eine Spalte. Haus 10 A, Mrs Roger Gomes.

«Möchten Sie einen Tee?», fragte sie, während sie in seinem Buch die Unterschrift ihres Mannes fälschte.

Er war sprachlos. Bei dieser Arbeit war ihm noch nie zuvor Tee angeboten worden. Hauptsächlich aus Angst davor, was die reiche Lady tun würde, wenn er ablehnte, sagte er Ja.

Eine alte Dienerin, vielleicht die Köchin, erschien an der Hintertür und musterte ihn misstrauisch, als Mrs Gomes sie anwies, ihm Tee zu bringen.

Ein paar Minuten später kam die alte Köchin mit einem Glas Tee in der Hand wieder. Sie sah den Moskitomann verächtlich an und setzte das Glas auf der Türschwelle ab, damit er sich danach bücken musste.

Er stieg die drei Stufen hoch, nahm die Tasse, ging wieder zurück und machte drei weitere Schritte rückwärts, bevor er trank.

«Seit wann machen Sie diesen Job?»

«Seit sechs Monaten.»

Er nippte am Tee. Einer plötzlichen Eingebung folgend, sagte er: «In meinem Heimatdorf habe ich eine Schwester, die ich unterstützen muss. Maria. Sie ist ein gutes Mädchen, Madam. Sie kann gut kochen. Brauchen Sie eine Köchin, Madam?»

Die Prinzessin schüttelte den Kopf. «Ich habe eine sehr gute Köchin. Tut mir leid.»

George trank den Tee aus, stellte das Glas vor den Stufen ab und hielt es einen Moment lang fest, um sicherzugehen, dass es nicht umkippte, wenn er es losließ.

«Wird sich das Problem im Garten wiederholen?»

«Mit Sicherheit. Moskitos sind eine üble Sache, Madam. Sie übertragen Malaria und Fadenwürmer», sagte er und erzählte von Schwester Lucy aus seinem Dorf, die mit Hirnmalaria infiziert worden war. «Sie hat gesagt, dass sie wie ein Kolibri mit ihren ausgemergelten Armen schlagen muss, flatter, flatter, flatter, bis sie ins heilige Jerusalem eingehen wird.» Um ihr die Sache zu demonstrieren, wedelte er mit den Armen und kurvte um den geparkten Wagen herum.

Unvermittelt brach sie in ein wildes Gelächter aus. Er war ihr wie ein ernster und würdiger Mann vorgekommen, weshalb sie ihm diesen Ausbruch von Übermut nicht zugetraut hätte. Sie hatte noch nie einen Mann aus den unteren Klassen erlebt, der so komisch geredet hatte. Sie musterte ihn von Kopf bis Fuß und hatte das Gefühl, ihn zum ersten Mal zu sehen.

Er merkte, dass ihr Lachen von Herzen kam und dass sie schnaubte wie eine Bäuerin. Damit hatte er auch nicht gerechnet. Für Frauen aus gutem Haus schickte es sich nicht, derart wild und hemmungslos zu lachen, und ihr Verhalten verwirrte ihn, weil sie ja so eine wohlhabende Frau war.

Mit müder Stimme fügte sie hinzu: «Eigentlich soll Matthew den Garten in Ordnung halten. Aber er ist nicht mal oft genug da, um mich zu fahren, geschweige denn, sich um den Garten zu kümmern. Immer unterwegs. Saufen.»

Dann erhellte sich ihr Gesicht, als ihr ein Einfall kam: «Sie machen das», sagte sie. «Sie können als Teilzeitgärtner für mich arbeiten. Ich bezahle Sie dafür.»

George war drauf und dran, Ja zu sagen, aber etwas in ihm ließ ihn zögern. Ihm missfiel die beiläufige Art, in der ihm der Job angeboten wurde.

«Das ist eigentlich keine Arbeit für mich, Scheiße aus Gärten zu entfernen. Aber für Sie mache ich es. Für Sie mache ich alles, weil Sie ein guter Mensch sind. Ich kann in Ihre Seele sehen.»

Wieder lachte sie.

«Sie können nächste Woche anfangen», sagte sie mit Lachfalten im Gesicht und schloss die Tür.

Als er weg war, öffnete sie die Hintertür. Sie ging fast nie in den Garten. Es roch stark nach fruchtbarer, schwarzer Erde, die von Gräsern überwuchert war, und in der Luft hing Abwassergestank. Sie roch die Pestizide. Der Geruch lockte sie aus dem Haus. Sie hörte ein Geräusch und stellte fest, dass der Moskitomann immer noch irgendwo in der Nachbarschaft am Werk war.

Pffft ... Pffft ... klang es aus der Nachbarschaft, und sie folgte dem Geräusch im Geiste – erst am Haus der Monteiros; dann bei Dr. Karkadas Anwesen; dann beim Lehrerkolleg und dem Seminar der Jesuiten von Valencia: Pffft ... Pffft ... Pffft ... –, bis sich das Geräusch verlor.

*

George saß auf dem Steinhaufen und wartete auf andere Männer, die über ihre Arbeit genauso dachten wie er, und dann würden sie zusammen in eine Arrakkneipe in der Nähe ziehen und trinken.

«Was ist denn mit dir los?», fragten ihn die anderen Jungen später am Abend. «Du sagst ja kaum was.»

Nach einer ausgelassenen Stunde war er mürrisch geworden. Er dachte an den Mann und die Frau, die er auf dem Umschlag des Romans seiner Prinzessin gesehen hatte. Sie saßen in einem Auto. Der Wind spielte mit dem Haar der Frau, und der Mann lächelte. Im Hintergrund sah man ein Flugzeug. Englische Worte, der Titel des Romans, schwebten in silbernen Lettern über der Szene wie der Segen vom Gott des guten Lebens.

Er dachte an die Frau, die es sich leisten konnte, ihre Tage mit der Lektüre solcher Bücher zu verbringen, in ihrem komfortablen Haus, in dem ständig die Klimaanlage lief.

«Die Reichen nutzen uns aus, Mann. Immer das Gleiche. Hier, zwanzig Rupien, küss mir die Füße. Steig in die Gosse. Mach meine Scheiße weg. So geht das doch immer.»

«Er schon wieder», kicherte Guru. «Wegen solcher Reden ist er doch gefeuert worden, aber er hat sich überhaupt nicht verändert. Immer noch verbittert.»

«Wieso sollte ich mich denn ändern? Stimmt das etwa nicht?», schrie George zurück. «Die Reichen liegen im Bett und lesen Bücher, leben ganz allein ohne Familie und essen Fünfhundert-Rupien-Gerichte, die ... wie heißt das gleich noch mal? Vindoo? Vindiloo?»

In dieser Nacht konnte er nicht schlafen. Er verließ das Zelt, ging zur Baustelle, starrte stundenlang die unvollendete Kathedrale an und dachte an die Frau aus 10 A.

In der nächsten Woche wurde ihm klar, dass sie schon auf ihn gewartet hatte. Als er zu ihrem Haus kam, streckte sie den Arm aus und drehte ihn hin und her, bis er ihr Fleisch aus allen Perspektiven gesehen hatte.

«Keine Stiche», sagte sie. «Diese Woche war es viel besser. Ihr Mittel funktioniert endlich.»

Er kümmerte sich um ihren Garten. Zuerst ging er mit seiner Spritzpistole los, justierte mit der linken Hand einen Knopf am Kanister, kniete sich hin und sprühte Germizid über die Gräben. Als sie dann zusah, brachte er Ordnung in ihren lange vernachlässigten Garten: Er grub, sprühte, schnitt und räumte eine Stunde lang.

Abends wollten die Jungen von der Baustelle die Neuigkeiten gar nicht glauben.

«Es ist jetzt ein Vollzeitjob», sagte George. «Die Prinzessin hält mich für einen so guten Arbeiter, dass ich dableiben und in einem Schuppen im Garten schlafen soll. Sie zahlt mir das Doppelte von meinem bisherigen Lohn. Und ich muss kein Moskitomann mehr sein. Einfach perfekt.»

«Ich wette, wir sehen dich nie wieder», sagte Guru und schnippte seine Bidi auf den Boden.

«Das stimmt nicht», protestierte George. «Ich komme jeden Abend zum Trinken vorbei.»

Guru schnaubte. «Ich wette trotzdem.»

Und er behielt recht. Sie sahen George nur noch selten.

*

Jeden Montag erschien eine weiße, mit einem nordindischen Salwar Kameez bekleidete Frau an der Pforte und fragte ihn auf Englisch: «Ist Madam da?»

Er öffnete die Pforte, verbeugte sich und sagte: «Ja, sie ist da.»

Sie stammte aus England. Sie kam, um Madam Yoga und Atemtechnik beizubringen. Die Klimaanlage war abgestellt, und George hörte das Geräusch tiefer Atemzüge aus dem Schlafzimmer.

Nach einer halben Stunde erschien die Frau wieder und sagte: «Erstaunlich, nicht wahr? Dass ich Ihnen Yoga beibringe.»

«Ja, das ist schon traurig. Wir Inder haben alles über unsere eigene Kultur vergessen.»

Dann spazierten die weiße Frau und Madam eine Weile durch den Garten.

Jeden Dienstagmorgen chauffierte Matthew mit roten Augen und nach Arrak stinkendem Atem Madam zum Treffen der Lions Ladys in den Club an der Rose Lane. Darin schien sich Mrs Gomes' gesellschaftliches Leben zu erschöpfen. Wenn sie ausfuhren, hielt ihnen George das Tor auf; wenn der Wagen an ihm vorbeifuhr, wandte Matthew ihm sein wütendes Gesicht zu.

«Er hat Angst vor mir», dachte George, als er wieder die Pflanzen im Garten beschnitt. «Glaubt er etwa, dass ich versuchen werde, ihn eines Tages als Fahrer abzulösen?»

Bislang war ihm dieser Gedanke noch gar nicht gekommen.

Als der Wagen zurückkam, sah er ihn missbilligend an. Die

Seiten waren schmutzig. Er spritzte ihn mit einem Schlauch ab und wischte dann die Karosserie mit einem dreckigen und den Innenraum mit einem sauberen Lappen ab. Bei der Arbeit kam ihm der Gedanke, dass Autowaschen nicht zu seinem Job als Gärtner gehörte; er tat mehr als verlangt – aber natürlich würde Madam das gar nicht auffallen. Die Reichen kennen ja keine Dankbarkeit, nicht wahr?

«Sie haben sich mit dem Wagen sehr viel Mühe gemacht», sagte Mrs Gomes am Abend. «Ich bin Ihnen sehr dankbar.»

George schämte sich vor sich selbst. Er dachte: Diese reiche Frau ist wirklich anders als die anderen reichen Leute.

«Für Sie tue ich alles, Madam», sagte er.

Wenn sie miteinander sprachen, wahrte er immer einen Abstand von anderthalb bis zwei Metern; im Lauf des Gesprächs verringerte sich der Abstand manchmal, aber wenn dann Parfümduft seine Nasenflügel weitete, stellte er, indem er kleine Schritte rückwärts machte, die gebührende Distanz zwischen Herrin und Knecht automatisch wieder her.

Abends brachte die Köchin ihm Tee und schwatzte stundenlang mit ihm. Er war bislang noch nie im Haus gewesen, aber wenn man die alte Frau so reden hörte, mussten die Wunder des Hauses weit über eine Klimaanlage hinausgehen. Die riesige weiße Kiste, die er sah, wenn die Hintertür geöffnet wurde, sei eine Maschine, die automatisch wusch und Wäsche trocknete, sagte die alte Köchin.

«Ihr Mann wollte, dass sie sie benutzt, aber sie tat es nicht. Sie waren nie einer Meinung. Außerdem», sagte sie mit verschwörerischem Flüstern, «außerdem keine Kinder. Das bringt immer Probleme mit sich.»

«Warum haben sie sich getrennt?»

«Ihr Lachen», sagte die alte Frau. «Er hat gesagt, sie lacht wie ein Teufel.»

Das hatte George auch schon gemerkt – schrill, wild, wie das Lachen eines Kindes oder Tieres, hämisch und liederlich. Er hörte immer auf zu arbeiten, um zu lauschen, wenn dieses Lachen aus ihrem Zimmer scholl, und oft hörte er es auch anderswo, sogar im Quietschen einer sich öffnenden Tür oder in der besonderen Tonfolge eines seltsamen Vogelrufs. Er verstand, was ihr Mann gemeint hatte.

«Sind Sie gebildet, George?», fragte ihn Mrs Gomes eines Tages mit überraschtem Unterton. Sie hatte ihn beim Lesen der Zeitung angetroffen.

«Ja und nein, Madam. Ich habe es bis zur zehnten Klasse geschafft, Madam, bin aber bei der Examensprüfung durchgefallen.»

«Durchgefallen?», fragte sie mit einem Lächeln. «Wie kann man bei dieser Prüfung denn durchfallen? Die ist doch derart simpel ...»

«Ich konnte alles addieren, Madam. Ich habe Mathematik mit sechzig von hundert Punkten abgeschlossen. Ich bin nur in Gemeinschaftskunde durchgefallen, weil ich Madras und Bombay nicht auf der Karte von Indien, die man mir vorlegte, zeigen konnte. Wie denn auch, Madam? Solche Sachen hatten wir im Unterricht gar nicht durchgenommen. Ich bekam nur 34 Punkte in Gemeinschaftskunde – einen Punkt zu wenig!»

«Warum haben Sie das Examen nicht wiederholt?», fragte sie.

«Wiederholt?» Er stieß das Wort aus, als hätte er es nicht verstanden. «Ich habe zu arbeiten angefangen», sagte er, weil er nicht wusste, was er ihr antworten sollte. «Ich habe sechs Jahre lang gearbeitet, Madam. Letztes Jahr hat es so stark geregnet, dass keine Landwirtschaft möglich war. Wir hörten, dass es für Christen Jobs auf der Baustelle gab – bei der Kathedrale, meine ich –, und ein ganzer Trupp von uns kam aus dem Dorf hierher.

Ich habe da als Zimmermann gearbeitet, Madam. Wie hätte ich da noch lernen können?»

«Warum haben Sie die Baustelle verlassen?»

«Ich habe Rückenprobleme», sagte er.

«Dürfen Sie denn dann solche Arbeit wie diese hier machen?», fragte sie. «Schadet das nicht Ihrem Rücken? Am Ende werden Sie noch behaupten, ich hätte Ihnen den Rücken kaputtgemacht, und dann hängen Sie das an die große Glocke.»

«Mein Rücken ist okay, Madam. Mein Rücken ist okay. Sie sehen doch, dass ich mich jeden Tag beim Arbeiten bücke.»

«Warum sagen Sie dann, dass Sie Rückenprobleme haben?», hakte sie nach. Er sagte nichts. Sie schüttelte den Kopf und sagte: «Ach, aus euch Dorfleuten wird man unmöglich schlau.»

Am nächsten Tag wartete er auf sie. Als sie nach ihrem Bad in den Garten kam und dabei ihr nasses Haar mit einem Handtuch trocknete, näherte George sich ihr und sagte: «Er hat mich geschlagen, Madam. Da habe ich zurückgeschlagen.»

«Wovon reden Sie denn, George? Wer hat Sie geschlagen?»

Er erklärte ihr, dass er sich mit seinem Vorarbeiter geprügelt hatte. In der Hoffnung, sie mit seiner Schnelligkeit und seinem Reaktionsvermögen zu beeindrucken, führte George pantomimisch einen Faustkampf auf.

«Er hat behauptet, ich hätte seiner Frau schöne Augen gemacht, Madam. Aber das stimmte nicht. Wir sind ehrliche Leute in meiner Familie, Madam. Früher haben wir im Dorf gepflügt, Madam», sagte er, «und dabei haben wir Kupfermünzen gefunden. Die stammten noch aus der Zeit von Tippu Sultan. Sie sind über hundert Jahre alt. Und diese Münzen hat man mir weggenommen und zu Kupfer eingeschmolzen. Ich hätte sie so gern behalten, aber ich habe sie bei Mr Coelho, dem das Land gehört, abgeliefert. Ich bin nicht unehrlich. Ich stehle nicht, und ich schaue auch nicht die Frau eines anderen Mannes an. Das ist die

Wahrheit. Gehen Sie ins Dorf, und fragen Sie Mr Coelho. Er wird es Ihnen bestätigen.»

Darüber musste sie lächeln. Wie alle Dörfler hatte auch er eine Art, seine Vertrauenswürdigkeit zu verteidigen, die naiv, weitschweifig und liebenswert war.

«Ich vertraue Ihnen», sagte sie und ging ins Haus, ohne hinter sich die Tür zu schließen. Er warf einen Blick hinein und sah Uhren, rote Teppiche, Holzmedaillons an den Wänden, Topfpflanzen und Dinge aus Bronze und Silber. Dann wurde die Tür geschlossen.

An diesem Tag brachte sie den Tee selbst nach draußen. Sie stellte das Glas auf die Schwelle, und er huschte mit gesenktem Kopf die Stufen empor, nahm das Glas und huschte wieder zurück.

«Ach, Madam, aber Leute wie Sie haben alles, und Leute wie ich haben nichts. Das ist einfach nicht fair», sagte er und nippte am Tee.

Sie lachte kurz auf. Von einem Armen hätte sie nie eine derartige Direktheit erwartet. Das war reizend.

«Das ist einfach nicht fair, Madam», sagte er noch einmal. «Sie haben sogar eine Waschmaschine, die Sie nicht mal benutzen. So viel haben Sie.»

«Verlangen Sie etwa mehr Geld von mir?» Sie zog die Augenbrauen hoch.

«Nein, Madam, warum sollte ich? Sie zahlen sehr gut. Ich rede nicht um den heißen Brei herum», sagte er. «Wenn ich es will, frage ich nach mehr Geld.»

«Ich habe Probleme, von denen Sie nichts ahnen, George. Ich habe auch meine Probleme.» Sie lächelte und ging ins Haus. Er stand draußen und wartete vergeblich auf eine Erklärung.

Kurz darauf begann es zu regnen. Die ausländische Yogalehrerin kam mit einem Regenschirm durch den strömenden Regen.

Er lief zum Tor, um sie einzulassen, und setzte sich dann neben das Auto in die Garage und lauschte dem Geräusch tiefer Atemzüge aus Madams Schlafzimmer. Als die Yogastunde vorbei war, hatte es zu regnen aufgehört, und der Garten funkelte in der Sonne. Die beiden Frauen schienen sich über die Sonne zu freuen – und auch über den gepflegten Zustand des Gartens. Mrs Gomes legte ihrer ausländischen Freundin einen Arm um die Hüfte, während sie miteinander sprachen. George fiel auf, dass im Gegensatz zu der europäischen Frau seine Arbeitgeberin ihre mädchenhafte Figur behalten hatte. Er nahm an, dass das an ihrer Kinderlosigkeit lag.

Gegen halb sieben ging in ihrem Schlafzimmer das Licht an, und dann rauschte Wasser. Sie nahm ein Bad. Sie nahm jeden Abend ein Bad. Das war unnötig, weil sie auch jeden Morgen ein Bad nahm, und außerdem duftete sie ohnehin nach wunderbarem Parfüm. Dennoch badete sie zweimal täglich – in heißem Wasser, da war er sich sicher – und schäumte ihren Körper ein und entspannte sich. Sie war eine Frau, die Dinge nur zu ihrem Vergnügen tat.

Am Sonntag marschierte George den Hügel hinauf, um die Messe in der Kathedrale zu besuchen. Als er wiederkam, summte immer noch die Klimaanlage. Sie geht also nicht in die Kirche, dachte er.

An jedem zweiten Mittwochnachmittag kam mit einem Yamaha-Motorrad die mobile Leihbibliothek ins Haus. Der Bibliothekar, zugleich der Motorradfahrer, drückte auf die Klingel, band eine Metallkiste mit Büchern vom Gepäckträger seines Motorrads los und stellte sie hinten auf das Auto, damit Mrs Gomes auswählen konnte. Mrs Gomes musterte die Bücher und suchte sich einige heraus. Nachdem sie ihre Wahl getroffen, bezahlt hatte und wieder ins Haus gegangen war, ging George zu dem Bibliothekar und Fahrer, der seine Bücherkiste wieder auf dem

Gepäckträger der Yamaha festzurrte, und tippte ihm auf die Schulter.

«Was für Bücher liest Madam?»

«Romane.»

Der Bibliothekar und Fahrer hielt inne und zwinkerte ihm zu. «Schmutzige Romane. Frauen wie sie sehe ich jeden Tag zu Dutzenden, Frauen, deren Männer im Ausland sind.»

Er krümmte den Finger und wackelte damit.

«Es juckt sie immer noch, wissen Sie? Also müssen sie englische Romane lesen, um es loszuwerden.»

George grinste.

Aber als die Yamaha im Kreis wendete und in einer Staubwolke den Garten verließ, lief er ans Tor und rief: «Rede nicht so über Madam, du Arschloch!»

Nachts lag er wach. Er streifte leise durch den Garten, machte keinen Lärm. Er dachte nach. Wenn er auf sein Leben zurückblickte, kam es ihm so vor, dass es aus Dingen bestand, die nicht «Ja» zu ihm gesagt hatten, aber auch aus Dingen, zu denen er nicht «Nein» sagen konnte. Das Examen hatte nicht «Ja» zu ihm gesagt, und zu seiner Schwester konnte er nicht «Nein» sagen. Beispielsweise konnte er es sich nicht vorstellen, seine Schwester ihrem Schicksal zu überlassen und zurückzukehren und sein Examen noch einmal zu wiederholen.

Er ging hinaus, lief die Straße entlang und folgte dann der Hauptstraße. Die unvollendete Kathedrale stand als dunkle Silhouette vor dem blauen Nachthimmel an der Küste. Er steckte sich eine Bidi an, lief im Kreis um das Chaos der Baustelle und warf einen fremden Blick auf lauter vertraute Dinge.

Am nächsten Tag erwartete er sie mit einer Erklärung.

«Ich habe zu trinken aufgehört, Madam», sagte er zu ihr. «Ich habe die Entscheidung gestern Nacht getroffen – nie wieder Arrak.»

Er wollte, dass sie es wusste. Er hatte jetzt die Kraft, so zu leben, wie er es wollte. Als er an diesem Abend die Rosenblätter beschnitt, öffnete Matthew die Pforte und kam in den Garten. Er sah George düster an und verzog sich dann in sein Quartier weiter hinten im Garten.

Als Mrs Gomes eine halbe Stunde später zum Treffen der Lions Ladys gefahren werden wollte, war Matthew nirgends zu finden – nicht einmal, nachdem sie sechsmal im Garten nach ihm gerufen hatte.

«Lassen Sie mich fahren, Madam», sagte George.

Sie sah ihn skeptisch an. «Können Sie denn fahren?»

«Madam, wenn man in Armut aufwächst, muss man alles können, von der Feldarbeit bis zum Autofahren. Warum steigen Sie nicht einfach ein und vergewissern sich, wie gut ich fahre?»

«Haben Sie denn überhaupt einen Führerschein? Wollen Sie mich etwa umbringen?»

«Madam», sagte er, «ich würde nie etwas tun, das Sie auch nur der geringsten Gefahr aussetzt.» Einen Augenblick später fügte er hinzu: «Ich würde sogar mein Leben für Sie opfern.»

Darüber lächelte sie. Dann erkannte sie, dass er es ernst meinte, und lächelte nicht mehr. Sie stieg ins Auto, und er ließ den Motor an und wurde ihr Fahrer.

«Sie fahren gut, George. Wollen Sie nicht bleiben und als mein Fahrer arbeiten?», fragte sie ihn schließlich.

«Für Sie tue ich alles, Madam.»

Matthew wurde noch am gleichen Abend entlassen. Die Köchin kam zu George und sagte: «Ich habe ihn nie leiden können. Aber ich bin froh, dass du bleibst.»

George verbeugte sich vor ihr. «Du bist wie meine ältere Schwester», sagte er und sah, dass sie glücklich strahlte.

Morgens wusch und wienerte er den Wagen, saß mit gekreuzten Beinen auf Matthews Hocker, summte fröhlich vor sich hin und wartete auf den Moment, in dem Madam ihm Anweisung gab, sie auszufahren. Wenn er sie zu den Treffen der Lions Ladys brachte, spazierte er am Fahnenmast vor dem Clubhaus herum und beobachtete die Busse, die an der Stadtbibliothek vorbeifuhren. Er sah die Busse und die Bibliothek jetzt mit anderen Augen: nicht mehr wie ein Wanderarbeiter, der in Abwasserkanäle kroch und den Dreck herausschaufelte, sondern wie jemand, der an etwas beteiligt war. Einmal fuhr er sie ans Meer. Sie ging bis zum Wasser, setzte sich auf die Felsen und blickte auf die silbernen Wellen hinaus, während er beim Wagen wartete und sie beobachtete.

Als sie aus dem Auto stieg, hustete er.

«Was ist, George?»

«Meine Schwester Maria.»

Sie sah ihn mit aufmunterndem Lächeln an.

«Sie kann kochen, Madam. Sie ist sauber und fleißig und ein gutes, christliches Mädchen.»

«Ich habe schon eine Köchin, George.»

«Sie ist nicht gut, Madam. Und sie ist zu alt. Warum schmeißen Sie sie nicht raus und lassen meine Schwester aus dem Dorf kommen?»

Ihr Gesicht verdüsterte sich.

«Glauben Sie etwa, ich merke nicht, was Sie machen? Sie versuchen, meinen Haushalt zu übernehmen! Erst verdrängen Sie meinen Fahrer und jetzt auch noch meine Köchin!»

Sie ging ins Haus und knallte die Tür hinter sich zu. Er lächelte. Er machte sich keine Sorgen. Er hatte den Samen in ihren Gedanken gesät. Bald würde er keimen. Er wusste jetzt, wie diese Frau funktionierte.

*

Während der Wasserknappheit dieses Sommers konnte George Mrs Gomes beweisen, dass er unentbehrlich war. Er wartete auf dem Hügel auf den Wassertankwagen, schleppte selbst die Eimer runter, füllte ihre Toilettenspülung und die Waschkommode, damit ihr die Peinlichkeit erspart blieb, beim Spülen rationieren zu müssen, was die gesamte Nachbarschaft tat. Sobald ihm das Gerücht zu Ohren kam, dass die Stadtverwaltung für einen begrenzten Zeitraum Wasser in die Leitungen pumpte (manchmal gab es alle zwei oder drei Tage für eine halbe Stunde Wasser), lief er ins Haus und rief: «Madam! Madam!»

Sie gab ihm einen Schlüsselbund für die Hintertür, sodass er jederzeit ins Haus konnte, wenn er hörte, dass es Wasser gebe, und die Eimer auffüllen konnte.

Weil er so fleißig war, konnte Madam in Zeiten, da die meisten Leute nicht einmal jeden zweiten Tag *ein* Bad nehmen konnten, ihrem Badevergnügen weiterhin zweimal täglich frönen.

«Wie absurd», sagte sie eines Abends, als sie mit nassem Haar, das ihr über die Schultern fiel und das sie mit einem weißen Handtuch energisch trocken rieb, an die Hintertür kam. «Dass wir in einem Land mit so viel Regen immer noch Wasserknappheit haben. Wird sich Indien denn nie ändern?»

Er lächelte und wandte seinen Blick von ihrer Figur und ihrem nassen Haar ab.

«George, Ihr Gehalt wird erhöht», sagte sie, ging wieder hinein und schloss fest die Tür.

Einige Abende später gab es noch mehr gute Nachrichten für ihn. Er sah, dass die alte Köchin mit einer Reisetasche unter dem Arm auszog. Als sich ihre Wege kreuzten, sah sie ihn mit einem vernichtenden Blick an.

«Ich weiß, was du mit ihr vorhast!», zischte sie. «Ich habe sie gewarnt, dass du ihren Namen und ihren Ruf ruinieren wirst! Aber du hast sie verhext.»

Eine Woche nachdem Maria sich zum Haushalt von 10 A dazugesellt hatte, kam Mrs Gomes zu George, als er gerade am Motor des Autos herumschraubte.

«Das Garnelencurry Ihrer Schwester ist ausgezeichnet.»

«In unserer Familie sind alle sehr fleißig, Madam», sagte er und freute sich so, dass er jäh den Kopf hob und damit gegen die Motorhaube stieß. Das tat weh, aber Mrs Gomes fing an zu lachen, ihr gellendes, hohes Tierlachen, und er versuchte mitzulachen, während er sich die rote Beule an seinem Kopf rieb.

Maria war ein kleines, schreckhaftes Mädchen, die zwei Taschen, kein Englisch und keinerlei Ahnung vom Leben jenseits ihres Dorfes mitbrachte. Mrs Gomes mochte sie und erlaubte ihr, in der Küche zu schlafen.

«Worüber reden sie im Haus, Madam und diese ausländische Frau?», fragte George sie, als Maria ihm das Abendessen in sein Einzimmerquartier brachte.

«Ich weiß nicht», sagte sie und setzte ihm Fischcurry vor.

«Warum weißt du das nicht?»

«Ich habe nicht darauf geachtet», sagte sie mit leiser Stimme und wie immer von ihrem Bruder eingeschüchtert.

«Na, dann achte jetzt darauf! Sitz da nicht wie eine Puppe herum, die ‹Ja, Madam und Nein, Madam›, sagt! Streng dich mal an! Halt die Augen offen!»

Sonntags nahm er Maria mit zur Messe in die Kathedrale. Morgens wurden die Bauarbeiten unterbrochen, um die Leute einzulassen, aber wenn sie wieder herauskamen, sah man, dass die Arbeiter sich schon wieder für die Abendschicht vorbereiteten.

«Warum geht Madam nicht zur Messe? Ist sie etwa keine Christin?», fragte Maria, als sie die Kirche verließen.

Er atmete tief durch. «Die Reichen machen, was sie wollen. Solche Fragen stehen uns nicht zu.»

Er beobachtete, wie Mrs Gomes mit Maria redete. In ihrer offenen, großzügigen Art, die nicht zwischen Arm und Reich unterschied, wurde sie für Maria viel mehr als ihre Chefin – eine gute Freundin nämlich. Es lief genau so, wie er es sich erhofft hatte.

Abends vermisste er seinen Arrak, aber er vertrieb sich die Zeit mit Spaziergängen oder vor dem Radio und ließ seinen Gedanken freien Lauf. Maria, dachte er, kann nächstes Jahr heiraten. Als Köchin im Haus einer reichen Frau war sie jetzt eine gute Partie. Die Jungen im Heimatdorf würden sich um sie reißen.

Anschließend, überlegte er, würde es Zeit für seine eigene Hochzeit, die er aus Verbitterung und Scham, weil er arm war, schon so lange verschoben hatte. Ja, Zeit zum Heiraten, Zeit für Kinder. Dennoch quälte ihn ein Gefühl der Reue, hervorgerufen durch den Kontakt zu dieser reichen Frau, weil er aus seinem Leben doch viel mehr hätte machen können.

«Sie können sich glücklich schätzen, George», sagte Mrs Gomes eines Abends zu ihm, als sie zusah, wie er den Wagen mit einem feuchten Lappen putzte. «Sie haben eine wunderbare Schwester.»

«Danke, Madam.»

«Gehen Sie doch mal mit Maria in die Stadt! Sie hat doch noch gar nichts von Kittur gesehen, nicht wahr?»

Er fand, dass dies eine sehr gute Gelegenheit war, sich ein Herz zu fassen. «Wir können das doch zu dritt machen, Madam!»

Zu dritt machten sie eine Ausfahrt an den Strand. Mrs Gomes und Maria machten einen Spaziergang durch den Sand. Er beobachtete sie aus der Entfernung. Als sie wiederkamen, erwartete er sie mit einer Tüte gerösteter Erdnüsse für Maria.

«Und ich bekomme keine?», fragte Mrs Gomes. Und er beeilte sich, ein paar Nüsse aus der Tüte zu schütteln, und sie nahm sie aus seiner Hand, und auf diese Weise berührte er sie zum ersten Mal.

*

Als es in Valencia wieder zu regnen begann, wusste er, dass er nun seit einem Jahr in ihrem Haushalt war. Eines Tages kam der neue Moskitomann wegen des Gartens. Mrs Gomes beobachtete, wie George dem Burschen die Abwasserrinnen und -kanäle zeigte, damit er keine einzige Stelle ausließ.

An diesem Abend rief sie ihn ans Haus und sagte: «George, das sollten Sie selbst machen. Bitte sprühen Sie die Abwasserrinne selbst, wie letztes Jahr.»

Ihre Stimme wurde süß, und obwohl es die gleiche Stimme war, für die er sonst Berge versetzt hätte, wurde er jetzt bockig. Er war beleidigt, weil sie ihm immer noch solch eine Arbeit zumutete.

«Warum nicht?» Sie wurde lauter und wütend. Sie kreischte. «Sie arbeiten für mich! Sie tun, was ich Ihnen sage!»

Die beiden starrten sich gegenseitig an, und dann entfernte er sich grummelnd und auf sie fluchend vom Haus. Eine Weile lief er ziellos umher und beschloss dann, zur Kathedrale zu gehen und zu schauen, wie es seinen alten Kumpeln ging.

Auf dem Platz vor der Kathedrale hatte sich nicht viel verändert. Die Arbeiten, erfuhr er, waren wegen des Todes des Pfarrers ins Stocken geraten. Sie würden bald wieder aufgenommen.

Seine Freunde waren verschwunden. Sie hatten die Baustelle verlassen und waren ins Dorf zurückgekehrt. Nur Guru war noch da.

«Wenn du schon mal da bist, können wir ja – » Guru machte eine Geste, als ob er sich eine Flasche an den Hals setzte.

Sie gingen in eine Arrakkneipe, und da wurde wie in alten Zeiten anständig getrunken.

«Wie läuft's denn so mit deiner Prinzessin?», fragte Guru.

«Ach, die reichen Leute sind doch alle gleich», sagte George bitter. «Wir sind nur Müll für sie. Eine reiche Frau sieht einen armen Mann nie als Mann, sondern immer nur als Diener.»

Er dachte an die sorglose Zeit, bevor er sich an ein Haus und an Madam gefesselt hatte – und er ärgerte sich darüber, seine Freiheit verloren zu haben. Er ging früh, schon kurz vor Mitternacht, und sagte, dass er im Haus noch etwas zu erledigen habe. Auf dem Rückweg stolperte er betrunken dahin und sang ein Konkani-Lied. Aber unter der fröhlichen Filmmusik hatte ein anderer Puls zu schlagen begonnen.

Als er sich dem Tor näherte, wurde seine Stimme leiser und verstummte dann ganz, und er merkte, dass er sich mit übertriebener Vorsicht bewegte. Er fragte sich, warum, und erschrak dann vor sich selbst.

Er schob den Riegel lautlos auf und ging ums Haus herum zur Hintertür. Er hatte den Schlüssel eine Weile in der Hand gehalten, bückte sich nun zum Schloss herunter, fixierte das Schlüsselloch und schob den Schlüssel hinein. Er schloss vorsichtig und leise auf und betrat das Haus. Die riesige Waschmaschine stand wie ein Nachtwächter im Dunkeln. In einiger Entfernung floss ein kühler Luftstrom durch einen Spalt ihrer geschlossenen Schlafzimmertür.

George atmete schwer. Während er vorwärtsstolperte, bestand seine einzige Sorge darin, nicht gegen die Waschmaschine zu laufen.

«Oh Gott», sagte er plötzlich. Er hatte gemerkt, dass er mit dem Knie gegen die Waschmaschine gestoßen war, und die verdammte Maschine schepperte laut.

«Oh Gott», sagte er noch einmal, wobei ihm vage und verzweifelt dämmerte, dass er zu laut gesprochen hatte.

Es entstand eine Bewegung. Ihre Tür öffnete sich, und eine Frau mit langen, offenen Haaren erschien.

Kühle Luft aus der Klimaanlage ließ seinen Körper erschauern. Die Frau zog sich den Saum ihres Saris über die Schulter.

«George?»

«Ja.»

«Was wollen Sie?»

Er sagte nichts. Die Antwort auf diese Frage war ebenso unklar wie eindeutig, halb verhüllt und zugleich naheliegend, genau wie die Frau selbst. Fast wusste er, was er sagen wollte. Sie sagte nichts. Sie hatte weder geschrien, noch die Alarmanlage ausgelöst. Vielleicht wollte sie es auch. Er spürte, dass es jetzt nur noch darum ging, es auszusprechen, oder vielleicht auch nur um eine Bewegung. Tu *etwas*. Es wird geschehen.

«Raus hier», sagte sie.

Er hatte zu lange gezögert.

«Madam, ich – »

«Raus.»

Jetzt war es zu spät. Er drehte sich um und ging schnell weg.

Als die Hintertür ins Schloss fiel, kam er sich idiotisch vor. Er hämmerte mit der Faust so heftig dagegen, dass es schmerzte. «Madam, lassen Sie mich erklären!» Er hämmerte lauter und immer lauter gegen die Tür. Sie hatte ihn missverstanden – vollkommen missverstanden!

«Hör auf», sagte eine Stimme. Es war Maria, die ihn ängstlich durchs Fenster ansah. «Bitte hör sofort auf.»

In diesem Moment begriff George das Ausmaß dessen, was er getan hatte. Er war sich bewusst, dass die Nachbarn womöglich alles mitbekamen. Madams Ruf stand auf dem Spiel.

Er schleppte sich zurück zur Baustelle, ließ sich fallen und schlief ein. Am nächsten Morgen stellte er fest, dass er auf einer Pyramide aus Granitgranulat gelegen hatte, genau so wie vor Monaten.

Er trottete langsam zurück. Maria erwartete ihn am Tor.

«Madam», rief sie, als sie ins Haus ging. Mrs Gomes kam heraus. Ihr Finger steckte tief zwischen den Seiten eines neuen Romans.

«Maria, geh in die Küche», befahl Mrs Gomes, während er in den Garten ging. Er war froh darüber. Sie wollte Maria also vor dem bewahren, was folgen musste. Er empfand Dankbarkeit für ihre Rücksichtnahme. Sie war anders als andere reiche Leute. Sie war etwas Besonderes. Sie würde ihn verschonen.

Er legte den Schlüssel für die Hintertür auf die Schwelle.

«Es ist gut», sagte sie. Ihr Verhalten war kühl. Er begriff jetzt, dass die Distanz gewachsen war. Sie wuchs mit jeder Sekunde weiter. Er wusste nicht, wie weit er zurückweichen sollte. Es kam ihm vor, als sei er schon so weit entfernt, dass er kaum noch hören konnte, was sie sagte. Ihre Stimme klang distanziert, leise und kalt. Aus irgendwelchen Gründen konnte er den Blick nicht vom Umschlag ihres Romans abwenden. Ein Mann fuhr ein rotes Auto, in dem noch zwei weiße Frauen in Bikinis saßen.

«Ich bin nicht wütend», sagte sie. «Ich hätte besser aufpassen müssen. Ich habe einen Fehler gemacht.»

«Ich habe den Schlüssel da unten hingelegt, Madam», sagte er.

«Das spielt keine Rolle», sagte sie. «Das Schloss wird heute Abend ausgewechselt.»

«Kann ich bleiben, bis Sie jemand anderen finden?», platzte er heraus. «Wie wollen Sie das mit dem Garten schaffen? Und wer soll Sie fahren?»

«Das schaffe ich schon», sagte sie.

Bis zu diesem Moment hatten all seine Gedanken nur ihr gegolten – ihrem Ruf in der Nachbarschaft, ihrer Seelenruhe, dem Gefühl, hintergangen worden zu sein, das sie empfinden musste –, aber jetzt begriff er: Sie war nicht diejenige, um die man sich Sorgen machen musste.

Er wollte ihr sein Herz ausschütten und ihr all das erklären, aber sie redete zuerst.

«Maria muss auch gehen.»

Er starrte sie mit offenem Mund an.

«Wo soll sie heute Nacht schlafen?» Seine Stimme war dünn und verzweifelt. «Madam, sie hat alles, was sie besaß, in unserem Dorf zurückgelassen und ist hierhergekommen, um bei Ihnen zu leben.»

«Ich denke, sie kann in der Kirche schlafen», sagte Mrs Gomes ruhig. «Wie ich höre, lässt man die ganze Nacht Leute hinein.»

«Madam», er legte die Handflächen zusammen. «Madam, Sie sind Christin wie wir, und ich bitte Sie im Namen der christlichen Barmherzigkeit, lassen Sie Maria bitte aus dem – »

Sie machte die Tür zu. Dann hörte er, wie sie abgeschlossen wurde. Und dann drehte sich der Schlüssel ein zweites Mal.

Am Ende der Straße wartete er auf seine Schwester und schaute in die Richtung der unvollendeten Kathedrale.

SECHSTER TAG: SULTAN'S BATTERY

Wenn Sie von Kittur nach Salt Market Village gehen, erhebt sich zur Ihrer Linken Sultan's Battery, eine große, schwarze, rechteckige Festung. Um hinaufzugelangen, lassen Sie sich am besten von jemandem aus Kittur hinfahren. Ihr Gastgeber muss den Wagen an der Hauptstraße abstellen, und dann wandern sie gemeinsam eine halbe Stunde bergauf. Passieren Sie das Eingangsgewölbe, so stellen Sie fest, dass sich die Festung im Zustand fortschreitenden Verfalls befindet. Obwohl ein Hinweisschild der indischen Architektenkammer die Anlage für denkmalgeschützt erklärt und auf ihre Funktion verweist, «die Erinnerung an den Patrioten Tippu Sultan, dem Tiger von Mysore, zu bewahren», deutet nichts auf irgendwelche Maßnahmen hin, das alte Gemäuer vor Kletterpflanzen, Wind, Regen, Erosion und grasendem Vieh zu schützen. Riesige Banyanbäume wachsen aus den Festungsmauern; wie verkrümmte Finger, die in ein Mauseloch greifen, pressen sie ihre Wurzeln zwischen den Steinen hindurch. Um dem Dornengestrüpp und den Haufen von Ziegenkot aus dem Weg zu gehen, empfiehlt es sich, zu einer der Schießscharten in den Festungsmauern emporzusteigen: Hier greife man zu einem imaginären Gewehr, schließe die Augen und stelle sich vor, Tippu persönlich zu sein, der auf die englische Armee herunterfeuert.

*

Mit einem hölzernen Klappstuhl unter dem einen Arm und einer roten Tasche mit seinem Fotoalbum und sieben Fläschchen voll weißer Pillen unter dem anderen näherte er sich rasch der weißen Kuppel des Dargah. Als er das Grabmal erreicht hatte, ging er an der Mauer entlang, ohne die Reihen der Bettler zu beachten: die auf Lumpen hockenden Leprakranken, die Männer mit verstümmelten Armen und Beinen, die Männer in Rollstühlen, die Männer, deren Augen mit Verbänden bedeckt waren, und die Kreatur mit kleinen, braunen Stummeln wie Seehundflossen, wo eigentlich Arme hätten sein müssen, und einem normalen Bein und einem weichen, braunen Stumpf, wo eigentlich das andere Bein hätte sein müssen, diese Kreatur, die auf ihrer linken Seite lag und wie ein Tier, dem man Elektroschocks verpasst, ständig mit der Hüfte zuckte und mit leeren Augen, wie unter Hypnose, jammerte: «Al-lah! Al-aaaah! Al-lah! Al-aaaah!»

Er ging an dieser Parade menschlichen Elends vorbei und verschwand hinter dem Dargah.

Nun ging er an den fliegenden Händlern vorbei, die in einer achthundert Meter langen Reihe auf dem Boden hockten. Er passierte Kinderschuhe, Büstenhalter, T-Shirts mit der Aufschrift *New York Fucking City*, gefälschte Ray-Ban-Sonnenbrillen, gefälschte Nike- und gefälschte Adidas-Schuhe und stapelweise Zeitschriften auf Urdu und Malayalam. Zwischen einem Verkäufer gefälschter Nike-Schuhe und einem Verkäufer gefälschter Gucci-Artikel entdeckte er einen freien Platz, klappte dort seinen Stuhl auf und legte ein glänzendes, schwarzes Pappschild mit goldener Schrift auf die Sitzfläche.

Die goldenen Worte lauteten:

RATNAKARA SHETTY
EHRENGAST
VIERTER PANASIATISCHER SEXOLOGIE-KONGRESS
HOTEL NEW HILLTOP PALACE NEU-DELHI
12. bis 14. APRIL 1987

Junge Männer, die zum Beten zum Dargah gekommen waren oder um in einem der moslemischen Restaurants Lammkebab zu essen oder um einfach auf das Meer zu schauen, begannen im Halbkreis um Ratna herumzuwandern und zu beobachten, wie dieser zu dem Schild auf dem Stuhl das Fotoalbum und die sieben Fläschchen mit weißen Pillen dazustellte. Mit umständlichem Ernst schob er die Fläschchen dann hin und her, als müssten sie in einer ganz bestimmten Anordnung dastehen, damit er mit seiner Arbeit beginnen konnte. In Wahrheit wartete er lediglich auf mehr Zuschauer.

Und sie kamen. In Paaren oder einzeln wirkte die Menge aus jungen Männern nun wie ein menschliches Stonehenge. Einige stützten die gefalteten Hände auf die Schultern eines Freundes, andere standen allein da, und einige hockten wie herabgefallene Felsbrocken auf dem Boden.

Mit einem Mal begann Ratna zu reden. Noch mehr junge Männer drängten eilig heran, und die Menge wurde so dicht, dass man überall in Zweier- und Dreierreihen stand. Die in den hinteren Reihen mussten sich auf die Zehenspitzen stellen, um zumindest einen flüchtigen Blick auf den Sexologen zu erhaschen.

Er schlug das Fotoalbum auf und zeigte den jungen Männern die in Klarsichthüllen steckenden Bilder. Den Zuschauern blieb die Luft weg.

Ratna zeigte auf die Fotos und sprach von Abartigkeiten und Perversitäten. Er beschrieb die Folgen der Sünde. Er demonstrierte den Weg venerischer Bakterien durch den Körper, indem er seine Brustwarzen, seine Augen und seine Nasenflügel berührte, und dann schloss er die Augen. Am Himmel stieg die Sonne höher, und die weiße Kuppel des Dargah leuchtete heller. Die jungen Männer im Halbkreis pressten sich aneinander und versuchten, näher an die Fotos heranzukommen. Dann blies

Ratna zum Angriff: Er klappte das Album zu, ergriff mit jeder Hand ein Fläschchen voll weißer Pillen und hielt sie hoch. Er schüttelte die Pillen.

«Mit jedem Pillenfläschchen erhalten Sie eine Garantieerklärung von Hakim Bhagwandas aus Daryaganj in Delhi. Dieser Mann ist ein äußerst erfahrener Arzt. Er hat die weisen Bücher der Pharaonen studiert und in seinem wissenschaftlichen Labor diese wunderbaren, weißen Pillen hergestellt, die sämtliche Leiden heilen. Das Fläschchen kostet lediglich vier Rupien und fünfzig Paise! Jawohl, mehr braucht es nicht, um für seine Sünden zu büßen und in diesem Leben eine zweite Chance zu bekommen! Vier Rupien und fünfzig Paise!»

Todmüde von der Hitze, bestieg er am Abend mit seiner roten Tasche und dem Klappstuhl den 34-B-Bus. Er war zu dieser Tageszeit voll besetzt; er hielt sich an einer Halteschlaufe fest und atmete langsam ein und aus. Er zählte bis zehn, um neue Kraft zu schöpfen, griff dann in die rote Tasche und zog vier grüne Broschüren heraus, auf deren Umschlag drei große Ratten abgebildet waren.

Wie ein Spieler, der seine Karten aufgenommen hat, hielt er mit einer Hand die Broschüren hoch und sagte, so laut er konnte: «Meine Damen und Herren! Sie alle wissen, dass unser Leben ein wilder Kampf um die besseren Plätze ist. Es gibt nur wenige Jobs, aber viele Bewerber. Wie sollen da Ihre Kinder überleben, wie sollen sie später solche Jobs bekommen, wie Sie sie jetzt haben? Denn in diesen Tagen, in dieser Zeit, gleicht unser Leben wahrlich einem dauernden Kampf unter Ratten. In diesem Büchlein finden Sie exklusiv in Frage- und Antwortform Tausende nützliche Tipps zur Allgemeinbildung, die Ihre Söhne und Töchter brauchen, um die Aufnahmeprüfung für den öffentlichen Dienst zu bestehen, die Zulassungsprüfung für eine Karriere bei der Bank oder der Polizei und viele andere Aufnahmeprüfungen, die man bestehen muss, wenn man im Existenzkampf erfolgreich sein will. Zum Beispiel –», er holte tief Luft, «hatte das Mughal-Reich zwei Hauptstädte. Eine war Delhi. Welche war die andere? Vier europäische Hauptstädte liegen am Ufer des gleichen Flusses. Wie heißt dieser Fluss? Wer war der erste König Deutschlands? Wie heißt die Währung Angolas? Eine europäische Stadt war die Hauptstadt dreier verschiedener Reiche. Welche Stadt? An der Ermordung Mahatma Gandhis waren zwei Männer beteiligt. Nathuram Godse war einer der beiden. Nennen Sie den Namen des anderen! Wie hoch ist der Eiffelturm? In Metern?»

Er hielt die Broschüren in der Hand, stolperte nach vorn und stützte sich ab, als der Bus durch die Schlaglöcher auf der Straße rumpelte. Ein Fahrgast verlangte eine Broschüre und gab ihm eine Rupie. Ratna ging nach hinten und wartete vor dem Ausstieg; als der Bus bremste, neigte er den Kopf zum stillen Dank an den Schaffner und stieg aus.

Er erspähte einen Mann, der an der Bushaltestelle wartete, und versuchte, ihm einen Satz von sechs Farbkugelschreibern zu verkaufen; erst für eine Rupie pro Kugelschreiber, dann zwei Kugelschreiber für eine Rupie, und schließlich bot er ihm drei für eine Rupie an. Obwohl der Mann sagte, dass er nichts kaufen wolle, bemerkte Ratna das Interesse in seinen Augen. Er zog eine große Sprungfeder hervor, mit der man Kindern viel Freude machen konnte, und ein Geometrieset, mit dem man wunderschöne Muster auf Papier zeichnen konnte. Der Mann kaufte ein Geometrieset für drei Rupien.

Ratna entfernte sich nun von Sultan's Battery und nahm die Straße Richtung Salt Market Village.

Als er im Dorf ankam, ging er zum Hauptmarkt, zog eine Handvoll Kleingeld aus der Tasche und sortierte es beim Gehen auf der Handfläche. Er legte die Münzen auf die Theke eines

Ladens und bekam dafür ein Päckchen Engineer Bidis, das er sich in seine rote Tasche steckte.

«Worauf warten Sie?» Der Junge, der ihn bediente, war noch neu im Laden. «Sie haben Ihre Bidis doch schon.»

«Normalerweise bekomme ich für diesen Preis noch zwei Pakete Linsen dazu. So ist es abgemacht.»

Bevor er sein Haus betrat, riss Ratna eines der Pakete mit den Zähnen auf und verstreute den Inhalt auf dem Boden vor der Haustür. Sieben oder acht Hunde kamen aus der Nachbarschaft gerannt, und er sah zu, wie sie die Linsen knirschend zerbissen. Als sie auf der Erde scharrten, riss er das zweite Paket mit den Zähnen auf und streute auch dessen Inhalt auf den Boden.

Er ging ins Haus, ohne abzuwarten, bis die Hunde auch die zweite Linsenportion verschlungen hatten. Er wusste, dass sie immer noch hungrig waren, aber er konnte es sich nicht leisten, jeden Tag drei Pakete für sie zu kaufen.

Er hängte sein Hemd an einen Haken neben der Tür, kratzte sich die Achselhöhlen und die behaarte Brust. Er setzte sich auf einen Stuhl, atmete aus, seufzte: «O Krishna, o Krishna» und streckte die Beine aus. Obwohl sie in der Küche waren, wussten seine Töchter sofort, dass er zu Hause war – ein kräftiger Schweißfußgeruch fegte durch das Haus wie ein warnender Kanonenschuss. Sie ließen die Frauenzeitschriften fallen und machten sich geschäftig an ihre Arbeit.

Seine Frau kam mit einem Wasserkrug aus der Küche. Er hatte begonnen, seine Bidis anzuzünden.

«Arbeiten sie in der Küche – die Maharanis?», fragte er.

«Ja», riefen seine drei Töchter aus der Küche. Er war aber misstrauisch und kontrollierte, ob das auch stimmte.

Aditi, die Jüngste, hockte vor dem Gasherd und wischte mit ihrem Sarisaum die Seiten des Fotoalbums sauber. Rukmini, die älteste Schwester, saß neben einem Haufen weißer Pillen, die sie abzählte und in Fläschchen füllte. Ramnika, für die sie nach Rukmini einen Mann finden mussten, klebte auf jedes Fläschchen ein Etikett. Die Frau polterte in der Küche mit Tellern und Töpfen. Nachdem er seine zweite Bidi geraucht und sich offensichtlich entspannt hatte, fand sie den Mut, ihn anzusprechen.

«Der Astrologe sagt, dass er um neun kommt.»

«Hm.»

Er rülpste, hob dann ein Bein und wartete auf den Furz. Das Radio lief. Er stellte sich das Gerät auf den Oberschenkel und klopfte mit der anderen Hand den Rhythmus auf den anderen Schenkel, summte die Melodie mit und sang auch die Worte mit, wenn er sie kannte.

«Er ist da», flüsterte sie. Er schaltete das Radio aus, als der Astrologe den Raum betrat und die Handflächen zum Gruß aneinanderlegte.

Er setzte sich auf einen Stuhl und zog sich das Hemd aus. Ratnas Frau hängte es auf den Haken neben Ratnas Hemd. Während die Frauen in der Küche warteten, zeigte der Astrologe Ratna seine Auswahl an Jungen.

Er schlug ein Album mit Schwarz-Weiß-Fotos auf. Sie schauten sich eines nach dem anderen die Gesichter der Jungen an, die verkrampft und ohne zu lächeln aus ihren Porträts zurückstarrten. Ratna fuhr mit dem Daumen über eines der Fotos. Der Astrologe löste das Bild aus dem Album.

«Der Junge sieht okay aus», sagte Ratna, nachdem er sich einen Moment auf das Bild konzentriert hatte. «Womit verdient der Vater seinen Lebensunterhalt?»

«Hat einen Feuerwerksladen an der Umbrella Street. Ein sehr gutes Geschäft. Der Junge wird es mal erben.»

«Sein eigenes Geschäft!», rief Ratna tief befriedigt. «Das ist die einzige Möglichkeit, um im Leben weiterzukommen. Als Vertreter landet man in der Sackgasse.»

Seine Frau ließ in der Küche etwas fallen; sie hustete und ließ noch etwas fallen.

«Was ist los?», fragte er.

Ein schüchternes Stimmchen sagte etwas wie «Horoskope».

«Halt die Klappe!», schrie Ratna. Er gestikulierte mit dem Foto in Richtung Küche. «Ich muss drei Töchter unter die Haube bringen, und diese blöde Zicke denkt, dass ich da noch wählerisch sein kann!» Und er warf dem Astrologen das Foto auf den Schoß.

Der Astrologe malte ein X auf die Rückseite des Fotos.

«Die Schwiegereltern erwarten etwas», sagte er. «Als Mitgift.»

«Aussteuer.» Mit leiser Stimme nannte Ratna das Übel beim Namen. «Na gut. Für dieses Mädchen habe ich Geld gespart.» Er atmete aus. «Aber wo ich die Aussteuer für die beiden anderen hernehmen soll, weiß nur Gott allein.»

Er knirschte wütend mit den Zähnen und schrie etwas in Richtung Küche.

*

Am nächsten Montag erschien die Familie des Jungen. Die jüngeren Mädchen gingen mit einem Tablett herum und boten Zitronensaft an, als Ratna und seine Frau im Wohnzimmer saßen. Rukminis Gesicht war mittels einer dicken Schicht Johnson's Babypuder geweißt worden, und Jasmingirlanden schmückten ihr Haar. Sie zupfte auf den Saiten einer Vina und sang ein religiöses Lied, wobei sie aus dem Fenster nach etwas weit Entferntem Ausschau hielt.

Der künftige Schwiegervater, der Feuerwerkshändler, saß Rukmini direkt gegenüber auf einer Matratze. Er war ein riesiger Mann in weißem Hemd und weißem Baumwollsarong; aus seinen Ohren sprossen dichte, silbrig glänzende Haarbüschel.

Er bewegte den Kopf im Rhythmus des Lieds, was Ratna als viel versprechendes Omen deutete. Die künftige Schwiegermutter, gleichfalls eine enorme, hellhäutige Erscheinung, blickte zur Decke und in die Zimmerecken. Der künftige Bräutigam hatte die helle Haut und die Gesichtszüge seines Vaters, war aber viel kleiner als seine beiden Eltern und schien eher das Schoßhündchen der Familie zu sein als ihr Sprössling. Mitten im Lied beugte er sich vor und flüsterte seinem Vater etwas in die haarigen Ohren.

Der Kaufmann nickte. Der Junge stand auf und ging. Der Vater reckte den kleinen Finger in die Höhe und zeigte ihn jedem im Raum.

Alle kicherten.

Der Junge kam zurück und quetschte sich wieder zwischen seinen feisten Vater und seine fette Mutter. Die beiden jüngeren Mädchen kamen mit einem zweiten Tablett Zitronensaft, und der fette Feuerwerkskaufmann und seine Frau griffen zu den Gläsern. Als ob er sie einfach nur nachmachte, nahm sich auch der Junge ein Glas und trank einen Schluck. Kaum hatte er den Saft mit seinen Lippen berührt, tippte er seinen Vater an und flüsterte wieder in seine haarigen Ohren. Diesmal schnitt der Vater eine Grimasse, aber der Junge rannte hinaus.

Als wollte er die Aufmerksamkeit von seinem Sohn ablenken, fragte der Feuerwerkskaufmann Ratna mit rauer Stimme: «Haben Sie vielleicht eine Bidi für mich, guter Mann?»

Während er in der Küche nach der Bidi-Packung suchte, sah Ratna durchs Fenstergitter den künftigen Bräutigam ausgiebig gegen den Stamm eines Ashokabaums im Hinterhof urinieren.

Nervöses Kerlchen, dachte er grinsend. Aber das ist ja ganz natürlich, dachte er und empfand bereits einen Hauch Zuneigung für den Burschen, der schon bald zu seiner Familie gehören sollte. Vor ihrer Hochzeit sind alle Männer nervös. Der Junge schien fertig zu sein, schüttelte seinen Penis und trat vom Baum zurück. Aber dann blieb er wie angewurzelt stehen. Nach einem kurzen Moment legte er den Kopf in den Nacken und schien wie ein Ertrinkender nach Atem zu ringen.

Der Heiratsvermittler kam abends wieder und berichtete, dass dem Feuerwerkshändler Rukminis Gesang zugesagt hätte.

«Legen Sie möglichst bald den Termin fest», sagte er zu Ratna. «In einem Monat werden die Mieten für Hochzeitssäle ordentlich –» Er deutete mit den Händen nach oben.

Ratna nickte, schien aber abgelenkt zu sein.

Am nächsten Morgen nahm er den Bus zur Umbrella Street und ging an Möbel- und Ventilatorengeschäften vorbei, bis er den Laden des Feuerwerkshändlers fand. Der fette Mann mit den haarigen Ohren saß wie ein Abgesandter des Feuer- und Kriegsgottes auf einem hohen Hocker vor einer Mauer aus Papierbomben und Raketen. Der künftige Bräutigam war auch im Laden, hockte auf dem Fußboden und leckte an seinen Fingern, während er in einem Kassenbuch blätterte.

Der fette Mann gab seinem Sohn einen leichten Tritt.

«Dieser Mann ist demnächst dein Schwiegervater. Willst du ihn nicht begrüßen?» Er lächelte Ratna zu: «Der Junge ist etwas schüchtern.»

Ratna schlürfte Tee, plauderte mit dem fetten Mann und behielt dabei die ganze Zeit den Jungen im Auge.

«Komm mal mit, mein Sohn», sagte er. «Ich will dir etwas zeigen.»

Die beiden gingen, ohne ein Wort zu wechseln, die Straße entlang, bis sie zu dem Banyanbaum kamen, der neben dem Hanuman-Tempel an der Umbrella Street stand. Ratna schlug vor, im Schatten des Baums Platz zu nehmen. Er wollte, dass der Junge mit dem Rücken zur Straße saß, sodass sie auf den Tempel blickten.

Ratna ließ den jungen Mann eine Weile reden und musterte dabei lediglich dessen Augen, Ohren, Nase, Mund und Hals.

Plötzlich ergriff er das Handgelenk des Burschen.

«Wo bist du auf diese Prostituierte gestoßen, mit der du zusammen warst?»

Der Junge wollte aufstehen, aber Ratna verstärkte den Druck an seinem Handgelenk, um klarzumachen, dass es kein Entkommen gab. Der Junge wandte das Gesicht zur Straße, als wollte er um Hilfe betteln.

Ratna presste das Handgelenk des Jungen noch stärker.

«Wo warst du mit ihr? Am Straßenrand, in einem Hotel oder hinter einem Haus?»

Er drückte kräftiger.

«Am Straßenrand», brachte der Junge heraus und sah dann, den Tränen nah, Ratna an. «Woher wissen Sie das?»

Ratna schloss die Augen, atmete tief durch und ließ das Handgelenk des Jungen los. «Eine Lastwagennutte.» Er gab dem Jungen eine Ohrfeige.

Der Junge fing an zu weinen. «Ich war nur einmal mit ihr zusammen», sagte er und versuchte, sein Schluchzen zu unterdrücken.

«Einmal reicht. Brennt es, wenn du urinierst?»

«Ja, es brennt.»

«*Nausea*?»

Der Junge fragte, was das englische Wort bedeutete, und als er es verstand, sagte er: «Ja.»

«Was sonst noch?»

«Es fühlt sich an, als hätte ich da zwischen meinen Beinen dauernd etwas Großes und Hartes, wie ein Gummiball. Und manchmal ist mir schwindelig.»

«Kriegst du einen hoch?»

«Ja. Nein.»

«Sag mir, wie dein Penis aussieht. Ist er schwarz? Ist er rot? Sind die Lippen an der Penisspitze geschwollen?»

Eine halbe Stunde später saßen die beiden immer noch mit Blick auf den Tempel unter dem Banyanbaum.

«Ich flehe Sie an ...» Der Junge faltete die Hände. «Ich flehe Sie an.»

Ratna schüttelte den Kopf.

«Ich muss die Hochzeit absagen. Mir bleibt nichts anderes übrig. Wie kann ich es zulassen, dass sich meine Tochter mit dieser Krankheit ansteckt?»

Der Junge starrte zu Boden, als fiele ihm einfach nichts mehr ein, womit er ihn anflehen konnte. Der Tropfen an seiner Nasenspitze glitzerte wie Silber.

«Ich werde Sie ruinieren», sagte er.

Ratna wischte sich die Hände an seinem Sarong ab. «Und wie?»

«Ich sage einfach, dass das Mädchen mit einem anderen geschlafen hat. Ich sage, dass sie keine Jungfrau mehr ist. Und dass Sie deshalb die Hochzeit absagen mussten.»

Mit einer schnellen Bewegung packte Ratna den Jungen an seinen Haaren, riss seinen Kopf zurück, hielt ihn so einen Moment fest und stieß ihn dann gegen den Baumstamm. Er stand auf und spuckte auf den Jungen.

«Ich schwöre beim Gott dieses Tempels hier vor uns, dass ich dich mit meinen eigenen Händen umbringen werde, wenn du das behauptest.»

Beim Dargah war er an diesem Tag in Höchstform. Als sich die jungen Männer um ihn scharten, donnerte er von Sünde und Krankheit und über den Weg der Bakterien von den Genitalien durch die Brustwarzen in den Mund, die Augen und Ohren, bis sie die Nasenflügel erreichen. Dann zeigte er ihnen seine Fotos: Bilder verrotteter und geröteter Genitalien, von denen einige schon schwarz oder geschwollen waren oder fast schon verkohlt wirkten, als wären sie verätzt worden. Über jedem Foto war das Gesicht des jeweiligen Opfers zu sehen, die Augen durch einen Balken geschwärzt, als handelte es sich um ein Folter- oder Vergewaltigungsopfer. Das, erklärte Ratna, waren die Folgen der Sünde; und Buße und Linderung gab es nur in Form der weißen Zauberpillen.

*

Etwa drei Monate vergingen. Als er eines Morgens wieder an seinem Standplatz hinter der weißen Kuppel das Stonehenge besorgter, junger Männer anblaffte, sah er ein Gesicht, das ihm das Herz stillstehen ließ.

Später, als er mit seiner Lektion fertig war, sah er das Gesicht wieder, und zwar direkt vor ihm.

«Was willst du?», zischte er. «Es ist zu spät. Meine Tochter ist inzwischen bereits verheiratet. Warum bist du hierhergekommen?»

Ratna schob sich den Klappstuhl unter den Arm, warf seine Fläschchen in die rote Tasche und eilte davon. Hastige Schritte folgten ihm. Der Junge, der Sohn des Feuerwerkshändlers, keuchte beim Sprechen.

«Die Sache wird immer schlimmer. Ich kann nicht mehr pissen, ohne dass mein Penis brennt. Sie müssen etwas für mich tun. Sie müssen mir Ihre Pillen geben.»

Ratna knirschte mit den Zähnen. «Du hast gesündigt, du Schweinehund. Du warst bei einer Prostituierten. Nun musst du dafür zahlen!»

Er ging immer schneller und schneller, und dann verloren sich die Schritte hinter ihm, und er war allein.

Doch am nächsten Abend sah er das Gesicht wieder, und die hastigen Schritte folgten ihm bis zur Bushaltestelle, und die

Stimme sagte wieder und wieder: «Ich kaufe Ihnen die Pillen ab», aber Ratna drehte sich nicht um.

Er stieg in den Bus und zählte bis zehn. Er zog die Broschüren heraus und erzählte den Fahrgästen vom Existenzkampf. Als in der Entfernung die düsteren Umrisse der Festung erschienen, bremste der Bus und hielt an. Er stieg aus. Noch jemand stieg mit ihm aus. Er ging weiter. Jemand folgte ihm.

Ratna drehte sich um und packte seinen Verfolger am Kragen.

«Hab ich dir nicht gesagt, dass du mich in Frieden lassen sollst? Was ist in dich gefahren?»

Der Junge drückte Ratnas Hände beiseite, richtete seinen Kragen und flüsterte: «Ich glaube, ich sterbe. Sie müssen mir Ihre weißen Pillen geben.»

«Jetzt pass mal auf. Keiner dieser jungen Männer wird von irgendetwas, das ich ihnen verkaufe, geheilt. Kapierst du das nicht?»

Einen Moment war es still. Dann sagte der Junge: «Aber Sie waren doch auf dem Sexologie-Kongress ... das steht auf dem englischen Schild ...»

Ratna hob die Hände zum Himmel.

«Ich habe das Schild auf einem Bahnsteig gefunden.»

«Aber Hakim Bhagwandas aus Delhi ...?»

«Hakim Bhagwandas, leck mich doch! Das sind weiße Zuckerpillen, die ich massenhaft bei einem Drogisten an der Umbrella Street kaufe – direkt neben dem Laden deines Vaters. Meine Töchter füllen sie zu Hause in Flaschen und kleben Etiketten drauf!»

Um das zu beweisen, öffnete er seine Ledertasche, schraubte von einem Fläschchen den Deckel ab und schüttete die Pillen auf den Boden, als würde er auf der Erde Saatgut ausbringen. «Sie bewirken gar nichts! Ich habe nichts für dich, mein Sohn!»

Der Junge setzte sich auf den Boden, klaubte eine weiße Pille auf und schluckte sie. Er war jetzt auf allen vieren, sammelte die Pillen auf und schluckte sie mitsamt dem daran haftenden Dreck wie wahnsinnig herunter.

«Bist du verrückt?»

Ratna kniete sich hin, schüttelte den Jungen kräftig und stellte ihm immer wieder die gleiche Frage.

Und dann blickte er dem Jungen schließlich in die Augen. Sie hatten sich verändert, seit er sie zuletzt angeschaut hatte – sie sahen verweint und rot wie eingelegtes Gemüse aus.

Er lockerte den Griff an der Schulter des Jungen.

«Aber du musst mich bezahlen, okay? Für meine Hilfe. Ich tue das nicht aus Barmherzigkeit.»

Eine halbe Stunde später stiegen die beiden aus einem Bus in Bahnhofsnähe. Sie gingen durch Straßen, die immer schmaler und düsterer wurden, bis sie einen Laden erreichten, auf dessen Markise ein großes, rotes Sanitätskreuz prangte. Aus dem Laden plärrte das Radio einen beliebten Kannada-Filmsong.

«Kauf dir hier etwas, und dann lass mich in Frieden.»

Ratna wollte weggehen, aber der Junge hielt ihn am Handgelenk fest.

«Warten Sie. Suchen Sie für mich das richtige Medikament aus, bevor Sie gehen.»

Ratna ging schnell in Richtung Bushaltestelle, aber wieder hörte er die Schritte hinter sich. Er drehte sich um, und da stand der Junge, die Arme voller grüner Fläschchen.

Ratna bereute es, ihn überhaupt hierhergebracht zu haben, und ging noch schneller. Trotzdem hörte er wieder die leichten, verzweifelten Schritte, als ob ihm ein Geist auf den Fersen wäre.

In dieser Nacht lag Ratna stundenlang wach, wälzte sich im Bett hin und her und störte die Nachtruhe seiner Frau.

Am nächsten Tag nahm er abends den Bus in die Stadt zurück

zur Umbrella Street. In einiger Entfernung vom Feuerwerksladen wartete er mit verschränkten Armen, bis der Junge ihn entdeckte. Eine Weile gingen die beiden schweigend nebeneinanderher und setzten sich dann auf eine Bank vor einem Stand, der Zuckerrohrsaft feilbot. Die Maschine drehte und zermalmte das Zuckerrohr, und Ratna sagte: «Geh ins Krankenhaus. Dort hilft man dir.»

«Da kann ich nicht hin. Da kennt man mich. Man wird meinen Vater benachrichtigen.»

Ratna stellte sich den massigen Mann mit den weißen Haarbüscheln in den Ohren vor, wie er da vor seinem Arsenal aus Knallfröschen und Papierbomben saß.

Als Ratna am nächsten Tag den Holzstuhl zusammenklappte und seine Tasche packte, nahm er vor sich auf dem Boden einen Schatten wahr. Er ging um den Dargah herum, vorbei an den Pilgern, die in langer Schlange anstanden, um an Yusuf Alis Grab zu beten, vorbei an den Reihen der Leprösen und vorbei an dem auf der Erde liegenden, einbeinigen Mann, der mit der Hüfte zuckte und «All-lah, All-aaah! All-lah!» jammerte.

Er sah einen Moment zur weißen Kuppel hoch.

Er ging zum Meer, und der Schatten folgte ihm. An der Wasserlinie verlief eine niedrige Steinmauer, und er stellte den rechten Fuß darauf. Die Wellen rasten heftig heran; hin und wieder schlugen Brecher gegen die Mauer, dichte, weiße Gischt schäumte auf und fächerte sich in der Luft aus wie ein aus dem Meer steigendes Pfauenrad. Ratna drehte sich um.

«Was bleibt mir übrig? Wenn ich diesen Burschen meine Pillen nicht verkaufe, wie soll ich dann meine Töchter verheiraten?»

Der Junge wich seinem Blick aus, sah zu Boden und verlagerte unbehaglich sein Gewicht.

Die beiden nahmen den Bus Nr. 5 bis ins Zentrum und stiegen

beim Angel Talkies aus. Der Junge trug den Klappstuhl, und Ratna suchte die Hauptstraße ab, bis er ein großes Plakat entdeckte, auf dem ein Mann und eine Frau in Hochzeitskleidern zu sehen waren.

KLINIK LEBENSGLÜCK
Leitender Facharzt: Dr. M. V. Kamath
M.B.B.S. (Mysore), B. Mec (Allahabad), D.B.B.S. (Mysore), M. Ch (Kalkutta), G. Com (Varanasi)
MIT ERFOLGSGARANTIE

«Siehst du die Buchstaben hinter seinem Namen?», flüsterte Ratna dem Jungen ins Ohr. «Das ist ein *echter* Arzt. Der wird dich retten.»

Im Wartezimmer saßen ein halbes Dutzend schlanker, nervöser Männer auf schwarzen Stühlen und in einer Ecke ein Ehepaar. Ratna und der Junge setzten sich zwischen die Männer und das Paar. Ratna musterte die Männer neugierig. Es waren die Gleichen, die auch zu ihm kamen – nur ältere, traurigere Versionen –, Männer, die seit Jahren versuchten, ihre Geschlechtskrankheiten loszuwerden, die Fläschchen auf Fläschchen mit weißen Pillen eingenommen hatten, ohne dass sich Besserung eingestellt hatte, Männer, die jetzt am Ende einer langen, verzweifelten Reise angekommen waren, einer Reise, die von seiner Bude am Dargah über einen langen Weg voll weiterer Quacksalber zur Klinik dieses Arztes geführt hatte, wo man ihnen endlich die Wahrheit sagen würde.

Die hageren, ausgemergelten Männer verschwanden einer nach dem anderen im Sprechzimmer, und die Tür schloss sich hinter ihnen. Ratna beobachtete das Ehepaar und dachte: Wenigstens sind sie in dieser Qual nicht allein. Wenigstens haben sie einander.

Dann stand der Mann auf, um mit dem Arzt zu sprechen. Die Frau blieb sitzen. Sie ging erst hinein, nachdem der Mann wieder herausgekommen war. Natürlich sind sie nicht verheiratet, sagte sich Ratna. Wenn einer diese Krankheit hat, diese Sexkrankheit, ist jeder Mensch im Universum allein.

«Und in welcher Beziehung stehen Sie zu dem Patienten?», fragte der Arzt.

Sie hatten endlich vor seinem Schreibtisch Platz genommen. An der Wand hinter dem Arzt hing eine gigantische Tafel mit einem Querschnitt durch die männlichen Harn- und Fortpflanzungsorgane. Ratna warf einen Blick darauf, bewunderte die Schönheit der Grafik und sagte: «Sein Onkel.»

Der Arzt bat den Jungen, das Hemd auszuziehen. Dann setzte er sich neben ihn, sagte ihm, er solle die Zunge herausstrecken, sah ihm in die Augen und setzte dem Jungen ein Stethoskop auf die Brust, mit dem er ihn erst auf der einen und dann auf der anderen Seite abhörte.

Ratna dachte: Das erste Mal – und dann gleich so eine Krankheit eingefangen! Wo blieb da die Gerechtigkeit?

Nachdem er die Genitalien des Jungen untersucht hatte, trat der Arzt an ein Waschbecken, über dem ein Spiegel hing. Er zog an einer Kordel, und über dem Spiegel erwachte flackernd eine Neonröhre.

Während er Wasser ins Becken laufen lief, gurgelte und spuckte er und knipste das Licht wieder aus. Er wischte mit der Handfläche über den Beckenrand, zog ein Rollo vor dem Fenster runter und inspizierte seinen grünen Plastikmülleimer.

Als ihm nichts mehr einfiel, setzte er sich wieder an seinen Schreibtisch, starrte auf seine Füße und vollführte ein paar Atemübungen.

«Seine Nieren sind hin.»

«Hin?»

«Hin», sagte der Arzt.

Er wandte sich an den Jungen, der heftig zitternd auf seinem Stuhl saß.

«Sind deine Neigungen unnatürlich?»

Der Junge schlug die Hände vors Gesicht. Ratna antwortete für ihn.

«Schauen Sie, er hat es sich bei einer Prostituierten geholt. Das ist doch keine Sünde. Er ist kein abartiger Kerl. Er wusste einfach noch nicht genug von der Welt, in der wir leben.»

Der Arzt nickte. Er stellte sich vor die Grafik, legte den Finger auf die Nieren und sagte: «Hin.»

*

Ratna und der Junge gingen am nächsten Tag um sechs Uhr morgens zur Bushaltestelle, um den Bus nach Manipal zu nehmen. Er hatte gehört, dass es dort am Medical College einen Spezialisten für Nieren geben sollte. Ein Mann in einem blauen Sarong, der auf einer Bank an der Haltestelle saß, sagte ihnen, dass der Bus nach Manipal immer Verspätung habe, vielleicht fünfzehn Minuten, vielleicht dreißig, vielleicht noch mehr.

«Seit Frau Gandhi erschossen worden ist, funktioniert in diesem Land gar nichts mehr», sagte der Mann im blauen Sarong und zappelte mit seinen Beinen. «Busse haben Verspätung. Züge haben Verspätung. Alles geht den Bach runter. Wir müssen das Land wieder den Briten oder den Russen oder sonst wem übergeben, das kann ich Ihnen sagen. Wir sind nicht dazu bestimmt, unser Schicksal selbst in die Hand zu nehmen, das kann ich Ihnen sagen.»

Ratna sagte dem Jungen, er solle einen Moment an der Haltestelle warten, und kam dann mit einer Tüte Erdnüsse zurück, die er für zwanzig Paise gekauft hatte.

«Du hast noch nicht gefrühstückt, oder?», sagte er.

Aber der Junge erinnerte ihn daran, dass der Arzt ihn gewarnt hatte, scharf Gewürztes zu essen. Das würde seinen Penis reizen. Also ging Ratna wieder zu dem Verkäufer und tauschte die Erdnüsse gegen ungesalzene um. Sie aßen eine Weile gemeinsam, bis der Junge zu einer Mauer rannte und sich erbrach. Ratna beugte sich über ihn und klopfte ihm auf den Rücken, während der Junge würgte und wieder würgte.

Der Mann im blauen Sarong sah mit gierigen Blicken zu. Dann ging er zu Ratna und flüsterte: «Was hat das Kind? Es ist etwas Ernstes, nicht wahr?»

«Unsinn, er hat nur die Grippe», sagte Ratna.

Der Bus fuhr mit einstündiger Verspätung an der Haltestelle vor.

Auf dem Rückweg war er auch verspätet. Die beiden mussten über eine Stunde im überfüllten Gang stehen, bis neben ihnen zwei Sitzplätze frei wurden. Ratna schob sich auf den Fensterplatz und gab dem Jungen ein Zeichen, dass er sich neben ihn setzen sollte.

«Wenn man bedenkt, wie voll der Bus ist, haben wir Glück», sagte Ratna lächelnd.

Vorsichtig löste er seine Hand aus der des Jungen.

Auch der Junge verstand. Er nickte, zückte seine Börse und warf fünf Rupienscheine auf Ratnas Schoß – einen nach dem anderen.

«Wofür soll das sein?»

«Sie haben gesagt, dass Sie etwas dafür haben wollen, wenn Sie mir helfen.»

Ratna schob dem Jungen die Scheine in die Hemdtasche.

«Rede nicht so mit mir, Bürschchen. Ich habe dir bis jetzt geholfen, aber was habe ich davon? Meinerseits war das reine Bürgerpflicht, merk dir das. Wir sind nicht miteinander verwandt, in unseren Adern fließt nicht das gleiche Blut.»

Der Junge sagte nichts.

«Sieh mal, ich kann mit dir nicht weiter von Arzt zu Arzt laufen. Ich muss meine Töchter verheiraten, und ich weiß nicht, woher ich die Aussteuer nehmen soll ...»

Der Junge drehte sich zu ihm, presste das Gesicht an Ratnas Schlüsselbein und begann zu schluchzen. Seine Lippen scheuerten an dem Schlüsselbeinknochen, und er fing an, daran zu saugen. Die Fahrgäste glotzten sie an, aber Ratna war zu verblüfft, um auch nur ein Wort herausbringen zu können.

Es dauerte noch eine Stunde, bis die Umrisse der schwarzen Festung am Horizont erschienen. Der Mann und der Junge stiegen zusammen aus dem Bus. Ratna stand an der Hauptstraße und wartete, bis der Junge sich die Nase geputzt und den Rotz von den Fingern geschnippt hatte. Ratna schaute zum schwarzen Rechteck der Festung und wurde von Verzweiflung übermannt. Wie und von wem und wann und warum war entschieden worden, dass Ratnakara Shetty dafür verantwortlich war, dem Sohn des Feuerwerkshändlers im Kampf gegen seine Krankheit beizustehen? Vor dem schwarzen Rechteck der Festung hatte er die plötzliche Vision einer weißen Kuppel, und er hörte eine Gruppe verstümmelter Gestalten einträchtig singen. Er steckte sich eine Bidi in den Mund, riss ein Streichholz an und inhalierte.

«Also los», sagte er zu dem Jungen. «Der Weg von hier zu meinem Haus ist weit.»

SECHSTER TAG (ABEND): BAJPE

Bajpe, das letzte Waldgebiet in Kittur, wurde von den Gründervätern als eine der «grünen Lungen» der Stadt konzipiert und blieb deshalb dreißig Jahre lang von der Habgier der Immobilienspekulanten verschont. Der große Wald von Bajpe, der sich von Kittur bis zum Arabischen Meer erstreckte, grenzte auf der Stadtseite an die Ganapati Hindu Boys' School und den kleinen, danebengelegenen Tempel von Ganesha. Am Tempel vorbei verlief die Bishop Street, der einzige Teil des Viertels, in dem Häuser gebaut werden durften. Jenseits der Straße lag ausgedehntes Ödland, und jenseits davon begann dunkler Baumbestand – der Wald. Wenn Verwandte aus der Stadt zu Besuch kamen, saßen die Anwohner der Bishop Street gewöhnlich auf ihren Terrassen oder Balkonen und genossen die kühle Brise, die abends vom Wald herüberwehte. Gäste und Gastgeber sahen gemeinsam zu, wie Fischreiher, Adler und Eisvögel durchs dunkler werdende Gitterwerk der Bäume ein- und ausflogen – wie Ideen, die durch ein ungeheures Gehirn kreisen. Die Sonne, die inzwischen hinter dem Wald unterging, brannte orange und ockerfarben durch die Lücken im Laub, als schaute sie zwischen den Bäumen hindurch, und die Zuschauer hatten dann das bestimmte Gefühl, dass auch sie beobachtet wurden. In solchen Momenten pflegten die Gäste zu erklären, dass die Anwohner Bajpes die glücklichsten Menschen der Welt seien. Zugleich ging man aber auch davon aus, dass ein Mann, der sich an der Bishop Street ein Haus baute, Gründe dafür haben musste, so weit von der Zivilisation entfernt zu leben.

*

Giridhar Rao und Kamini, das kinderlose Paar aus der Bishop Street, waren einer der verborgenen Schätze Kitturs – jedenfalls behaupteten das alle ihre Freunde. Waren sie nicht wundervoll? Weit draußen in Bajpe, direkt am Rande der Wildnis, hielt dieses unfruchtbare Paar die beinahe ausgestorbene Kunst brahmanischer Gastfreundschaft lebendig.

Wieder einmal war es Donnerstagabend, und die etwa ein halbes Dutzend zählenden Mitglieder des Raos Kreises der *Vertrauten* kämpften sich durch Schlamm und Matsch der Bishop Street ihrem wöchentlichen Treffen entgegen. Angeführt wurde die Gruppe von dem energisch ausschreitenden Philosophen Mr Anantha Murthy. Hinter ihm ging Mrs Shirthadi, die Ehefrau des Mannes von der Indischen Lebensversicherungsgesellschaft. Dann kamen Mrs Pai, dann Mr Bhat und schließlich Mrs Aithal, die stets als Letzte aus ihrem grünen Ambassador stieg.

Das Haus der Raos stand, nur wenige Meter von den Bäumen entfernt, am äußersten Ende der Bishop Street. Direkt am Waldrand gelegen, wirkte das Haus wie ein Zivilisationsflüchtling, der jeden Moment bereit war, in die Wildnis davonzuspringen.

«Habt ihr das gehört?»

Mr Anantha Murthy drehte sich um. Er legte eine Hand ans Ohr und zog die Augenbrauen hoch.

Vom Wald wehte eine kühle Brise herüber. Die *Vertrauten* hielten an und versuchten zu hören, was Mr Murthy gehört hatte.

«Ich glaube, das war ein Specht irgendwo in den Bäumen!»

Von oben donnerte eine gereizte Stimme: «Warum kommt ihr nicht erst einmal herein und hört euch den Specht später an? Das Essen ist mit viel Mühe zubereitet worden und wird gleich kalt!»

Es war Mr Rao, der sich vom Balkon des Hauses hinablehnte.

«Okay, okay», grummelte Mr Anantha Murthy und setzte den Weg über den Schlammpfad fort. «Aber man hört ja nicht jeden Tag einen Specht.» Er wandte sich an Mrs Shirthadi: «Wenn man in der Stadt lebt, neigt man dazu, alles zu vergessen, was wichtig ist, nicht wahr, Madam?»

Sie grunzte und war vor allem darum bemüht, keinen Schmutz an ihren Sari zu bekommen.

Der Philosoph führte die *Vertrauten* ins Haus. Nachdem sie sich ihre Sandalen und Schuhe auf der Kokosmatte abgetreten hatten, trafen die Besucher auf die alte Sharadha Bhatt, die sie anblinzelte. Sie war die Eigentümerin des Hauses, eine Witwe, deren einziger Sohn in Bombay lebte. Man war übereingekommen, dass die Raos in ihrer vollgestopften, weit von der Stadt entfernten Wohnung blieben, und zwar nicht zuletzt, um sich um Mrs Bhatt zu kümmern – sie war eine entfernte Verwandte. Die alte Dame umgab eine Aura strenger Religiosität. Die Besucher hörten die tiefe Stimme von M.S. Subbalakshmi von einem kleinen schwarzen Tonband in ihrem Zimmer, der *Suprabhata* sang. Sie saß im Schneidersitz auf einem Bett mit Holzrahmen und klatschte sich im Rhythmus der heiligen Musik abwechselnd mit der Vorder- und der Rückseite ihrer linken Hand auf die Schenkel.

Einige der Besucher konnten sich noch an ihren Mann erinnern, einen berühmten Lehrer für karnatische Musik, der sogar im *All India Radio* gespielt hatte, und begrüßten sie respektvoll, indem sie ihr höflich zunickten.

Nachdem sie der greisen Dame ihre Aufwartung gemacht hatten, eilten sie über eine breite Treppe zur Wohnung der Raos hinauf. Das kinderlose Paar lebte auf bedrückend engem Raum. Der halbe Wohnbereich bestand aus einem einzigen Zimmer, das mit Sesseln und Sofas vollgestopft war. In einer Ecke lehnte eine Sitar an der Wand, deren Hals in einem 45-Grad-Winkel abgebogen war.

«Ah! Unsere *Vertrauten* sind wieder da!»

Giridhar Rao war eine gepflegte, zurückhaltende und unprätentiöse Erscheinung. Man wusste sofort, dass er in einer Bank arbeitete. Seit seiner Versetzung aus seiner Heimatstadt Udupi war er jetzt schon seit fast einem Jahrzehnt stellvertretender Filialleiter der Corporation Bank in Cool-Water Well. (Die *Vertrauten* wussten, dass Mr Rao eine viel höhere Position hätte erreichen können, wenn er sich nicht wiederholt geweigert hätte, nach Bombay versetzt zu werden.) Sein gewelltes Haar war mit Kokosnussöl geglättet und nach einer Seite gescheitelt. Sein Schnauzbart, das einzig Ungewöhnliche an seiner korrekten Erscheinung, war sorgsam gekämmt und an den Enden gezwirbelt. Mr Rao hatte sich nun ein kurzärmeliges Hemd übers Unterhemd gezogen. Der Hemdstoff war dünn; unter der dunklen Seide leuchtete das Unterhemd so deutlich wie ein Skelett unterm Röntgenschirm.

«Wie geht's, Kamini?», fragte Mr Anantha Murthy in Richtung Küche.

Die Einrichtung des Wohnzimmers war eine bunte Mischung – grüne Metallstühle, die die Bank ausrangiert hatte, ein zerschlissenes, altes Sofa und drei wackelige Rohrstühle. Die *Vertrauten* ließen sich auf ihren Stammplätzen nieder. Die Konversation begann schleppend; vielleicht spürten sie wieder einmal, dass sie eine so zufällig wie das Mobiliar zusammengewürfelte Gruppe von Menschen waren. Es gab, soweit man wusste, keine verwandtschaftlichen Beziehungen zwischen ihnen. Tagsüber war Mr Anantha Murthy freiberuflicher Buchhalter, der für die Reichen Kitturs tätig war. Abends verwandelte er sich in einen hingebungsvollen Philosophen der Advaita-Schule. In Mr Rao hatte er einen gutwilligen, wenn auch schweigsamen Zuhörer für seine Theorien übers hinduistische Leben gefunden – und war auf diese Weise Mitglied des Kreises geworden. Mrs Shirthadi, die wie üblich ohne ihren viel beschäftigten Mann erschienen war, war in Madras zur Schule gegangen und vertrat diverse «liberale» Ansichten. Ihr Englisch war außergewöhnlich gut und höchst erfreulich anzuhören. Vor einigen Jahren hatte Mr Rao sie einmal darum gebeten, in der Bank einen Vortrag zum Thema Charles Dickens zu halten. Mrs Aithal und ihr Mann hatten Kamini im vergangenen Mai bei einem Violinkonzert kennengelernt. Die beiden stammten ursprünglich aus Vizag.

Die *Vertrauten* wussten, dass die Raos sie wegen ihrer Distinguiertheit erwählt hatten – wegen ihres Feingefühls. Sie wussten, dass sie eine gewisse Verantwortung übernahmen, sobald sie das gemütliche, kleine Nest betraten. Gewisse Themen waren tabu. Innerhalb des weiten Feldes akzeptabler Konversationsthemen – Weltpolitik, Philosophie, die Politik der Banken, das ungezügelte Wachstum Kitturs, die Regenfälle dieses Jahres – hatten die *Vertrauten* jedoch gelernt, sich ungezwungen zu bewegen. Vom Balkon wehte Waldluft herein, und aus einem Kofferradio, das in weiser Voraussicht auf dem Rand der Balustrade platziert worden war, drang der ständige Strom der BBC-Abendnachrichten.

Eine Nachzüglerin – Mrs Karwar, die an der Universität Viktorianische Literatur unterrichtete – stürzte das Haus ins Chaos. Ihre lebhafte fünfjährige Tochter Lalitha stürmte schreiend die Treppe hinauf.

«Sieh mal, Kamini», rief Mr Rao in Richtung Küche. «Mrs Karwar hat deine heimliche Liebe ins Haus geschmuggelt!»

Kamini eilte aus der Küche. Hellhäutig und wohlproportioniert, hätte man sie fast als Schönheit bezeichnen können. (Ihre Stirn wölbte sich allerdings vor, und der Haaransatz war leicht schütter.) Sie war berühmt für ihre «chinesischen» Augen: schmale Schlitze, von schweren Augenlidern halb verdeckt wie zu früh erblühte Lotusknospen. Sie galt als «moderne» Frau, weshalb auch ihr Haar im westlichen Stil kurz geschnitten war. Die Damen beneideten sie um ihre immer noch mädchenhaft schlanken Hüften, die nie durch Geburten in die Breite gegangen waren.

Sie eilte auf Lalitha zu, hob das Mädchen hoch und küsste es mehrfach.

«Pass mal auf, wir warten jetzt, bis mein Mann uns den Rücken zukehrt, und dann setzen wir uns auf mein Moped und brennen durch, ja? Wir verlassen einfach den bösen Mann und fahren zum Haus meiner Schwester in Bombay, okay?»

Giridhar Rao stemmte die Hände in die Hüften und sah das kichernde Mädchen streng an.

«Willst du mir etwa meine Frau stehlen? Bist du wirklich ihre heimliche Liebe?»

«Hey, hör dir lieber deine BBC an», versetzte Kamini, nahm Lalitha an der Hand und führte sie in die Küche.

Die *Vertrauten* ließen erkennen, wie sehr sie diese Darbietung entzückte. Den Raos fehlte es gewiss nicht an der Fähigkeit, ein Kind glücklich zu machen.

Von draußen hörte man weiter die Stimmen der BBC im Radio – ein Sprachbrei, in den die *Vertrauten* eintauchten, wenn ihre Konversation versiegte. Mr Anantha Murthy beendete eine lange Pause, indem er erklärte, dass die Lage in Afghanistan außer Kontrolle gerate. Eines schönen Morgens würden die Sowjets mit ihren roten Fahnen auch über Kaschmir herfallen. Dann würde es dem Land leidtun, die Chance verpasst zu haben, sich 1948 mit den Amerikanern zu verbünden.

«Sehen Sie das nicht auch so, Mr Rao?»

Die Äußerungen ihres Gastgebers gingen nie über ein freundliches Grinsen hinaus. Mr Murthy störte das aber nicht. Er schätzte es, dass Mr Rao kein «Mann der großen Worte», zugleich jedoch ein «tiefsinniger Mensch» war. Wenn man kleine

Details der Weltgeschichte klären wollte, zum Beispiel die Frage, welcher amerikanische Präsident die Bombe auf Hiroshima geworfen hatte – nicht Roosevelt, sondern der kleine Mann mit der runden Brille –, dann wandte man sich an Giridhar Rao. Er wusste alles, sagte aber nichts. So ein Typ war das.

«Wie kommt es, dass Sie trotz all des Chaos und all des Mordens, über das uns die BBC informiert, so gelassen bleiben, Mr Rao? Was ist Ihr Geheimnis?», fragte wie schon so oft Mrs Shirthadi.

Der Bankmanager lächelte.

«Wenn ich Seelenfrieden suche, Madam, dann gehe ich einfach an meinen Privatstrand.»

«Sind Sie etwa ein heimlicher Millionär?», erkundigte sich Mrs Shirthadi. «Was ist das für ein Privatstrand, von dem Sie so oft reden?»

«Ach, wirklich nichts Besonderes.» Er zeigte in die Ferne. «Nur ein kleiner See, umgeben von Kies. Das ist ein sehr beruhigender Ort.»

«Und warum sind wir noch nie dorthin eingeladen worden?», fragte Mr Murthy.

Die Gäste setzten sich aufrecht. Mrs Rao betrat triumphierend das Wohnzimmer; sie trug ein Plastiktablett, dessen verschiedene Fächer mit dem ersten Gang des Abends lockten: getrocknete Walnüsse (die wie kleine, geschrumpfte Gehirne aussahen), saftige Feigen, Sultaninen, geraspelte Mandeln, gedörrte Ananasstreifen …

Bevor sich die Gäste richtig erholt hatten, kam schon die zweite Angriffswelle: «Das Essen ist fertig!»

Sie gingen ins Esszimmer, den anderen Raum dieser Wohnung (an den sich eine kleine Kochnische anschloss). In der Mitte des Esszimmers stand ein riesiges, mit Kissen überladenes Bett. Man konnte nicht so tun, als sähe man den ehelichen Ort nicht. Er lag da offen vor aller Augen. Daneben stand ein kleiner Tisch, und drei der Gäste nahmen zögernd daran Platz. Die Peinlichkeit verflüchtigte sich jedoch sofort. Die Unkompliziertheit der Gastgeber, die üppige Weichheit des Betts – derlei beruhigte sogleich die Nerven. Dann rollte das Essen aus Kaminis kleiner Küche an. Gang auf Gang, feine Tomatensuppe, Reis-Linsen-Plätzchen und dünne, knusprige Pfannkuchen, entströmte der Faktorei der Köstlichkeiten.

«Diese Kochkunst würde sogar Leute in Bombay in Erstaunen versetzen», meinte Mr Anantha Murthy, als Kaminis *pièce de résistance* in Form nordindischer, mit Chilipulver gewürzter Fladenbrote auf dem Tisch landete.

Kamini protestierte strahlend. Er irre sich gewaltig! Als Köchin und Hausfrau sei sie doch voller Fehler!

Als die Gäste sich erhoben, merkten sie, dass ihre Hintern breite, warme und tiefe Mulden auf dem Bett hinterlassen hatten – wie Elefantenspuren im Lehm.

Giridhar Rao wischte ihre entschuldigenden Worte beiseite: «Unsere Gäste sind wie Götter für uns. Sie können nichts falsch machen. Das ist die Philosophie dieses Hauses.»

Draußen standen sie Schlange vor dem Badezimmer, in dem das Wasser aus einem grünen Schlauch kam, der um den Hahn gewickelt war. Und dann zurück ins Wohnzimmer für den Höhepunkt des Abends – verdickte Mandelmilch.

Kamini brachte das Dessert in atemberaubend großen Schalen. Je nach Wunsch der Gäste wurde das Mixgetränk warm oder kalt serviert und war derart voll mit Mandeln, dass die Gäste sich «beschwerten», das Getränk kauen zu müssen! Als sie in ihre Schalen schauten, hielten sie überwältigt die Luft an: Schimmernde Stückchen echten, geraspelten Safrans schwammen zwischen den Mandelsplittern.

Sie entsprachen Mr Raos Bitte, die schlafende Sharadha Bhatt nicht zu stören, und verließen schweigend die Wohnung. (Während sie sich verabschiedeten, wälzte sich die alte Dame unruhig auf ihrem Bett hin und her.) Im Hintergrund erklang immer noch die religiöse Musik.

«Kommen Sie nächste Woche wieder!», hatte Mr Rao von der Terrasse gerufen. «Es ist die Woche der Satya-Narayana-Zeremonie! Ich sorge dafür, dass Kamini sich nächste Woche mehr Mühe mit dem Essen gibt und nicht so eine Katastrophe wie heute anrichtet!»

Er ging zurück ins Haus und hob die Stimme: «Hast du das gehört, Kamini? Nächstes Mal gibt's besseres Essen. Sonst lasse ich mich scheiden!»

Von drinnen war ein Lachen erklungen und dann ein schriller Schrei: «*Ich* lasse mich von *dir* scheiden, wenn du nicht den Mund hältst!»

Sobald sie in sicherer Entfernung waren, begannen die *Vertrauten* zu tratschen.

Was für ein Paar! Der Mann und diese Frau! Völlige Gegensätze! Er sei «farblos», sie «apart». Er sei «konservativ», sie «modern». Sie sei «schlagfertig», er sei «tiefsinnig».

Während sie die matschige Straße entlangstapften, fingen sie an, eifrig über das Tabuthema zu diskutieren, und zwar mit der ganzen eifernden Erregung von Leuten, die derlei zum ersten Mal diskutieren.

«Es liegt doch auf der Hand», sagte eine der Frauen, entweder Mrs Aithal oder Mrs Shirthadi, «dass es Kaminis Schuld ist. Sie wollte *die Operation* nicht. Kein Wunder, dass ihr Leben voller Schuldgefühle ist. Haben Sie denn nicht gesehen, wie sie sich in einem Anfall frustrierter Mütterlichkeit auf jedes erreichbare Kind stürzt, es geradezu mit Küssen und Schmeicheleien und Karamellschokolade überhäuft? Worauf sonst lässt das wohl schließen, wenn nicht auf *Schuldgefühle*?»

«Und warum hat sie die Operation nicht gewollt?», fragte Mr Anantha Murthy.

Sturheit. Da waren sich die Frauen sicher. Kamini weigerte sich einfach zuzugeben, dass es ihre Schuld war. Kaminis Verstocktheit kam natürlich zum Teil von ihrer privilegierten Herkunft. Sie war die jüngste von vier Schwestern, alle hellhäutig wie Buttermilch, die geliebten Kinder eines bekannten Augenarztes aus Shimoga. Wie sie als Kind verwöhnt worden sein musste! Die anderen Schwestern hatten gute Partien gemacht – ein Rechtsanwalt, ein Architekt und ein Chirurg – und lebten alle in Bombay. Giridhar Rao war der Ärmste der Schwiegersöhne. Man konnte Gift darauf nehmen, dass Kamini nicht die Sorte Frau war, die ihn das vergessen ließ. Haben Sie nicht gesehen, wie hochmütig sie mit ihrem Hero-Honda-Moped durch die Stadt fährt, als hätte sie zu Hause die Hosen an?

Mr Anantha Murthy erhob diverse Einsprüche. Warum war das gesamte Frauenvolk so misstrauisch gegenüber Kaminis modernen Ansichten? Es sei schließlich äußerst selten, eine so selbstständig denkende Frau zu finden! Die Schuld lag gewiss bei *ihm*. Haben Sie denn nicht mitbekommen, dass er eine Beförderung nach der anderen ausgeschlagen hat, nur damit er nicht nach Bombay ziehen muss? Was sagt einem das? Der Mann ist *lethargisch*.

«Wenn er doch nur ... etwas mehr Initiative ... an den Tag legen würde ... wäre das Problem Kinderlosigkeit schnell gelöst», sagte Mr Murthy und schüttelte traurig sein kahles Philosophenhaupt.

Er behauptete sogar, Mr Rao die Adressen von Ärzten in Bombay genannt zu haben, die seiner mangelnden «Initiative» auf die Sprünge helfen konnten.

Mrs Aithal reagierte indigniert. Mr Rao verfüge über mehr

als genug «Zunder»! Hatte er denn nicht diese starke Gesichtsbehaarung? Und fuhr er nicht jeden Morgen mit einem ganz und gar maskulinen roten Yamaha-Motorrad zur Bank?

Die Frauen genossen es, Mr Rao zu romantisieren. Mrs Shirthadi irritierte Mr Murthy mit der Vermutung, dass der bescheidene kleine Bankangestellte im Stillen auch «ein Philosoph» sei. Eines Tages hatte sie mitbekommen, dass er die Kolumne «Religion heute» auf der letzten Seite der Zeitung *The Hindu* las. Ihm schien diese Entdeckung peinlich zu sein, und er parierte ihre Nachfragen mit Scherzen und Wortspielen. Gleichwohl hatte sich das Gefühl verfestigt, dass hinter seinen Scherzen zweifellos etwas «Philosophisches» steckte.

«Wie könnte er sonst immer so ruhig bleiben, obwohl er keine Kinder hat?», fragte Mr Aithal.

«Ich bin mir sicher, dass er irgendein Geheimnis hegt», vermutete Mr Murthy.

«Manchmal befürchte ich», sagte Mrs Karwar und hüstelte, «dass sie überlegt, sich scheiden zu lassen», und alle schauten betroffen drein. Die Frau war gewiss «modern» genug, um dergleichen in Erwägung zu ziehen …

Aber jetzt hatten sie ihre Autos erreicht. Die Gruppe trennte sich, und einer nach dem anderen fuhr davon.

*

Etwas später in der Woche wurden die Raos allerdings dabei gesichtet, wie sie auf seiner Yamaha durch den Kreisverkehr der Cool-Water-Well-Kreuzung fuhren. Kamini saß auf dem Soziussitz und schmiegte sich eng an ihren Mann, und die Augenzeugen waren überrascht, dass die beiden in diesem Augenblick wie ein echtes Paar aussahen.

Als die *Vertrauten* am nächsten Donnerstag wieder zur Wohnung der Raos kamen, öffnete ihnen Sharada Bhatt persönlich die Tür. Das Silberhaar der alten Dame war in Unordnung, und sie starrte die Gäste ihrer Mieter finster an.

«Sie hat Probleme mit Jimmy – Sie wissen schon, ihr Sohn, der als Architekt in Bombay arbeitet. Sie hat ihn noch einmal gefragt, ob sie nicht bei ihm wohnen kann, aber seine Frau lässt das nicht zu», flüsterte Kamini, als sie die Gäste die Treppe hinaufführte.

Wegen der Aussicht auf ein besonders exklusives Mahl hatte sich an diesem Abend auch Mr Shirthadi ausnahmsweise dazu durchgerungen, in Begleitung seiner Frau zu erscheinen. Er sprach leidenschaftlich über die Undankbarkeit der heutigen Jugend und sagte, dass er sich manchmal wünsche, kinderlos geblieben zu sein. Mrs Shirthadi wurde nervös – ihr Mann hätte beinahe die unsichtbare Grenze überschritten.

Dann kam Mrs Karwar mit Lalitha, und zwischen Kamini und ihrer «heimlichen Liebe» gab es das übliche Geschrei und Gekreische.

Nach dem Sorbet fragte Mr Anantha Murthy Mr Rao, ob er das Gerücht bestätigen könne, er habe schon wieder ein Angebot abgelehnt, nach Bombay versetzt zu werden?

Mr Rao bejahte mit einem Nicken.

«Warum nehmen Sie das Angebot nicht an, Giridhar Rao?», fragte Mrs Shirthadi. «Wollen Sie in der Bank denn nicht weiter aufsteigen?»

«Ich bin glücklich hier draußen, Madam», sagte Mr Rao. «Ich habe meinen Privatstrand und abends die BBC. Was braucht der Mensch mehr?»

«Sie sind der perfekte Hindu, Mr Rao», sagte Mr Murthy, der schon unruhig auf das Essen wartete. «Das soll heißen, dass Sie mit Ihrem irdischen Schicksal völlig zufrieden sind.»

«Na ja, wärst du auch noch glücklich, wenn ich mit Lalitha durchbrennen würde?», rief Kamini aus der Küche.

«Meine Liebe, erst wenn du durchbrennen würdest, wäre ich restlos glücklich», versetzte er.

Sie kreischte in gespielter Empörung, und die *Vertrauten* applaudierten.

«Tja, was ist denn nun mit diesem Privatstrand, von dem Sie immer reden, Mr Rao? Wann genau werden wir ihn zu sehen bekommen?», fragte Mrs Shirthadi.

Bevor er antworten konnte, kam Kamini aus der Küche gestürzt und lehnte sich über das Treppengeländer.

Röchelnde Atemzüge wurden lauter. Sharadha Bhatts Gesicht erschien, als sie Stufe für Stufe aufwärtshumpelte.

Kamini war beunruhigt.

«Soll ich dir hochhelfen? Kann ich etwas für dich tun?»

Die alte Frau schüttelte den Kopf. Außer Atem ließ sie sich auf einen Stuhl oben an der Treppe fallen.

Die Konversation stockte. Es war das erste Mal, dass die alte Dame sich zu den wöchentlichen Essen einfand.

Nach ein paar Minuten wurde sie von den *Vertrauten* aber bereits ignoriert.

Mr Anantha Murthy klatschte in die Hände, als Kamini mit dem Vorspeisentablett kam.

«Wie ich höre, haben Sie zu schwimmen angefangen?»

«Ja und?», schnaubte sie und stemmte eine Hand gegen die Hüfte. «Wo ist da das Problem?»

«Ich hoffe nur, dass Sie keinen Bikini wie eine westliche Frau tragen.»

«Warum nicht? Wenn man das in Amerika macht, warum können wir das nicht auch? Sind wir ihnen denn irgendwie unterlegen?»

Als Kamini ihre Absicht verkündete, sich und Lalitha unverzüglich diese skandalösen Badeanzüge zu kaufen, kicherte Lalitha hemmungslos.

«Und wenn Mr Giridhar Rao das nicht passt, brennen wir beide durch und leben zusammen in Bombay, nicht wahr?»

Giridhar Rao schielte nervös zu der alten Frau hinüber, die ihre Zehen anstarrte.

«Dieses ganze moderne Gerede empört Sie hoffentlich nicht, Sharadha-amma?»

Die alte Dame atmete schwer. Sie krümmte die Zehen nach innen und starrte sie an.

Mr Anantha Murthy wagte einen Vergleich zwischen der Barfi-Schnitte, die Kamini auf dem Vorspeisentablett servierte, und der Barfi-Schnitte, die im besten Café Bombays angeboten wurde.

Dann begann die alte Dame mit heiserer Stimme zu sprechen: «In den Schriften steht geschrieben, …» und machte eine lange Pause. Im Zimmer wurde es still.

« … dass ein Mann … ein Mann, der keinen Sohn hat, nicht hoffen darf, in den Himmel zu kommen.» Sie atmete aus. «Und wenn ein Mann nicht in den Himmel kommt, kommt auch seine Frau nicht hinein. Und da reden Sie hier von Bikinis und Wikinis und vergnügen sich mit modernen Menschen, anstatt zu Gott um Vergebung Ihrer Sünden zu beten!»

Sie atmete noch einen Moment schwer, rappelte sich dann auf und humpelte die Treppe hinunter.

Als die *Vertrauten* nach einem eher kurzen Abend aufbrachen, trafen sie die alte Dame vor dem Haus. Sie saß auf einem Koffer, der vor Kleidung zu platzen drohte, und rief die Bäume an.

«Yama Deva, nimm mich zu Dir! Da mein Sohn seine Mutter vergessen hat – was bleibt mir da noch, für das es sich zu leben lohnt?»

Während sie den Gott des Todes anrief, schlug sie sich mit den Knöcheln ihrer geballten Fäuste an die Stirn, sodass ihre Armreifen klirrten.

Als sie Giridhar Raos Hand auf der Schulter spürte, brach die alte Frau in Tränen aus.

Die *Vertrauten* sahen, dass Giridhar Rao ihnen durch Zeichen zu verstehen gab, zu gehen. Die alte Dame war von ihrem Auftritt erschöpft. Sie ließ den Kopf an Kaminis Brust sinken und zitterte schluchzend.

«Vergib mir, Mutter ... Die Götter haben jedem von uns seine Strafe gegeben. Dir gaben sie einen Uterus aus Stein, und meinem Sohn haben sie das Herz in der Brust zerquetscht ...»

Nachdem sie die alte Dame zu Bett gebracht hatten, ließ Mr Rao seiner Frau auf der Treppe den Vortritt. Als er zu ihr kam, lag sie auf dem Bett und drehte ihm den Rücken zu.

Er ging auf die Veranda und stellte das Radio aus.

Sie sagte nichts, als er seinen Helm nahm und über die Treppe nach unten ging. Als er den Motor antrat, zerriss das Geräusch die Stille der Bishop Street.

*

Nach wenigen Minuten erreichte er die Straße, die durch den Wald zum Meer führte. Auf beiden Seiten des dahinrasenden Motorrads standen die Silhouetten der Kokospalmen in dichten Reihen vor der blauen Meeresnacht. Ein heller Mond, der tief über den Bäumen hing, sah aus, als wäre er mit einer Axt gespalten worden. Da ihm rechts oben ein Stück fehlte, hing er wie eine Illustration der Vorstellung von «Zwei Dritteln» am Himmel. Nach einer Viertelstunde bog die Yamaha von der Straße in eine schlammige Fahrspur ein und donnerte über Steine und Kies. Dann ging der Motor aus.

Ein See, nur ein kleiner Tümpel im Wald, kam in Sicht, und Giridhar Rao ließ die Maschine ausrollen und den Helm auf dem Sitz liegen. Fischer hatten einen schmalen Uferstreifen um den See herum gelichtet, an dessen äußerstem Ende noch Kokospalmen standen. Zu dieser Stunde waren überall im See Netze ausgelegt, aber keine Menschenseele war zu sehen. Ein Reiher, der durchs flache Wasser am Seeufer stakste, war das einzige andere Lebewesen, das noch zu sehen war. Giridhar war vor Jahren zufällig auf den See gestoßen, als er bei Nacht durch den Wald gefahren war. Er hatte keine Ahnung, warum niemand hierherkam, doch so ist das nun mal in kleinen Städten – sie sind voller verborgener Schätze. Er ging ein paar Minuten am Ufer entlang und setzte sich dann auf einen Stein.

Das Wasser, dessen schimmernde Oberfläche sich schwarz kräuselte, sah aus wie übereinandergelegte Schichten geschmolzenen Glases.

Der Reiher schlug mit den Flügeln und schwang sich in die Luft. Jetzt war er ganz allein. Leise summte er eine Melodie aus seiner Zeit als Junggeselle in Bangalore. Gähnend verzog er sein Gesicht. Er blickte auf. Drei Sterne erschienen hinter den Fetzen einer grauen Wolke; zusammen mit dem Zwei-Drittel-Mond bildeten sie ein Viereck. Mr Rao bewunderte die Konstellation des Nachthimmels. Der Gedanke, dass die Elemente unserer Welt nicht zufällig zusammengewürfelt waren, erfüllte ihn mit Befriedigung. Hinter ihnen stand etwas: eine Ordnung.

Wieder gähnte er und streckte auf seinem Stein die Beine aus.

Sein Frieden wurde gestört. Es hatte zu tröpfeln begonnen. Er fragte sich, ob er die Fenster über ihrem Bett geschlossen hatte. Der Regen könnte ihr ins Gesicht schlagen.

Er verließ seinen Privatstrand, spurtete zum Motorrad, band sich den Helm fest und trat den Motor an.

*

Eines Morgens im Jahr 1987 erwachte die ganze Bishop Street zum dumpfen Tack-Tack-Tack von Äxten, mit denen die Bäume gefällt wurden. Nach einigen Tagen heulten Kettensägen, und Bagger schaufelten riesige Mengen schwarzer Erde auf. Und das war das Ende des großen Waldes von Bajpe. An seiner Stelle sahen die Bewohner der Bishop Street nun eine riesige Grube, in der Kräne und Lastwagen rangierten, und eine Armee von Wanderarbeitern, die mit nackten Oberkörpern Ziegelstapel und Zementsäcke auf ihren Köpfen herbeitrugen, als bewegten Ameisen Reiskörner. Ein gigantisches Schild erklärte auf Kannada und Hindi das Gelände zum «Sportstadion Sardar Patel – Indiens Iron Man – Ein Traum wird wahr für Kittur». Der Lärm war unerträglich, und aus der Grube wirbelte Staub auf wie Dampf aus einem Geysir. Besucher, die wieder einmal nach Bajpe kamen, waren der Ansicht, dass die Temperatur in der ganzen Gegend um mehrere Grad gestiegen war.

SIEBTER TAG: SALT MARKET VILLAGE

Wer einen Diener sucht, dem man trauen kann, einen Koch, der keinen Zucker stiehlt, oder einen Fahrer, der nicht trinkt, der begebe sich nach Salt Market Village. Obwohl das Dorf 1988 dem Stadtgebiet Kitturs eingemeindet wurde, ist Salt Market Village nach wie vor ländlicher und erheblich ärmer als der Rest der Stadt.

Wenn Sie im April oder Mai kommen, sollten Sie unbedingt dem als «Rattenjagd» bekannten Dorffest beiwohnen – ein nächtliches Ritual, bei dem die Frauen des Vororts durch die Reisfelder gehen; in einer Hand tragen sie brennende Fackeln, mit der anderen Hand schlagen sie mit Hockey- oder Kricketschlägern auf den Boden und schreien dabei so laut wie möglich. Vom Lärm aufgeschreckte Ratten, Mungos und Spitzmäuse flüchten in die Mitte des Feldes, wo die eingekreisten Schädlinge von den Frauen totgeschlagen werden.

Salt Market Villages einzige Touristenattraktion ist eine verlassene Jain-Siedlung, in der die Dichter Harihara und Raghuveera ihre frühen Kannada-Epen geschrieben haben. 1990 wurde ein Teil der Jain-Siedlung von der Mormonenkirche aus Utah, USA, erworben und in ein Missionszentrum umgewandelt.

*

Murali wartete in der Kochnische darauf, dass der Tee zu kochen begann, trat einen Schritt nach rechts und äugte durch den Flur.

Genosse Thimma, der unter dem gerahmten Sowjetplakat saß, hatte die alte Frau in die Mangel genommen.

«Kennen Sie die genauen Unterschiede zwischen den Lehren der Kommunistischen Partei Indiens, der Marxistischen Kommunistischen Partei Indiens und der Marxistisch-Maoistischen Kommunistischen Partei Indiens?»

Natürlich kennt sie die nicht, dachte Murali, ging wieder in die Küche und nahm den Kessel vom Herd.

Die kennt doch kein Mensch.

Er griff in eine Blechdose mit Zuckerkeksen. Im nächsten Moment war er mit einem Tablett mit drei Teetassen und je einem Zuckerkeks im Empfangsbereich.

Genosse Thimma schaute auf das vergitterte Fenster in der gegenüberliegenden Wand. Das Abendlicht ließ das Gitterwerk aufleuchten; ein Lichtstreifen glühte auf dem Fußboden wie die Schwanzfeder eines Feuervogels, der im Gitter saß.

Das Verhalten des Genossen deutete stark darauf hin, dass die alte Frau angesichts ihrer kompletten Ahnungslosigkeit, was Fragen der reinen Lehre anbelangte, es nicht wert war, in den Genuss des Beistands der Marxistisch-Maoistischen Kommunistischen Partei Indiens, Bezirk Kittur, zu kommen.

Die Frau war gebrechlich und abgemagert. Ihr Mann hatte sich vor zwei Wochen am Dachbalken ihres Hauses erhängt.

Murali setzte die erste Tasse dem Genossen Thimma vor, der sie an den Mund hob und den Tee schlürfte, was seine Stimmung verbesserte.

Der Genosse schaute noch einmal zu dem vergitterten Fenster und sagte: «Ich will Ihnen unsere *Dialektik* erklären. Wenn Sie die akzeptieren, können wir über Hilfe reden.»

Die Bauersfrau nickte, als verstünde sie das englische Wort *Dialektik* in jeder Hinsicht.

Ohne den Blick vom Gitter zu wenden, biss der Genosse

in einen der Zuckerkekse. Die Krümel fielen ihm aufs Kinn. Nachdem Murali der alten Frau ihren Tee gegeben hatte, ging er zum Genossen und wischte ihm mit den Fingern die Krümel weg.

Der Genosse hatte kleine, funkelnde Augen und neigte dazu, den Blick in die Höhe und in die Weite zu richten, wenn er die Worte der Weisheit von sich gab, was er stets mit dem Gefühl unterdrückter Erregung tat. Das verlieh ihm die Aura eines Propheten. Wie es bei den Helfershelfern der Propheten häufig der Fall ist, war Murali körperlich das überlegenere Exemplar: größer, breiter, mit hoher, tief gefurchter Stirn und einem freundlichen Lächeln.

«Gib der Dame unsere Broschüre über *Dialektik*», sagte der Genosse und redete dabei das Gitter an.

Murali nickte und ging diensteifrig zu einem der Schränke. Der Empfangsbereich der Kommunistischen Partei Indiens (marxistisch-maoistisch) war mit einem alten Tisch voller Teeflecken, ein paar ramponierten Schränken und dem Schreibtisch des Generalsekretärs möbliert, hinter dem ein riesiges Plakat aus den frühen Tagen der Sowjetrevolution hing; es zeigte eine Gruppe proletarischer Helden, die auf einer Leiter in den Himmel stiegen. Die Arbeiter trugen Holzhämmer und Vorschlaghämmer, während eine Gruppe orientalischer Götter ihrem Aufstieg ängstlich entgegensah. Nachdem er zwei Schränke durchwühlt hatte, fand Murali eine Broschüre mit einem großen roten Stern auf dem Umschlag. Er wischte sie mit einem Zipfel seines Hemdes ab und gab sie der alten Frau.

«Sie kann nicht lesen.»

Die leise Stimme gehörte der Tochter der Frau, die auf einem Stuhl neben ihr saß und die Teetasse mit dem noch unberührten Zuckerkeks in der Hand festhielt. Nach kurzem Zögern übergab Murali der Tochter die Broschüre. Sie hielt die Teetasse in der linken Hand und die Broschüre zwischen zwei Fingern der rechten, als handelte es sich um ein dreckiges Taschentuch.

Der Genosse lächelte dem Fenstergitter zu. Es war unklar, ob das eine Reaktion auf die Ereignisse der letzten Minuten war. Er war ein dünner, glatzköpfiger, dunkelhäutiger Mann mit eingefallenen Wangen und glänzenden Augen.

«Anfangs hatten wir nur eine Partei in Indien, und das war die wahre Partei. Sie machte keine Kompromisse. Aber dann ließen sich die Führer dieser wahren Partei von den Verlockungen der bürgerlichen Demokratie korrumpieren und beschlossen, Wahlen zuzulassen. Das war ihr erster und zugleich tödlicher Fehler. Bald spaltete sich die wahre Partei. Neue Fraktionen bildeten sich und versuchten, den ursprünglichen Geist wiederherzustellen. Aber auch sie ließen sich korrumpieren.»

Murali wischte die Schrankfächer ab und versuchte, so gut es ging, die lockeren Türscharniere zu richten. Er war kein Tagelöhner. Hier gab es gar keine Tagelöhner. Genosse Thimma würde es nie zulassen, die Arbeitskraft von Proletariern für ausbeuterische Zwecke zu missbrauchen. Murali war gewiss kein Proletarier – vielmehr war er der Spross einer einflussreichen brahmanischen Familie von Landbesitzern –, weshalb es für ihn völlig in Ordnung war, sämtliche Drecksarbeit zu verrichten.

Der Genosse atmete tief durch, nahm die Brille ab und putzte sie mit einem Zipfel seines weißen Baumwollhemds.

«Nur wir haben den Glauben nicht verloren – wir, die Mitglieder der Maoistisch-Marxistischen Kommunistischen Partei Indiens. Nur wir sind der *Dialektik* treu geblieben. Und wissen Sie auch, worauf die Stärke unserer Mitgliedschaft beruht?»

Er setzte die Brille wieder auf und holte zufrieden Luft.

«Auf uns beiden. Murali und mir.»

Er sah mit mattem Lächeln zum Gitter und schien fertig zu sein. Und so legte die alte Frau ihre Hände auf den Kopf ihrer Tochter und sagte: «Sie ist noch unverheiratet, Sir. Wir bitten Sie um etwas Geld, damit sie heiraten kann. Sonst nichts.»

Thimma wandte sich der Tochter zu und starrte sie an. Das Mädchen blickte zu Boden. Murali zuckte zusammen. Ich wünschte mir manchmal, er wäre etwas sensibler, dachte er.

«Wir haben niemanden, der uns unterstützt», sagte die alte Frau. «Meine Familie redet nicht einmal mit mir. Mitglieder unserer eigenen Kaste wollen nichts – »

Der Genosse schlug sich mit der flachen Hand auf den Oberschenkel.

«Die Kastenfrage ist lediglich eine Erscheinungsform des Klassenkampfs. Das haben Mazumdar und Shukla bereits 1938 lückenlos nachgewiesen. Ich weigere mich, in unseren Diskussionen den Begriff ‹Kaste› zu akzeptieren.»

Die Frau sah Murali an.

Er nickte ihr zu, als wollte er sagen: «Reden Sie weiter.»

«Mein Mann hat gesagt, die Kommunisten sind die Einzigen, die sich um Leute wie uns kümmern. Er hat gesagt, wenn die Kommunisten die Welt beherrschen würden, gäbe es für die Armen keine Not mehr, Sir.»

Das schien den Genossen zu besänftigen. Er sah die Frau und das Mädchen einen Moment an und zog dann die Nase hoch. Seinen Fingern schien etwas zu fehlen. Murali verstand sogleich. Als er zur Küche ging, um noch eine Tasse Tee zu kochen, hörte er hinter sich die Stimme des Genossen:

«Die Marxistisch-Maoistische Kommunistische Partei Indiens ist nicht die Partei der Armen – sie ist die Partei des Proletariats. Dieser Unterschied muss klar sein, bevor wir über Unterstützung oder Widerstand diskutieren.»

Nachdem er den Kessel wieder aufgesetzt hatte, wollte Murali

Teeblätter hineinwerfen, fragte sich aber, warum die Tochter ihren Tee nicht angerührt hatte. Ihm kam der Verdacht, dass er zu viel Tee in den Kessel getan hatte – und dass also die Art und Weise, in der er seit fünfundzwanzig Jahren Tee zubereitete, falsch sein könnte.

*

An der Haltestelle Salt Market Village stieg Murali aus dem 67-C-Bus, ging die Hauptstraße entlang und bahnte sich seinen Weg durch Misthaufen, während um ihn herum Schweine den Erdboden beschnüffelten. Er trug den Regenschirm wie ein Gewehr geschultert, damit die Metallspitze nicht vom Mist beschmutzt wurde. Er fragte ein paar Jungen, die mitten auf der Hauptstraße mit Murmeln spielten, nach dem Weg und fand das Haus: Ein überraschend großes und imposantes Gebäude, auf dessen rostigem Blechdach Steine lagen, um es während der Regenfälle zu stabilisieren.

Er öffnete das Gartentor und trat ein.

An einem Haken neben der Tür hing ein selbst gewebtes Baumwollhemd – wohl das des toten Mannes, vermutete er. Als ob der Mann noch im Haus wäre, nur ein Nickerchen hielt und gleich herauskommen, sich das Hemd anziehen und den Besucher begrüßen würde.

An der vorderen Hauswand hingen mindestens ein Dutzend gerahmter bunter Götterbilder sowie das Bild eines schmerbäuchigen Lokalgurus, über dessen Kopf ein enormer Heiligenschein schwebte. Es gab auch eine karge Pritsche mit zerschlissenem Bezug, auf dem Besucher Platz nehmen konnten.

Murali ließ seine Sandalen draußen und fragte sich, ob er an die Tür klopfen sollte. Zu aufdringlich für so ein Haus, in das eben erst der Tod gekommen war – also entschloss er sich, draußen zu warten, bis jemand herauskäme.

Zwei weiße Kühe lagen auf dem zum Haus gehörenden Grundstück. Wenn sie sich träge bewegten, schepperten die Glocken an ihren Hälsen. Vor ihnen stand eine Wasserlache, in der Stroh eingeweicht worden war, um es breiig zu machen. Ein schwarzer Büffel, an dessen feuchter Nase Schnipsel frischen Grüns klebten, stand vor der gegenüberliegenden Grundstücksmauer, starrte vor sich hin und kaute an einem Sack voll Gras, das man vor ihm auf den Boden geschüttet hatte. Murali dachte: Diese Tiere müssen sich um nichts auf der Welt Sorgen machen. Selbst im Haus eines Mannes, der sich selbst umgebracht hat, werden sie noch gefüttert und gemästet. Wie mühelos sie die Menschen dieses Dorfs beherrschen, als hätte die menschliche Zivilisation hier Herr und Knecht miteinander verwechselt! Murali war fasziniert. Seine Augen weideten sich an dem fetten Körper des Tiers, seinem mächtigen Bauch und dem glänzenden Fell. Er roch die Scheiße, die an der Hinterseite klebte. Das Tier hatte sich in seinen eigenen Ausscheidungen gesuhlt.

Murali war schon seit Jahrzehnten nicht mehr in Salt Market Village gewesen. Das letzte Mal war vor fünfundzwanzig Jahren gewesen, als er auf der Suche nach optischen Eindrücken für eine Kurzgeschichte über die ländliche Armut war, an der er damals schrieb. Seit einem Vierteljahrhundert hatte sich nicht viel verändert, nur die Büffel waren fett geworden.

«Warum haben Sie nicht geklopft?»

Die alte Frau kam aus dem Hinterhof. Sie ging breit lächelnd um ihn herum, betrat das Haus und schrie: «He, du! Mach mal Tee!»

Gleich darauf trat das Mädchen mit einer Teeschale heraus. Als Murali sie nahm, berührte er dabei ihre feuchten Finger.

Nach der langen Fahrt schmeckte ihm der Tee himmlisch. Die Kunst der Teezubereitung hatte er nie gemeistert, obwohl er für Thimma nun schon seit fast fünfundzwanzig Jahren Tee kochte.

Vielleicht war das eines der Dinge, die nur Frauen richtig beherrschen, dachte er.

«Was wollen Sie von uns?», fragte die alte Frau. Sie verhielt sich jetzt etwas unterwürfiger, als hätte sie den Grund seines Besuchs eben erst begriffen.

«Herausfinden, ob Sie die Wahrheit sagen», erwiderte er ruhig.

Sie rief die Nachbarn zusammen, damit er sie befragen konnte. Sie hockten sich um die Pritsche auf den Boden. Er bestand darauf, dass sie auf Augenhöhe mit ihm sitzen sollten, aber sie blieben, wo sie waren.

«Wo hat er sich erhängt?»

«Genau hier, Sir!», sagte ein alter Dorfbewohner mit schadhaften, vom Betelkauen fleckigen Zähnen.

«Was meinen Sie mit genau hier?»

Der alte Mann zeigte auf den Dachbalken. Murali konnte es nicht fassen: Er hatte sich in aller Öffentlichkeit erhängt? Dann hatten die Kühe und der fette Büffel es ja auch gesehen!

Er erfuhr einiges über den Mann, dessen Hemd immer noch am Haken hing. Die Missernten. Der Kredit vom Geldverleiher. Zu drei Prozent monatlich zuzüglich Zinseszins.

«Die Heirat seiner ersten Tochter hat ihn ruiniert. Und er wusste, dass er nicht mehr genug hatte, um dieses Mädchen hier zu verheiraten.»

Die Tochter hatte sich die ganze Zeit in einer Ecke des Vorgartens herumgedrückt. Er sah, wie sie in tiefer Qual ihr Gesicht abwandte.

Als er sich wieder auf den Rückweg machte, lief ihm ein Dorfbewohner hinterher: «Sir … Sir … ich meine, vor zwei Jahren hat eine Tante von mir Selbstmord begangen … Ich meine, vor einem Jahr erst, Sir, und sie war wirklich wie eine Mutter zu mir … Könnte die Kommunistische Partei …»

Murali packte den Mann am Arm und drückte ihm seine Finger tief ins Fleisch. Er sah dem Mann in die Augen: «Wie heißt die Tochter?»

Langsam ging er zur Bushaltestelle zurück. Er ließ die Regenschirmspitze über den Boden schleifen. Die schreckliche Geschichte des Toten, der Anblick der fetten Büffel, das schmerzverzerrte Gesicht der schönen Tochter – all diese Details wirbelten ihm durch den Kopf.

Er erinnerte sich an die Zeit vor fünfundzwanzig Jahren, als er mit seinem Notizbuch und seinen Träumen, der indische Maupassant zu werden, ins Dorf gekommen war. Während er die gewundenen Straßen entlangging, auf der Straßenkinder ihre brutalen Spiele spielten, erschöpfte Tagelöhner im Schatten schliefen und große, stille, glänzende Abwassertümpel standen, erinnerte er sich wieder an die merkwürdige Mischung aus umwerfender Schönheit und Schmutz, die jedes indische Dorf prägt – und an den Wunsch, zu bewundern und gleichzeitig zu strafen, ein Wunsch, der seit der Zeit seiner ersten Besuche in ihm gereift war.

Wie damals spürte er das Bedürfnis, sich Notizen zu machen.

Damals hatte er Salt Market Village eine Woche lang jeden Tag besucht, hatte detailgenaue Beschreibungen von Bauern, Hähnen, Bullen, Schweinen, Ferkeln, Abwasserkanälen, Kinderspielen und religiösen Festen aufs Papier geworfen und die Absicht gehabt, sie zu einem Zyklus von Kurzgeschichten auszuarbeiten, die er nachts im Lesesaal der Stadtbibliothek niederschrieb. Er war sich nicht sicher, ob die Partei seine Geschichten goutieren würde, und schickte deshalb unter einem Pseudonym – «Der Wahrheitssucher» nämlich – eine Auswahl an den Redakteur eines Wochenblatts in Mysore.

Nach einer Woche kam eine Postkarte des Redakteurs, der

ihn zu einem Besuch einlud. Er nahm den Zug nach Mysore und wartete einen halben Tag, bis der Redakteur ihn in sein Büro bat.

«Ach ja ... das junge Genie aus Kittur.» Der Redakteur suchte auf dem Schreibtisch nach seiner Brille und zog das Manuskriptbündel mit Muralis Geschichten aus dem Umschlag, während dem jungen Autor das Herz bis zum Hals schlug.

«Ich wollte mit Ihnen sprechen ...», der Redakteur ließ die Geschichten auf den Schreibtisch fallen, «weil Ihr Schreiben von Talent zeugt. Sie sind aufs Land gegangen und haben, anders als neunzig Prozent unserer Schriftsteller, das Leben da kennengelernt.»

Murali errötete. Es war das erste Mal, dass jemand das Wort «Talent» in den Mund nahm, wenn von ihm die Rede war.

Der Redakteur nahm eine der Geschichten zur Hand und überflog schweigend die Seiten.

«Wer ist Ihr Lieblingsautor?», fragte er und kaute auf einem Brillenbügel herum.

«Guy de Maupassant.» Murali korrigierte sich: «Nach Karl Marx.»

«Bleiben wir mal bei der Literatur», erwiderte der Redakteur. «Jede Figur bei Maupassant ist so ...» Er krümmte den Zeigefinger und ließ ihn wackeln. «Sie will und will und will. Bis zu ihrem letzten Atemzug will sie. Geld. Frauen. Ruhm. Mehr Frauen. Mehr Geld. Mehr Ruhm. Aber Ihre Figuren», er streckte seinen Finger wieder, «wollen rein gar nichts. Sie laufen einfach durch eine genau beschriebene Dorfatmosphäre und sind tief in Gedanken versunken. Sie laufen zwischen Kühen und Bäumen und Hähnen herum und denken nach, und dann laufen sie weiter zwischen Hähnen und Bäumen und Kühen herum und denken noch mehr nach. So ist das.»

«Sie denken darüber nach, wie man die Welt verbessern

kann», protestierte Murali. «Sie sehnen sich nach einer besseren Gesellschaft.»

«Aber sie *wollen* nichts!», schrie der Redakteur. «Ich kann keine Geschichten über Leute drucken, die nichts wollen!»

Er knallte Murali den Manuskriptstapel hin. «Wenn Sie Leute gefunden haben, die etwas wollen, können Sie wiederkommen.»

Murali schrieb die Geschichten nie um. Als er jetzt auf den Bus wartete, der ihn zurück nach Kittur bringen würde, fragte er sich, ob das Bündel Geschichten noch irgendwo in seinem Haus lag.

*

Als Murali aus dem Bus gestiegen war und ins Büro zurückkehrte, traf er dort den Genossen Thimma mit einem Fremden an. Fremde im Büro waren nichts Ungewöhnliches: magere, erschöpfte Männer mit gehetztem Gesichtsausdruck, die auf der Flucht aus umliegenden Staaten waren, in denen Routinesäuberungen gegen radikale Kommunisten stattfanden. In jenen Gegenden war der radikale Kommunismus eine echte Bedrohung für den Staat. Die Flüchtlinge schliefen im Büro und wurden ein paar Wochen mit Tee versorgt, bis sich die Lage entspannt hatte und sie nach Hause zurückkehren konnten.

Aber dieser Mann war keiner der Gejagten. Er war blond und sprach mit einem merkwürdigen europäischen Akzent.

Er saß neben Thimma, und der Genosse starrte ins ferne Licht des Fenstergitters und schüttete ihm sein Herz aus. Murali setzte sich dazu und hörte ihm eine halbe Stunde lang zu. Er war großartig. Trotzki war ebenso wenig vergeben worden wie Bernstein vergessen. Thimma versuchte dem Europäer zu beweisen, dass man sogar in einer kleinen Stadt wie Kittur mit der dialektischen Theorie vertraut war.

Der Ausländer nickte viel und notierte sich alles. Schließlich setzte er die Kappe auf seinen Ballpoint-Stift und bemerkte: «Ich finde, dass die Kommunisten in Kittur praktisch nicht präsent sind.»

Thimma klopfte sich auf die Schenkel und starrte finster das Gitter an. In diesem Teil Indiens, sagte er, hätten die Sozialisten zu großen Einfluss. Das Problem des ländlichen Feudalismus sei gelöst; große Güter seien zerschlagen und unter den Bauern aufgeteilt worden.

«Als er die Kongresspartei anführte, hat dieser Devraj Urs hierzulande eine Art Revolution hervorgebracht», seufzte Thimma. «Natürlich nur eine Pseudorevolution. Wieder einmal der Bernstein'sche Fehler.»

Muralis eigenes Land war ein Opfer der sozialistischen Politik der regierenden Kongresspartei. Sein Vater hatte sein Land verloren; im Gegenzug hatte die Regierung Entschädigung in Aussicht gestellt. Sein Vater ging zum Gemeindebüro, um sich seine Entschädigung abzuholen, musste aber feststellen, dass jemand anderes, irgendein Bürokrat, seine Unterschrift gefälscht hatte und mit seinem Geld verschwunden war. Als Murali das erfuhr, dachte er: Geschieht meinem Alten ganz recht. Geschieht mir ganz recht. Für das, was wir den Armen alles angetan haben, ist das die passende Quittung. Natürlich war ihm klar, dass die Entschädigung für seine Familie nicht von den Armen gestohlen worden war, sondern von einem korrupten Beamten. Eine Art von Gerechtigkeit war es trotzdem.

Murali machte sich an seine üblichen Kurz-vor-Feierabend-Pflichten. Zuerst fegte er die Küche. Als er mit dem Besen unter der Spüle fegte, hörte er den Ausländer sagen:

«Ich denke, das Problem mit Marx besteht vor allem darin, dass er die Menschen für zu … anständig hält. Er verwirft die Idee der Erbsünde. Und das ist womöglich der Grund dafür, dass der Kommunismus nun überall aussterben wird. Die Berliner Mauer – »

Murali kroch unter die Spüle, um die schwer erreichbaren Ecken zu fegen. In dem geschlossenen Raum unter der Spüle hallte Thimmas Stimme merkwürdig nach:

«Sie haben den Prozess der Dialektik völlig missverstanden!»

Er wartete unter der Spüle, ob Genosse Thimma vielleicht noch mit einer besseren Antwort aufwarten konnte.

Er fegte, machte die Schränke zu, schaltete die nicht benötigten Lampen aus, um die Stromrechnung zu schonen, drehte die Wasserhähne fest zu, um die Wasserrechnung zu schonen, und ging zum Busbahnhof, um auf die Nummer 56 B zu warten, die ihn nach Hause bringen würde.

Zu Hause. Eine blaue Tür, eine fluoreszierende Lampe, drei nackte Glühbirnen, zehntausend Bücher. Die Bücher waren überall. Als er eintrat, erwarteten sie ihn wie zutrauliche Haustiere zu beiden Seiten der Tür, lagen staubbedeckt auf dem Esstisch und aufgestapelt an den alten Wänden, um diese zu stützen. Sie hatten überall im Haus die besten Plätze eingenommen und ihm nur einen kleinen, rechteckigen Bereich für sein Bett gelassen.

Er öffnete das Bündel, das er mit nach Hause genommen hatte.

Weicht Gorbatschow vom rechten Weg ab? Anmerkungen von Thimma Swami, B. A. (Kittur), M. A. (Mysore), Generalsekretär des regionalen Politbüros Kittur, Kommunistische Partei Indien (marxistisch-maoistisch).

Er würde das zu den Notizen legen, die er sich zu Thimmas Ideen gemacht hatte. Er wollte sie eines Tages veröffentlichen und vor den Fabriktoren an die Arbeiter verteilen.

An diesem Abend konnte Murali nicht viel schreiben. Die Moskitos stachen ihn, und er schlug nach ihnen. Er zündete eine Räucherspirale an, um die Moskitos fernzuhalten. Aber selbst dann konnte er nicht schreiben. Und dann ging ihm auf, dass es gar nicht die Moskitos waren, die ihn störten.

Die Art und Weise, in der sie ihr Gesicht abgewandt hatte. Er musste etwas für sie tun.

Wie war noch gleich ihr Name? – Ach ja, Sulochana.

Er wühlte im Chaos neben seinem Bett herum, bis er den Zyklus mit Erzählungen fand, den er vor Jahren geschrieben hatte. Er blies den Staub von den Seiten und begann zu lesen.

*

Neben den Porträts der Götter, die ihn nicht hatten retten können, hing ein Foto des toten Mannes an der Wand. Der Guru mit dem dicken Bauch war vielleicht für alles verantwortlich gemacht worden, denn sein Bild fehlte jetzt. Murali stand vor der Tür, wartete und klopfte langsam.

«Sie arbeiten auf dem Feld!», rief der alte Nachbar mit den schadhaften, roten Zähnen.

Die Kühe und der Büffel standen nicht mehr auf dem Hof – zweifellos für Bargeld verscherbelt. Murali fand das abstoßend. Dieses Mädchen, das so vornehm aussah, schuftete wie eine gewöhnliche Arbeiterin auf dem Feld?

Ich komme gerade rechtzeitig, dachte er.

«Laufen Sie hin, und holen Sie sie!», rief er dem Nachbarn zu. «Sofort!»

Die Staatsregierung habe ein Budget, aus dem Witwen von Bauern, die sich wegen Zwangslagen das Leben nahmen, entschädigt würden, erklärte Murali der Witwe und ließ sie auf der Pritsche Platz nehmen. Es handelte sich um eine jener gut gemeinten Pläne zur Verbesserung der ländlichen Verhältnisse, die nie bei jemandem ankamen, weil niemand davon wusste – bis Leute aus der Stadt wie Murali ihnen davon erzählten.

Die Witwe war noch magerer geworden und hatte einen Sonnenbrand. Sie saß da und wischte sich dauernd an ihrem Sari die Hände ab, weil sie sich dafür schämte, dass sie so schmutzig waren.

Sulochana brachte den Tee nach draußen. Murali staunte, dass dieses Mädchen, das eben noch auf dem Feld gearbeitet hatte, die Zeit gefunden hatte, ihm Tee zu kochen.

Als er ihr die Tasse abnahm und dabei ihre Finger berührte, bewunderte er schnell ihre Gesichtszüge. Obwohl sie eben erst nach harter Tagesarbeit vom Feld gekommen war, war sie immer noch schön – schöner sogar als zuvor. Auf ihrem Gesicht lag jene einfache, ungeschminkte Eleganz. Weder Make-up noch Lippenstift noch nachgezogene Augenbrauen, wie man es heutzutage in den Städten sieht.

Wie alt sie wohl sein mag?, fragte er sich.

«Sir ...» Die alte Frau faltete die Hände. «Bekommen wir wirklich das Geld?»

«Wenn Sie hier unterschreiben», sagte er. «Und hier. Und hier.»

Die alte Dame hielt den Stift und grinste dümmlich.

«Sie kann nicht schreiben», sagte Sulochana. Also legte er sich den Brief auf den Oberschenkel und unterschrieb für sie.

Er erklärte, dass er noch einen Brief mitgebracht habe, der an die Polizeihauptwache beim Lighthouse Hill zu schicken sei; in ihm werde die Strafverfolgung des Geldverleihers verlangt, weil er durch Wucher den Mann in den Tod getrieben habe. Er wollte, dass die alte Frau auch diesen Brief unterschrieb, aber sie legte die Hände zusammen und verneigte sich vor ihm.

«Bitte tun Sie das nicht, Sir. Bitte. Wir wollen keinen Ärger.»

Sulochana stand an der Mauer, sah zu Boden und unterstützte wortlos die Bitte ihrer Mutter.

Er zerriss den Brief. Als er das tat, begriff er, dass er zum

Gebieter über das Schicksal dieser Familie geworden war. Jetzt war er hier der Patriarch.

«Und ihre Verheiratung?», sagte er und deutete auf das an der Wand lehnende Mädchen.

«Wer will die denn schon heiraten? Und was soll ich dann machen?», jammerte die alte Frau, als sich das Mädchen ins Dunkel des Hauses zurückzog.

Die Idee kam ihm auf dem Rückweg zur Bushaltestelle.

Er stieß die Metallspitze des Regenschirms in den Boden und zog eine lange, durchgehende Linie durch den Matsch.

Und dann dachte er: Warum eigentlich nicht?

Schließlich hatte sie keine andere Chance ...

Er bestieg den Bus. Mit fünfundfünfzig war er immer noch Junggeselle. Nach seiner Haftzeit hatte seine Familie ihn enterbt, und auch niemand von seinen Onkeln und Tanten hatte versucht, eine Ehe für ihn zu arrangieren. Beim Verteilen von Broschüren, dem Predigen zum Proletariat und dem Sammeln der Reden des Genossen Thimma hatte er nie die Zeit gefunden, sich selbst um eine Heirat zu kümmern. Er hatte allerdings auch keine große Lust dazu.

Als er im Bett lag, dachte er: Hier kann ein Mädchen aber nicht leben. Es ist ein verkommenes Haus, vollgestopft mit alten Büchern von Veteranen der Kommunistischen Partei und französischen und russischen Erzählern des neunzehnten Jahrhunderts, die kein Mensch mehr liest.

Bis jetzt war ihm nie aufgefallen, wie dürftig er all die Jahre gelebt hatte. Aber die Dinge würden sich ändern. Er empfand eine große Hoffnung. Wenn sie in sein Leben träte, würde alles anders werden. Er lag im Bett und starrte den Ventilator an der Decke an. Er war ausgeschaltet. Er stellte ihn selten an, eigentlich nur bei drückender Sommerhitze, um an der Stromrechnung zu sparen.

Sein ganzes Leben lang war er von Ruhelosigkeit gequält worden, von einem Gefühl, für etwas bestimmt zu sein, das zu groß für eine kleine Stadt war. Nach seinem Juraexamen in Madras hatte sein Vater erwartet, dass er seine Kanzlei übernehmen würde. Doch Murali hatte es in die Politik gezogen. Er hatte schon in Madras Versammlungen der Kongresspartei besucht und das auch in Kittur fortgesetzt. Er trug eine Nehru-Mütze und hatte ein Foto Gandhis auf dem Schreibtisch. Sein Vater merkte das natürlich. Eines Tages gab es eine Auseinandersetzung und viel Geschrei, und Murali verließ sein Elternhaus und schloss sich der Kongresspartei als Vollmitglied an. Er wusste jetzt, was er mit seinem Leben anfangen wollte: Es gab einen Feind, der besiegt werden musste. Das alte, schlechte Indien der Kasten- und Klassenprivilegien, das Indien der Kinderehen, misshandelten Witwen und ausgebeuteten Unterprivilegierten musste beseitigt werden. Als es Wahlen gab, engagierte er sich mit ganzem Herzen für den Kandidaten der Kongresspartei, einen jungen Mann namens Anand Kumar, der aus einer unteren Kaste stammte.

Nachdem Anand Kumar gesiegt hatte, sah Murali zwei seiner Kongressparteifreunde jeden Morgen vor der Parteizentrale sitzen. Er sah, wie sich ihnen Männer mit Briefen für den Kandidaten näherten. Sie nahmen die Briefe – und von jedem Bittsteller noch ein Dutzend Rupien.

Murali drohte damit, es Kumar zu melden. Die beiden Männer machten ein ernstes Gesicht. Sie traten beiseite und forderten Murali auf, sogleich hineinzugehen.

«Bitte beschweren Sie sich sofort», sagten sie.

Als er hineinging und an Kumars Tür klopfte, hörte er sie hinter seinem Rücken lachen.

Daraufhin schloss Murali sich den Kommunisten an, weil er gehört hatte, dass sie unbestechlich seien. Die größeren Fraktionen der Kommunisten erwiesen sich jedoch als genauso korrupt wie die Kongresspartei. Also wechselte er von einer kommunistischen Partei zur nächsten, bis er eines Tages ein dämmriges Büro betrat und unter dem riesigen Poster, auf dem heldenhafte Proletarier zum Himmel emporkletterten, um die Götter der Vergangenheit zu stürzen, die kleine, dunkle Gestalt des Genossen Thimma erblickte. Endlich! Ein Unbestechlicher! Damals hatte die Partei siebzehn ehrenamtliche Mitarbeiter. Sie organisierten Bildungsprogramme für Frauen, warben für Geburtenkontrolle und die Radikalisierung des Proletariats. Mit einer Gruppe Freiwilliger marschierte er zu den Ausbeuterbetrieben im Bunder, verteilte Broschüren mit der Botschaft von Marx und den Vorteilen der Sterilisation. Als die Mitglieder der Partei davonliefen, marschierte er allein weiter. Es war ihm einerlei. Es war für die gute Sache. Er war nie so fanatisch wie die Parteiarbeiter der anderen Kommunisten. Ruhig, mit großer Beharrlichkeit, stand er am Straßenrand, verteilte Broschüren an die Arbeiter und wiederholte die Botschaft, die sich nur wenige zu Herzen nahmen:

«Wollt ihr nicht wissen, wie ihr ein besseres Leben findet, Brüder?»

Er glaubte, dass auch sein Schreiben der guten Sache dienen konnte – obwohl er ehrlich genug war, sich einzugestehen, dass ihm vielleicht nur seine Eitelkeit diesen Glauben gab. Das Wort «Talent» hatte sich in seinem Kopf eingenistet und gab ihm Hoffnung. Doch als er noch darüber nachdachte, wie er sein Schreiben verbessern konnte, steckte man ihn ins Gefängnis.

Eines Tages kam die Polizei zum Genossen Thimma. Das war während des Notstandsregimes.

«Sie haben das Recht, mich zu verhaften», sagte Thimma, «weil ich offen und ehrlich alle Versuche unterstütze, die bürgerliche Regierung Indiens zu stürzen.»

Murali fragte die Polizisten: «Würde es Ihnen etwas ausmachen, auch mich zu verhaften?»

Das Gefängnis war für ihn eine glückliche Zeit. Er wusch Thimmas Wäsche und hängte sie morgens zum Trocknen auf. Er hoffte, dass all die freie Zeit im Gefängnis ihm helfen würde, sich ganz auf die Umarbeitung seiner Geschichten zu konzentrieren, aber er fand keine Zeit, an seinen eigenen Sachen zu arbeiten. Abends notierte er das, was Thimma ihm diktierte. Thimmas Antworten auf die großen Fragen des Marxismus. Der Abfall Bernsteins. Die Herausforderung durch Trotzki. Eine Rechtfertigung für Kronstadt.

Er sammelte die Antworten gewissenhaft. Dann zog er Thimma eine Decke übers Gesicht, ließ aber seine Zehen in der kühlen Luft unbedeckt.

Morgens rasierte er ihn, und Thimma wetterte im Spiegel gegen Chruschtschow, der das Erbe des Genossen Stalin besudelte.

Es war die glücklichste Zeit seines Lebens. Aber dann wurde er entlassen.

Seufzend erhob sich Murali von seinem Bett. Er wanderte durchs dunkle Haus, sah das Bücherchaos, die zerfledderten Werke Gorkis und Turgenevs, und sagte immer wieder zu sich selbst: Was habe ich aus meinem Leben gemacht? Nichts als diese Bruchbude ...

Dann sah er wieder das Gesicht des Mädchens vor sich, und sein ganzer Körper füllte sich mit Hoffnung und Freude. Er nahm den Stapel mit seinen Kurzgeschichten hervor und las sie erneut. Mit einem roten Tintenstift fing er an, Details der Figurenzeichnung zu streichen und ihren Motiven und Impulsen mehr Tempo zu geben.

*

Auf dem Weg nach Salt Market Village überkam Murali eines Morgens die Einsicht: Sie gehen mir aus dem Weg. Sowohl Mutter als auch Tochter.

Nein, Sulochana nicht, dachte er dann. Nur die alte Frau ist reservierter geworden.

Seit zwei Monaten nahm er jetzt den Bus nach Salt Market Village aus diversen, vorgeschobenen Gründen – nur um Sulochanas Gesicht zu sehen, nur um ihre Finger zu berühren, wenn sie ihm eine Tasse kochend heißen Tee brachte.

Er hatte versucht, der alten Dame nahezulegen, dass das Mädchen heiraten sollte – einschlägige Andeutungen, und das Thema würde sich wie von selbst im Kopf der Frau festsetzen. Das war seine Hoffnung gewesen. Dann würde er trotz seines fortgeschrittenen Alters aus reiner sozialer Verantwortung heraus einwilligen, das Mädchen zu heiraten.

Aber die alte Dame ahnte nichts von seinem Begehren.

«Ihre Tochter ist ganz hervorragend im Haushalt», sagte er einmal und hielt das für eine ausreichende Anspielung.

Als er am nächsten Tag kam, begrüßte ihn ein fremdes junges Mädchen. Die Witwe hatte es zu etwas gebracht und sich eine Dienerin zugelegt.

«Ist Madam da?», fragte er. Die Dienerin nickte.

«Willst du sie bitte holen?»

Eine Minute verging. Er meinte, hinter der Tür Stimmen zu hören. Dann kam die Dienerin wieder hinaus und sagte: «Nein.»

«Wie? Nein?»

Sie wandte sich wieder zum Haus. «Sie ... sind nicht da. Nein.»

«Und Sulochana? Ist sie da?»

Das Dienstmädchen schüttelte den Kopf.

Warum sollten sie mir auch nicht aus dem Weg gehen?, dachte er und schleifte auf dem Weg zur Bushaltestelle seinen Schirm hinter sich her. Er hatte die Arbeit für sie erledigt. Er wurde nicht mehr gebraucht. So verhielten sich nun mal die Menschen im wirklichen Leben. Warum sollte er verletzt sein?

Als er abends durch sein düsteres Haus strich, kam er nicht umhin, dem Urteil der alten Frau zuzustimmen: Das war gewiss kein angemessenes Zuhause für ein junges Mädchen wie Sulochana. Wie konnte er eine Frau hierherbringen wollen? Er hatte bisher nie darüber nachgedacht, wie ärmlich er lebte, bis er sich vorzustellen versucht hatte, mit jemandem zusammenzuleben.

Und doch machte er sich am nächsten Tag wieder nach Salt Market Village auf, wo das Dienstmädchen ihm erklärte, dass niemand zu Hause sei.

Auf dem Rückweg legte er den Kopf gegen das Fenstergitter und dachte: Je mehr sie mich schneiden, desto mehr will ich vor dem Mädchen auf die Knie fallen und ihm einen Heiratsantrag machen.

Zu Hause versuchte er es mit einem Brief.

Liebe Sulochana! Ich suche schon die ganze Zeit nach einer Möglichkeit, es Dir zu erklären. Es gibt so viel zu sagen …

Eine Woche lang fuhr er jeden Tag hin und wurde jeden Tag abgewiesen.

Ich werde nie wiederkommen, bekräftigte er vor sich selbst am siebten Abend, aber das hatte er an den sechs Abenden zuvor auch schon getan. Ich werde wirklich nie wiederkommen. Ich verhalte mich unwürdig. Ich beute diese Leute aus. Aber er war zugleich wütend auf die alte Frau und Sulochana, weil sie so mit ihm umsprangen.

Auf dem Rückweg sprang er auf und rief dem Schaffner zu: «Anhalten!» Er hatte sich aus heiterem Himmel an eine Geschichte erinnert, die er vor fünfundzwanzig Jahren geschrieben hatte; sie handelte von einem Heiratsvermittler, der in dem Dorf tätig war.

Er erkundigte sich bei den mit Murmeln spielenden Kindern nach dem Heiratsvermittler. Sie verwiesen ihn an den Krämer. Es dauerte anderthalb Stunden, bis er das Haus gefunden hatte.

Der Heiratsvermittler war ein alter, halb blinder Mann. Er saß in einem Sessel und paffte eine Wasserpfeife. Seine Frau brachte einen Stuhl, damit der Kommunist Platz nehmen konnte.

Murali räusperte sich und ließ die Fingerknöchel knacken. Er wusste nicht, was er sagen oder tun sollte. In seiner Geschichte war der Held ums Haus des Heiratsvermittlers geschlichen und hatte sich dann aus dem Staub gemacht. So weit wie Murali war er gar nicht erst gekommen.

«Ich habe einen Freund, der dieses Mädchen heiraten möchte, diese Sulochana.»

«Die Tochter des Mannes, der ...» Der Heiratsvermittler machte die Geste des Erhängens.

Murali nickte.

«Ihr Freund kommt zu spät, Sir. Sie hat jetzt Geld, und also hat sie hundert Angebote», sagte der Heiratsvermittler. «So ist das Leben.»

«Aber ... mein Freund ... mein Freund hat sein Herz an sie verloren ...»

«Wer ist dieser Freund?», fragte der Heiratsvermittler mit einem schmutzigen, allwissenden Funkeln in den Augen.

Sobald er mit seiner Arbeit im Parteibüro fertig war, nahm er den Bus und wartete vor dem Markt auf sie. Dann fing er an, auf dem Markt auf sie zu warten, wenn sie abends Gemüse einkaufte. Er folgte ihr langsam. Er sah die Bananen und die Mangos. Seit Jahrzehnten hatte er Früchte für den Genossen Thimma eingekauft. In vielen weiblichen Pflichten kannte er sich gut aus. Sein Herz setzte für einen Moment aus, als er sah, wie sie eine überreife Mango auswählte. Als der Verkäufer sie übers Ohr haute, wollte er hinlaufen, ihn anschreien und sie vor seiner Raffgier schützen.

Abends wartete er auf den Bus nach Kittur. Er beobachtete, wie die Leute im Dorf lebten. Er sah einen Jungen energisch in die Pedale treten; auf dem Gepäckträger seines Rads war ein Eisblock festgezurrt. Er musste sich beeilen, damit das Eis nicht schmolz. Es war schon fast zur Hälfte geschmolzen, und in seinem Leben gab es jetzt kein anderes Ziel, als den Rest des Eises pünktlich abzuliefern. Ein Mann mit Bananen in einer Plastiktüte schaute sich um. Auf den Bananen waren schon große schwarze Flecken, und er musste sie verkaufen, bevor sie vergammelten. All diese Leute übermittelten Murali eine Botschaft. Wenn man im Leben etwas erreichen will, sagten sie, muss man bedenken, dass die Zeit knapp ist.

Er war fünfundfünfzig Jahre alt.

An diesem Abend fuhr er nicht mit dem Bus zurück, sondern ging zum Haus. Er näherte sich aber nicht der Eingangstür, sondern ging hintenherum. Sulochana siebte Reis. Sie sah ihre Mutter an und ging ins Haus.

Die Dienerin ging auch hinein, um ihm einen Stuhl zu holen, aber die alte Frau sagte: «Lass das!»

«Sehen Sie», sagte sie, «Sie wollen meine Tochter heiraten?»

Sie hatte es also schon gehört. So ging das immer: Man bemüht sich, sein Verlangen zu verheimlichen, und schon kommt alles heraus. Der größte Trugschluss: anderen verheimlichen zu können, was man von ihnen will.

Er nickte und wich ihrem Blick aus.

«Wie alt sind Sie?», fragte sie.

«Fünfzig.»

«Können Sie ihr in diesem Alter noch Kinder schenken?»

Er suchte nach einer Antwort.

«Warum», sagte die alte Frau, «sollten wir Sie überhaupt in unsere Familie aufnehmen? Mein verstorbener Mann hat immer gesagt: Kommunisten machen Ärger.»

Ihm fiel der Unterkiefer herunter. War das der gleiche Mann, der die Kommunisten gepriesen hatte? Hatte diese Frau sich das nur ausgedacht?

Jetzt begriff Murali. Ihr Mann hatte gar nichts über die Kommunisten gesagt. Wenn es um ihre Wünsche ging, wurden diese Leute durchtrieben!

«Ich bringe Ihrer Familie viele Vorteile», sagte er. «Ich bin von Geburt Brahmane und Absolvent der ...»

«Hören Sie zu!» Die Frau stand auf. «Bitte gehen Sie – oder es gibt Ärger!»

Aber warum denn nicht? Vielleicht kann ich ihr in meinem Alter keine Kinder mehr schenken, aber ich kann sie bestimmt noch glücklich machen, dachte er auf dem Heimweg im Bus. Wir können zusammen Maupassant lesen.

Er war ein gebildeter Mann, ein Absolvent der Universität von Madras. So konnte man nicht mit ihm umspringen. Tränen traten ihm in die Augen.

Er dachte an Belletristik und Poesie, aber es waren die Worte eines Filmsongs, den er im Bus gehört hatte und der seine Gefühle am besten auszudrücken schien. Deswegen geht das Proletariat also ins Kino, dachte er. Er kaufte sich eine Eintrittskarte.

«Wie viele?»

«Eine.»

Der Ticketverkäufer grinste. «Haben Sie denn keine Freunde, alter Mann?»

Nach dem Kino schrieb Murali ihr einen Brief und schickte ihn ab.

Am nächsten Morgen erwachte er mit der Frage, ob sie den Brief überhaupt lesen würde. Selbst wenn der Brief das Haus erreichte, würde ihre Mutter ihn dann nicht einfach sofort wegschmeißen? Er hätte Sulochana den Brief persönlich aushändigen müssen!

Es reicht nicht, einen ehrlich gemeinten Versuch zu machen. Das reichte für Marx und Gandhi – es versucht zu haben. Aber nicht fürs wirkliche Leben, in dem er sich plötzlich wiederfand.

Nachdem er eine Stunde über die Sache nachgedacht hatte, schrieb er den Brief ein zweites Mal. Diesmal gab er einem Boten drei Rupien, damit dieser die Botschaft dem Mädchen persönlich überbrachte.

*

«Sie weiß, dass Sie hierherkommen und nach ihr suchen», sagte der Gemüseverkäufer, als Murali das nächste Mal auf den Markt kam. «Sie haben sie verschreckt.»

Sie geht mir aus dem Weg – es zerriss ihm das Herz. Jetzt begriff er endlich die Filmsongs. Davon also handelten sie – von der Demütigung, von einem Mädchen gemieden zu werden, für das man einen weiten Weg gemacht hat …

Er hatte das Gefühl, dass die Gemüsehändler ihn alle auslachten.

Noch vor zehn Jahren, als er in den Vierzigern war, wäre es nicht unschicklich gewesen, sich so einem Mädchen zu nähern, dachte er auf dem Heimweg. Aber jetzt war er ein schmieriger alter Mann. Er war zu jener Schlüsselfigur geworden, die er in einige seiner Geschichten eingebaut hatte – der lüsterne, alte Brahmane, der einem unschuldigen Mädchen aus einer niedrigeren Kaste nachlief.

Aber diese Typen waren nur Karikaturen des Klassenfeinds

gewesen; *jetzt* konnte er sie viel besser gestalten. Als er abends ins Bett ging, nahm er ein Stück Papier und schrieb:

Gedanken, die ein lüsterner, alter Brahmane wirklich hegt.

Jetzt weiß ich genug, dachte Murali und blickte auf die Wörter, die er geschrieben hatte. Endlich kann ich Schriftsteller werden.

Am nächsten Morgen kehrten Ordnung und Vernunft zurück. Zum Beispiel der Kamm in seinen Haaren, die Atemübungen vor dem Spiegel, der langsame, aber sichere Schritt aus der Tür hinaus, die Aufgabe, die Parteizentrale zu putzen und für Thimma Tee zu kochen.

Aber am Nachmittag fuhr er mit dem Bus wieder nach Salt Market Village.

Er wartete auf dem Markt auf sie, ging dann hinter ihr her und verfolgte sie mit verstohlenen Blicken, während sie Kartoffeln und Auberginen aussuchte. Er merkte, dass sich die Händler die ganze Zeit über ihn lustig machten: Schmieriger, alter Mann, schmieriger, alter Mann! Mit Bedauern dachte er an das traditionelle indische Vorrecht des Mannes – im alten, bösen Indien –, eine jüngere Frau heiraten zu können.

Als er am nächsten Morgen in der Küche der Parteizentrale Tee für Thimma kochte, kam ihm alles eng und dunkel und unerträglich vor – die alten Töpfe und Pfannen, die dreckigen Löffel, die schmutzige, alte Dose, aus der er Zucker für den Tee kratzte: der Bodensatz eines Lebens, das nie gestrahlt hatte, nie entflammt worden war.

Du bist betrogen worden, sagten die Dinge in der Küche zu ihm, du hast dein Leben verschleudert.

Er dachte an all die Vorzüge, die er genossen hatte: seine Erziehung, seinen scharfen Witz, seinen Verstand, seine Fähigkeit zu schreiben. Sein «Talent» – wie der Redakteur aus Mysore es genannt hatte.

All das, dachte er, als er den Tee in den Empfangsraum brachte, habe ich für meinen Dienst am Genossen Thimma verschleudert.

Und Thimma hatte sich selbst verschleudert. Nach dem frühen Tod seiner Frau hatte er nicht wieder geheiratet. Er hatte sich völlig seinem Lebensziel verschrieben – das Leben des Proletariats Kitturs zu verbessern. Aber letztlich war das nicht Marx zuzuschreiben, sondern Gandhi und Nehru. Davon war Murali überzeugt. Verführt vom Gandhiismus, hatte eine ganze Generation junger Männer ihr Leben damit vertan, kostenlose Augenkliniken für die Armen zu organisieren und Bücher an Bibliotheken auf dem Land zu verteilen, anstatt die jungen Witwen und unverheirateten Mädchen zu verführen. Der alte Mann in seinem Lendenschurz hatte sie alle verrückt gemacht. Wie Gandhi hatte man all seinen Begierden zu entsagen. Es galt sogar als Sünde zu wissen, was man vom Leben erwartete. Begierde war Bigotterie. Und was war nach vierzig Jahren Idealismus aus dem Land geworden? Ein totales Chaos! Wenn all die jungen Männer seiner Generation zu rücksichtslosen Arschlöchern geworden wären, sähe es in Indien heute wie in Amerika aus!

An diesem Abend zwang er sich, nicht mit dem Bus ins Dorf zu fahren. Er blieb und putzte die Parteizentrale gleich zweimal.

Nein, dachte er bei sich, als er zum zweiten Mal unter die Spüle kroch, es war doch nicht verschleudert! Der Idealismus junger Männer seines Schlags hatte Kittur und die umliegenden Dörfer sehr wohl verändert. Die ländliche Armut war halbiert, die Pocken waren ausgerottet, das öffentliche Gesundheitswesen war hundertmal besser geworden, der Analphabetismus zurückgegangen. Wenn Sulochana lesen konnte, dann konnte sie es dank Freiwilliger wie ihm, dank der kostenlosen Bibliotheksprojekte …

In der Dunkelheit unter der Spüle hielt er inne. In ihm rumorte eine Stimme: Na schön, sie kann lesen – und was hast du davon, du Idiot?

Er eilte zurück ins Licht des Empfangsbereichs.

Das Plakat begann jetzt lebendig zu werden. Die Proletarier, die zum Himmel emporstiegen, um die alten Götter zu stürzen, schmolzen und veränderten ihre Form. Er sah, was sie wirklich waren: eine subalterne Armee aus Sperma, Blut und Fleisch, die in seinem Inneren revoltierte. Eine Revolution des lange unterdrückten Körperproletariats, das nun zu Wort kam und sagte: *Wir wollen!*

Die Kommunisten waren erledigt. Das hatte der Besucher aus Europa gesagt. Und sämtliche Zeitungen sagten es auch. Irgendwie hatten die Amerikaner gewonnen. Genosse Thimma würde zwar immer noch weiter reden, aber es gab nichts mehr, worüber sich reden ließ, weil Marx verstummt war. Die Dialektik war zu Staub zerfallen. So wie Gandhi, so wie Nehru. Draußen in den Straßen Kitturs fuhren die jungen Leute in nagelneuen Suzukis herum, aus denen westliche Popmusik plärrte. Sie leckten mit roten Zungen Himbeereiswaffeln und trugen glitzernde Armbanduhren aus Metall.

Er griff zu der Broschüre, schleuderte sie auf das Sowjetplakat und schreckte einen Gecko auf, der sich dahinter versteckt hatte.

*

Glaubt ihr etwa, dass Privilegien im indischen Leben nichts mehr wert sind? Glaubt ihr etwa, ein Absolvent der Universität von Madras, ein Brahmane, lässt sich so ohne Weiteres beiseiteschieben?

Im schwankenden Bus hielt Murali ein Schreiben der Staatsregierung von Karnataka in der Hand, aus dem hervorging, dass der Witwe des Bauern Arasu Deva Gowda eine weitere Zahlungsrate in Aussicht gestellt werde, wenn sie unterschriebe. Achttausend Rupien.

Er erkundigte sich nach dem Haus des Geldverleihers, fand es und erblickte das größte Gebäude des Dorfes mit rosa Fassade und Säulen am Eingang, die ein Portiko trugen – das Haus, das drei Prozent Zinsen zuzüglich Zinseszins erbaut hatten.

Der Geldverleiher, ein feister, dunkler Mann, verkaufte Saatgut an einige Bauern. Neben ihm machte ein fetter, dunkler Junge, wahrscheinlich sein Sohn, Notizen in ein Buch. Murali hielt an, um den Anblick bewundern zu können: der sehr lebendige Geist der Ausbeutung in Indien. Verkauf einem Bauern Saatgut. Werde auf diese Weise deine alten Lagerbestände los. Dann gib ihm einen Kredit, dass er das Saatgut kaufen kann. Verzinse den Kredit mit drei Prozent im Monat. Sechsunddreißig Prozent im Jahr. Nein, noch mehr – viel mehr! Mit Zinseszins! Wie teuflisch! Wie brillant! Und der Meinung gewesen zu sein, Murali lächelte, es sei ein Zeichen von Intelligenz, dialektisch denken zu können. Als Murali auf ihn zuging, schob der Geldverleiher seine Hand tief ins Saatgut. Als er sie wieder herauszog, war seine schokoladenbraune Haut mit feinem gelben Staub überzogen wie ein Vogelschnabel mit Blütenpollen.

Ohne sich den Arm vorher abzuwischen, nahm er das Schreiben von Murali entgegen. Hinter ihm stand in einem Erker der Hauswand eine riesige rote Statue des schmerbäuchigen Ganesha. Auf einem Seilbett saß eine dicke Frau, umgeben von dicken Kindern. Und hinter ihnen waberte der Geruch eines fetten, kackenden Tiers – zweifellos ein Wasserbüffel.

«Wussten Sie schon, dass die Regierung der Witwe weitere achttausend Rupien auszahlt?», sagte Murali zu ihm. «Falls Sie noch Forderungen an sie haben, sollten Sie die schnell eintreiben. Sie ist jetzt in der Lage zu zahlen.»

«Wer sind Sie?», fragte der Geldverleiher mit schmalen, misstrauischen Augen.

Murali zögerte einen Moment und sagte dann: «Ich bin der fünfundfünfzigjährige Kommunist.»

Er wollte, dass sie es erfuhren. Die alte Frau und Sulochana. Sie waren jetzt in seiner Gewalt. Seit dem Tag, an dem sie ins Parteibüro gekommen waren, hatte er sie in seiner Gewalt gehabt.

Als er zu Hause ankam, fand er einen Brief des Genossen Thimma unter der Tür. Wahrscheinlich persönlich abgeliefert, weil es jetzt niemanden mehr gab, der noch etwas lieferte.

Er warf ihn weg. Indem er das tat, begriff er, dass er seine Mitgliedschaft in der Marxistisch-Maoistischen Kommunistischen Partei Indiens endgültig aufgab. Genosse Thimma mit dem teedurstigen Mund würde nun allein in der düsteren Halle seine Vorträge halten und ihn bezichtigen. Murali schloss sich Bernstein, Trotzki und all den anderen Renegaten an.

Um Mitternacht war er immer noch wach. Er lag auf dem Rücken und starrte den schnell rotierenden Deckenventilator an, dessen Blätter das Licht der Halogenstraßenlampen vor dem Schlafzimmer in scharfe, weiße Splitter hackten. Sie rieselten auf Murali hinab wie die ersten Brosamen der Weisheit, die er je in seinem Leben empfangen hatte.

Lange schaute er dem schimmernden Kreisen der Ventilatorenblätter zu. Dann gab er sich einen Ruck und stand auf.

CHRONOLOGIE

1984

31. Oktober:

Die BBC verbreitet in Kittur die Nachricht, dass die indische Premierministerin Frau Indira Gandhi von ihren eigenen Leibwächtern erschossen worden ist. Die Stadt ordnet eine zweitägige Staatstrauer an. Die Liveübertragung von Frau Gandhis Einäscherung führt in Kittur zu einem enormen Anstieg des Verkaufs von Fernsehgeräten.

November:

Allgemeine Wahlen. Anand Kumar, Kandidat der Kongresspartei und neuerdings Minister in Indira Gandhis Kabinett, verteidigt seinen Sitz. Sein Sieg mit einer Mehrheit von 45457 Stimmen über Ashwin Aithal, seinem Kontrahenten von der Bharatiya Janata Partei (BJP), ist der deutlichste Wahlerfolg in der Geschichte Kitturs.

1985

Angesichts des wachsenden Interesses am Aktienmarkt berichtet The Dawn Herald *ab sofort auf Seite 3 täglich über die Aktivitäten der Bombayer Börse.*

Dr. Shambhu Shetty eröffnet Kitturs erste Zahnklinik HAPPY SMILE CLINIC.

1986

Auf einer Massenkundgebung der Hoyka-Gemeinschaft auf dem

Nehru Maidan wird die Errichtung des ersten Tempels «für, von und mit den niederen Kasten» Kitturs bekannt gegeben.

In der Umbrella Street eröffnet die erste Videothek.

An der Kathedrale Our Lady of Valencia werden die vor über einem Jahrhundert eingestellten Bauarbeiten am nördlichen Glockenturm wieder aufgenommen.

1987
In Indien und Pakistan findet die Kricket-Weltmeisterschaft statt. Das Interesse an Kricket führt zu gesteigerter Nachfrage an Farbfernsehgeräten.

Im Bunder kommt es zu gewalttätigen Auseinandersetzungen zwischen Hindus und Moslems. Zwei Menschen werden getötet. Nächtliche Ausgangssperre im Hafen.

Die Landesregierung von Karnataka stuft Kittur von «Kreisstadt» auf «Stadt» hoch; der Gemeinderat wird zur Stadtverwaltung. Als erste Amtshandlung erteilt die neue Verwaltung die Genehmigung, den großen Wald von Bajpe abzuholzen.

Als Ursache für einen schweren Ausbruch der Cholera vermutet man den Zuzug tamilischer Wanderarbeiter, die vom Bauboom in Bajpe und an der Rose Lane angelockt wurden.

1988
Mabroor Ismail Engineer, der allgemein als reichster Mann der Stadt gilt, eröffnet den ersten Maruti-Suzuki-Salon in Kittur.
Die Rashtriya Swayamsevak Sangh (RSS) veranstaltet einen Demonstrationszug vom Angel Talkies zum Bunder. Die Demonstran-

ten fordern, dass Indien zu einer hinduistischen Nation erklärt wird, und eine Rückbesinnung auf traditionelle, soziale Werte.

Wahlen zur Stadtverwaltung. Die BJP und die Kongresspartei erringen annähernd die gleiche Anzahl an Sitzen.

Die wegen des Tods des Pfarrers seit einem Jahr ausgesetzten Arbeiten am nördlichen Glockenturm der Kathedrale Our Lady of Valencia werden wieder aufgenommen.

1989
Allgemeine Wahlen. Ashwin Aithal, der Kandidat der BJP, besiegt Anand Kumar, den Minister und Kandidaten der Kongresspartei. Aithal ist damit der erste Kandidat, der nicht der Kongresspartei angehört und den Wahlbezirk Kittur gewinnt.

Das Sardar Patel – Indiens Iron-Man-Stadion – wird in Bajpe eröffnet. In der näheren Umgebung wird der Hausbau zügig vorangetrieben, und Ende des Jahres ist der alte Wald fast vollständig verschwunden.

1990
Am St. Alfonso Boys' High School and Junior College explodiert während des Chemieunterrichts eine Bombe, was zur vorübergehenden Schließung der Schule führt. The Dawn Herald *bringt auf Seite 1 einen Kommentar mit der Überschrift: «Braucht Indien Kriegsrecht?»*

Am St. Alfonso Boys' High School and Junior College wird Kitturs erstes Computerlabor eingerichtet. Innerhalb eines Jahres ziehen andere Schulen nach.
Der Ausbruch des Golfkriegs führt zu sinkenden Geldüberweisungen

der in Kuwait arbeitenden Bürger. In der Folge kommt es zu einer schweren Wirtschaftskrise. Gleichwohl führen die Fernsehübertragungen des Kriegsgeschehens durch CNN, die nur per Satellitenschüssel zu empfangen sind, in Kittur zu einer enorm gesteigerten Nachfrage nach TV-Satellitenschüsseln.

Die Arbeiten am nördlichen Glockenturm der Kathedrale werden aus Mangel an Finanzmitteln erneut eingestellt.

1991
21. Mai:
CNN verbreitet in Kittur die Nachricht von der Ermordung Rajiv Gandhis. Die Stadt ordnet eine zweitägige Staatstrauer an.

AUS DEM VERLAGSPROGRAMM

Andre Dubus III
DER GARTEN DER LETZTEN TAGE
Roman
600 Seiten. München 2009

Victor Lodato
MATHILDA SAVITCH
Roman
299 Seiten. München 2009

Anne Wiazemsky
JEUNE FILLE
Roman
206 Seiten. München 2009

Kristín Steinsdóttir
EIGENE WEGE
Roman
127 Seiten. München 2009

Tina Uebel
DIE WAHRHEIT ÜBER FRANKIE
Roman
310 Seiten. München 2009

Norbert Scheuer
ÜBERM RAUSCHEN
Roman
167 Seiten. München 2009

Dagmar Leupold
DIE HELLIGKEIT DER NACHT
Ein Journal. Roman
207 Seiten. München 2009

Aravind Adiga

«DER WEISSE TIGER»

Leseprobe:

Zu Händen von:

SEINE EXZELLENZ WEN
JIABAO BÜRO DES MINISTERPRÄSIDENTEN
PEKING
HAUPTSTADT DER FREIHEITSLIEBENDEN NATION CHINA

Gesandt von:

«DER WEISSE TIGER»
EIN DENKER
UND UNTERNEHMER
WOHNHAFT IN DER WELTHAUPTSTADT VON
COMPUTERTECHNOLOGIE UND OUTSOURCING,
ELECTRONICS CITY PHASE 1
(DICHT BEI DER HOSUR MAIN ROAD)
BANGALORE
INDIEN

. . .

Wie alle guten Geschichten aus Bangalore beginnt auch meine weit weg von Bangalore. Denn jetzt lebe ich zwar im Licht, aber geboren und aufgewachsen bin ich in der Finsternis.

Aber das bezieht sich nicht auf die Tageszeit, Herr Ministerpräsident!

Ich meine einen Teil Indiens, mindestens ein Drittel des Landes, eine fruchtbare Gegend voller Reisfelder und Weizenfelder, dazwischen mit Lotos und Seerosen überwucherte Teiche, durch die Wasserbüffel waten, welche an den Lotosblüten und Seerosen knabbern. Die Menschen, die in dieser Gegend leben, nennen sie «Die Finsternis». Sie müssen verstehen, Exzellenz, dass Indien gleichzeitig zwei Länder ist: das Indien des Lichtes und das Indien der Finsternis. Das Meer bringt das Licht nach Indien. Alle Gegenden, die nicht allzu weit vom Meer entfernt liegen, sind wohlhabend. Der Fluss jedoch bringt Indien die Finsternis – der Schwarze Fluss.

Von welchem Schwarzen Fluss aber rede ich – von welchem Fluss des Todes mit Ufern aus schwerem dunklen Schlamm, dessen fester Griff alles, was darin gepflanzt wird, erstickt, erwürgt, verkümmern lässt?

Nun, ich spreche natürlich von Mutter Ganges, Tochter der Veden, Fluss der Lichter, unser aller Beschützerin, welche die Kette von Geburt und Wiedergeburt durchbricht. Überall, wo dieser Fluss fließt, da herrscht die Finsternis.

Was Indien betrifft, Sir, so können Sie beinahe alles, was Sie vom Premierminister über das Land hören, auf den Kopf stellen, dann wissen Sie die Wahrheit. Sie haben sicher schon gehört, dass man den Ganges den Fluss der Befreiung nennt, und Hunderte amerikanischer Touristen kommen nach Hardwar oder Benares, um nackte *Sadhus* zu fotografieren, und so wird unser Premierminister es Ihnen sicherlich auch schildern und Sie dann auffordern, selbst ein Bad darin zu nehmen.

Nein! – Mr Jiabao, ich ersuche Sie dringend, nicht in den Ganges zu steigen, es sei denn, Sie wollen den Mund voll mit Fäkalien, Stroh, aufgedunsenen menschlichen Körperteilen, Büffelkadavern und sieben verschiedenen industriellen Säuren bekommen.

Ich weiß nämlich alles über den Ganges, Sir – als ich sechs oder sieben oder acht Jahre alt war (in meinem Dorf weiß niemand sein genaues Alter), habe ich den heiligsten Ort am Ufer des Ganges besucht – die Stadt Benares. Ich erinnere mich, wie ich als Letzter einer Prozession mit der Leiche meiner Mutter in der heiligen Stadt Benares die Stufen einer abschüssigen Straße hinab zum Ganges stieg.

Kusum, meine Großmutter, führte den Leichenzug an. Die gerissene alte Kusum! Wenn sie sich freute, rieb sie sich immer die Unterarme, als ob sie ein Stück Ingwer raspelte, nur dass sie dabei statt Ingwer Grinsen produzierte. Sie hatte keine Zähne mehr, aber das machte ihr Grinsen nur noch verschlagener. Sie hatte sich an die Spitze unseres Hauses gegrinst; alle Söhne und Schwiegertöchter lebten in Furcht vor ihr.

Hinter ihr gingen mein Vater und mein Bruder Kishan, die das vordere Ende des Rohrgeflechts trugen, auf dem die Leiche ruhte; meine Onkel, die Munnu, Jayram, Divyram und Umesh heißen, folgten dahinter und hielten das Ende der Trage. Die Leiche meiner Mutter war von Kopf bis Fuß in ein safrangelbes Seidentuch gewickelt und mit Rosenblättern und Jasmingirlanden bedeckt. Ich glaube nicht, dass sie im Leben jemals so etwas Feines getragen hatte. (Ihr Tod wurde so prunkvoll begangen, dass ich sofort wusste, ihr Leben musste elend gewesen sein. Meine Familie hatte offenbar Schuldgefühle.) Meine Tanten – Rabri, Shalini, Malini, Luttu, Jaydevi und Ruchi – drehten sich dauernd zu mir um und klatschten in die Hände, damit ich zu ihnen aufschloss. Ich weiß noch, wie ich die Hände schwang und sang: «Shivas Name ist Wahrheit!»

Wir kamen an einem Tempel nach dem anderen vorbei und beteten zu einem Gott nach dem anderen, dann gingen wir im Gänsemarsch zwischen einem Tempel für den Gott Hanuman und einer offenen Sporthalle vorbei, in der drei Bodybuilder rostige Hanteln stemmten. Ich roch den Fluss, bevor ich ihn sehen konnte: der Gestank verwesenden Fleisches, der zu meiner Linken aufstieg. Ich sang lauter:

«... die einzige Wahrheit!»

Dann war ungeheurer Lärm zu hören: Feuerholz wurde gespalten. Am Rand des Ghats, direkt am Wasser, hatte man eine hölzerne Plattform errichtet; darauf lagen dicke Holzscheite gestapelt, die von Männern mit Äxten zerhackt wurden. Die kleineren Scheite wurden auf den Stufen des *Ghats*, die ins Wasser führten, zu Scheiterhaufen aufgestapelt; vier Leichen brannten bereits, als wir ankamen. Wir warteten, bis wir dran waren.

In der Ferne glitzerte eine Insel aus weißem Sand, und Boote voller Menschen hielten darauf zu. Ich überlegte, ob die Seele meiner Mutter wohl dorthin geflogen sei, an jenen leuchtenden Ort inmitten des Flusses.

Ich habe erwähnt, dass die Leiche meiner Mutter in ein Seidentuch gehüllt war. Dieses Tuch wurde ihr jetzt übers Gesicht gezogen; und so viele Holzscheite, wie wir bezahlen konnten, wurden über den Leichnam gehäuft, bis nichts mehr davon zu sehen war. Dann zündete der Priester meine Mutter an.

«Sie war ein braves, stilles Mädchen, als sie in unser Heim kam», sagte Kusum und legte mir ihre schwere Hand aufs Gesicht. «Ich war nicht diejenige, die Streit gesucht hat.»

Ich schüttelte ihre Hand von meinem Gesicht. Ich beobachtete meine Mutter. Als die Flammen die Seide verzehrten, zuckte ein blasser Fuß heraus wie etwas Lebendiges; die Zehen, die in der Hitze bereits schmolzen, rollten sich auf, widersetzten sich dem, was mit ihnen geschah. Kusum schob den Fuß zurück ins Feuer, aber er wollte nicht brennen. Mein Herz fing an zu rasen. Meine Mutter wollte sich nicht vernichten lassen.

Unter der Plattform, wo das Holz gehackt wurde, hatte der Fluss am Ufer einen mächtigen, schleimigen Hügel schwarzen Schlamm angespült. Dieser Buckel war mit Jasmingirlanden, Rosenblüten, Seidenfetzen und verkohlten Knochen übersät; ein bleicher Hund kroch schnüffelnd zwischen den Blütenblättern, Stoffstreifen und Knochen herum.

Ich blickte auf den Schlamm und den gekrümmten Fuß meiner Mutter, und ich begriff.

Der Schlamm hielt sie zurück; dieser massige, schwellende Hügel aus schwarzem Schlamm. Sie versuchte dem Schlamm zu entkommen; ihre Zehen waren angespannt; doch der Schlamm saugte sie ein, saugte sie immer tiefer. Sie war eine starke Frau, auch im Tod noch, doch der Schlamm war so dick, und mit jeder Sekunde, die der Fluss gegen das *Ghat* schwappte, wurde es immer noch mehr. Bald würde sie ein Teil des schwarzen Hügels werden, und der bleiche Hund würde an ihr lecken.

Und da verstand ich es: Das war der wahre Gott von Benares – dieser schwarze Schlamm des Ganges, in dem jeder sterbend versank und verweste, aus dem er wiedergeboren wurde und in den er im Tod wieder versank. Das Gleiche würde mit mir geschehen, wenn ich starb und sie mich herbrachten. Hier wurde nichts befreit.

Ich hörte auf zu atmen. Zum ersten Mal im Leben wurde ich ohnmächtig. Seitdem bin ich nicht mehr am Ganges gewesen: Den Fluss überlasse ich den amerikanischen Touristen!